世界一わかりやすい

家づくりの教科書

2024
|
2025

X-Knowledge

はじめに

家づくりのお金はどれくらい用意すればいいのだろう。時間はどれくらいかかるのだろう。いざ、家づくりをスタートさせると、多くの事柄が関連してきて、頭を悩まされます。本書は、家づくりを始めるときに必要となる幅広い知識を網羅した家づくりガイドの完全版です。一見して専門的な難しい話題や言葉でも、丁寧な説明を心がけています。また、初めての人でもわかりやすいように、豊富なイラスト図と具体的なデータでガイドしていきます。

1章は、誰もが直面し、戸惑うお金の話を説明します。2章では、土地や建物に関して、最低限知っておいたほうがよい法律を解説します。家族の要望のまとめ方や依頼先に関しては3章にまとめました。

間取りのプランニングは4章で解説します。家族それぞれが快適に暮らせる間取りをどのようにつくるか、順を追って考えます。最新の設備や建材は、5章と6章に記載します。7章では、住まいのトレンドとして、「地震に強い家」「高断熱・高気密住宅」「バリアフリー住宅」「多世帯住宅」などの考えを取り入れた家のつくり方をまとめています。

おおよそのプランが決まったら、詳細な図面を作成し、見積書でコストを調整します。8章では、平面図、断面図、詳細図の読み方と、見積書の読み方をお伝えします。また、職人とのつきあい方や現場チェックなど、工事現場での流れに関して、9章で解説します。建物の構造と工法にも触れています。

10章ではマイホームを維持・管理するためのガイドラインを押さえましょう。

全部で175もの家づくりのセオリーで、初めての家づくりをサポートします。家づくりのイメージをより具体的にして、楽しみながら理想の住まいを手に入れましょう。

目次

最新 2023—2024トピックス

第1章 家づくりのお金

第2章 土地の選び方と買い方

第3章 家づくりを依頼する

第4章 居心地よい間取りを考える

第5章 住まいの設備を選ぶ

第6章 家の素材・建材を知る

第7章 住まいのトレンド

カバーイラスト　伊藤ハムスター
装丁　セキネシンイチ制作室
デザイン　ジン・グラフィック
本文イラスト　伊藤ハムスター／作間達也／飛鳥幸子／新名ゆかり
本文ＤＴＰ　天龍社

最新

2023-2024 トピックス

環境に配慮した省エネ住宅
づくりが加速しています。
これからの家づくりに
欠かせない最新情報です。

001

新築するなら利用すべき支援策

大きなお金が必要になる家づくりだが、国からいくつかの支援策が用意されている。①最大100万円が補助される「子育てエコホーム支援事業」、②最大1千万円まで税金がかからない「贈与税非課税枠」、③所得税が13年間で最大455万円控除される住宅ローン減税、である。これらは併用もできるので、ぜひ利用したい。

なお、消費税は建築費や仲介手数料にはかかるが、土地代や個人間売買の中古住宅についてはかからないので注意を。

住宅取得のための3つの支援策

1. 子育てエコホーム支援事業

子育て世帯や若者夫婦世帯等が高い省エネ性能を有する住宅を取得する場合、補助金が支給される

最大100万円の補助金！

[47頁]

2. 贈与税非課税枠

父母や祖父母などから住宅購入資金の贈与を受けた場合に、一定の要件を満たすと贈与税が非課税になる特例

最大1000万円が非課税に！

[32頁]

3. 住宅ローン減税

毎年末の住宅ローン残高の0.7％を、所得税から控除する制度。2025年12月までの入居に適用される

最大455万円所得から控除！

[46頁]

消費税がかかるもの・かからないもの

	かかる	かからない
購入代金	・建物購入代金 ・建物のリフォーム代金 ・家具やカーテン	・土地購入代金 ・個人間売買の中古住宅購入代金
登記費用	・司法書士手数料 ・土地家屋調査士手数料	・登録免許税
融資関係	・ローン事務手数料	・ローン金利、保証料 ・火災保険料、地震保険料 ・団体生命保険の保険料
その他	・引っ越し費用 ・仲介手数料	・不動産取得税 ・固定資産税、都市計画税

002

新築するならZEH住宅を検討しよう

2025年4月からは、すべての新築住宅は現在の省エネ住宅の基準とすることが義務化される。また、2030年までには、さらに高いレベルの省エネ基準であるZEH水準が義務化される予定となっている。

そのため、これから家づくりを考えるのであれば、ZEH住宅（省エネと創エネにより1年間で消費する住宅のエネルギー量をゼロにする住宅）にすることを検討するとよいでしょう。

ZEH（ネット・ゼロ・エネルギーハウス）とは

基準一次エネルギー消費量から20%以上削減
（再生可能エネルギーを除く）

一次エネルギー消費量

建築物省エネ法基準	ZEH
暖房	暖房
冷房	冷房
換気	換気
照明	照明
給湯	給湯

20% 以上省エネ

再生エネルギーを導入
（容量不問）

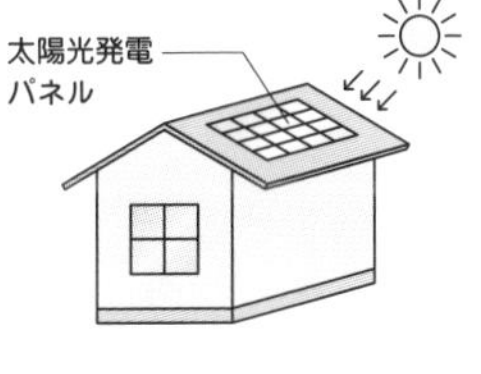

一次エネルギー消費量－（省エネ＋創エネ）≦0

ZEHのメリットと導入のポイント

ZEHのメリット

①健康で快適な毎日が送れる

ZEHは住居内の室温の変化が少なく、寒暖差によってリスクが高まるヒートショックによる事故を防ぐ。

②光熱費が安くなる=家計と環境に優しい

高断熱、高性能な省エネ機器、創エネにより、今後エネルギー価格が上がっても月々の光熱費を安く抑えられる。

③災害時の安全・安心

台風や地震などの災害時でも、太陽光発電・蓄電池設備があれば電力が供給される。

ZEHにするポイント

①高断熱の壁や窓で、室温を一定に保つ

ZEHの高断熱な壁・床・屋根・窓は、夏は日射の熱を室内に入れず、冬は室内の暖かい熱を外に逃がさない。

②高効率機器の導入で、省エネルギー基準達成住宅よりも2割以上省エネに

高断熱な窓や壁に加え、省エネ性能の高い空調・換気・給湯・照明を導入することで、エネルギー消費量を大きく削減できる。

③創エネで年間のエネルギー収支をゼロに

屋根に太陽光発電設備を設置したZEHでは、創り出したエネルギーを日常生活に利用することで、年間のエネルギー収支をゼロにすることも可能。

003

省エネ性能の高い住宅はフラット35などでも優遇

フラット35S［36頁］は、省エネ性能を備えた質の高い住宅を取得する場合に、フラット35の借入金利が一定期間引き下げられる制度。ZEH住宅の場合には、当初5年間0.75％、金利が引き下げられる。また、2024年1月以降に建築確認を受けた新築住宅で住宅ローン減税［46頁］を受けるには、省エネ性能が必須となる。省エネ基準を満たさない場合には、住宅ローン減税の対象とならないので注意が必要。

フラット35Sの住宅の技術基準レベル

建築基準法

フラット35

フラット35S
金利Bプラン

フラット35S
金利Aプラン

フラット35S
ZEH

技術基準のレベル　より高い

フラット35Sは、①省エネルギー性、②耐震性、③バリアフリー性、④耐久性・可変性の4つの性能を備えた質の高い住宅を取得する場合に、フラット35の借入金利が一定期間引き下げられる制度。利用するには、メニューごとに設定された技術基準を満たす必要がある［36頁］。

質の高い住宅の取得を金利引下げで支援

金利引下げメニュー		金利引下げ期間	フラット35の借入金利からの金利引下げ幅
フラット35S	金利Bプラン	当初5年間	年−0.25%
	金利Aプラン	当初5年間	年−0.5%
	ZEH	当初5年間	年−0.75%

質の高い住宅は住宅ローン減税で優遇

住宅の環境性能等	控除率	控除期間	借入限度額		
			2024年12月までに入居		2025年12月までに入居
			子育て世帯［※1］・若者夫婦世帯［※2］	その他の世帯	
長期優良住宅・低炭素住宅	0.7%	13年間	5000万円	4500万円	4500万円
ZEH水準省エネ住宅			4500万円	3500万円	3500万円
省エネ基準適合住宅			4000万円	3000万円	3000万円
省エネ基準を満たさない住宅		—	0［※3］		

※1 19歳未満の子を有する世帯
※2 夫婦のいずれかが39歳以下の世帯
※3 2023年12月までに建築確認を受けた場合。控除期間は10年間で、借入限度額は2000万円

第1章
家づくりのお金

家づくりにはどれくらいの
お金がかかるのでしょう?
資金やローンなど、
マネーの知識が満載です。

004

家づくりのお金の基本

家づくりのお金には、2つのポイントがある。

1つは、家を建てるのにいくらかかるのかという「費用」について。建物を建てる工事費以外にも、設計料、税金、登記費用、住宅ローンの手続き費用、引っ越し費用など、さまざまな諸費用がかかる。

もう1つは、費用を支払うための「資金」をどこでどう用意するか。これは自己資金と、銀行などから借りる住宅ローンを組み合わせることが多い。

家づくりのお金のポイント

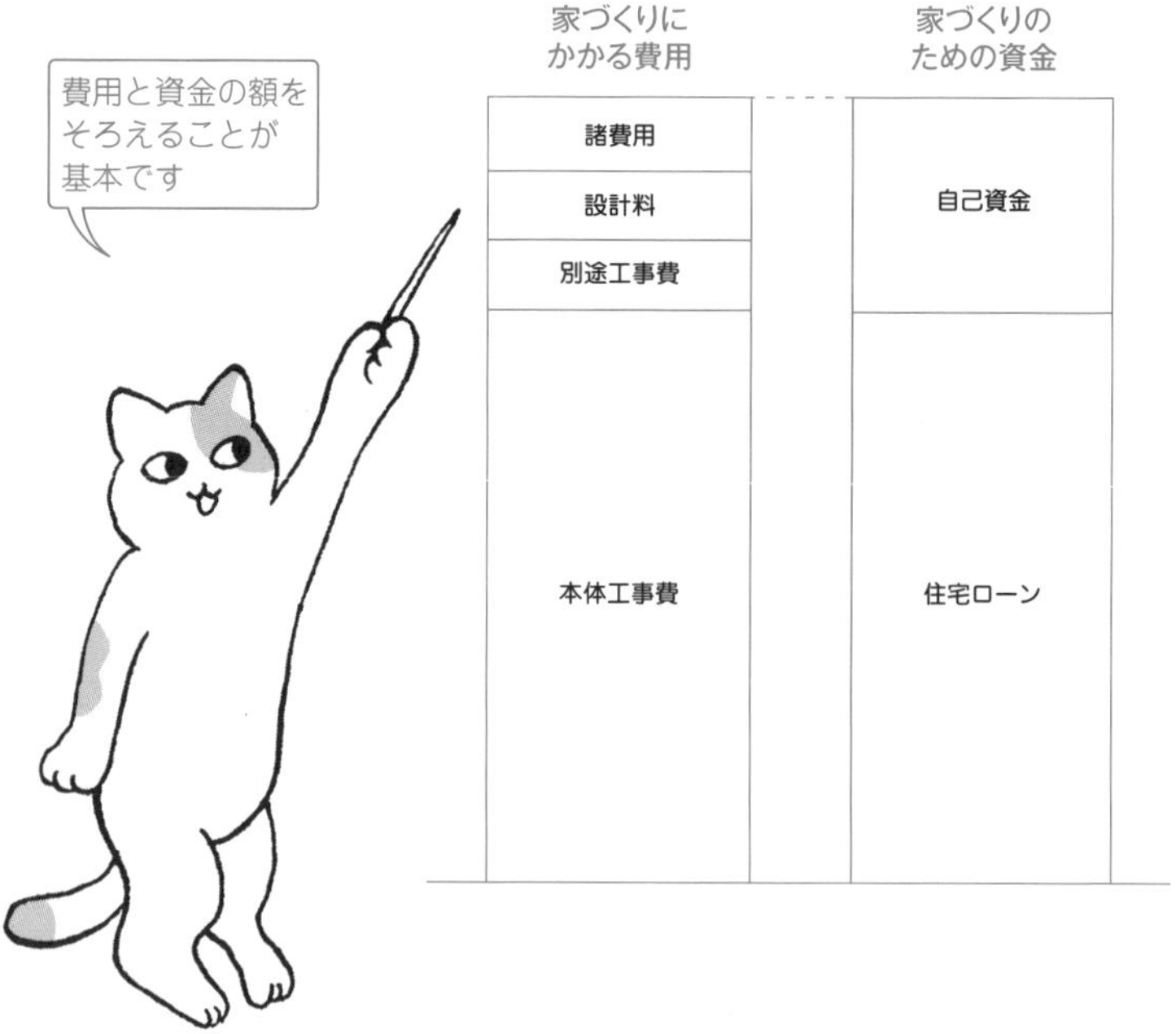

これから費用と資金調達の詳しい内容を見ていこう。いつ・どこに・どれだけ支払えばいいのか、という支払いスケジュールも確認しておきたい。また、住宅ローン減税や建物の共有名義など、知っておくと得する知識もいくつかある。お金に関する話はたくさんあって難しく感じるかもしれないが、1つひとつ順番に押さえていけば大丈夫だ。

005

家づくりの費用の内訳を確認しよう

家づくりは、大まかにいうと、本体工事費・別途工事費・設計料・諸費用の4つの費用がかかる。本体工事費は総費用の約70％が目安で、通常、消費税も含めて考えられる。

少しややこしいが、別途工事費は本体工事費の約15～20％、設計料は建築工事費（本体工事費＋別途工事費）の約10％となる。諸費用の額は、資金調達の方法や仮住まいの有無などによって大きく変わるが、最低、建築工事費の5％程度は必要だ。

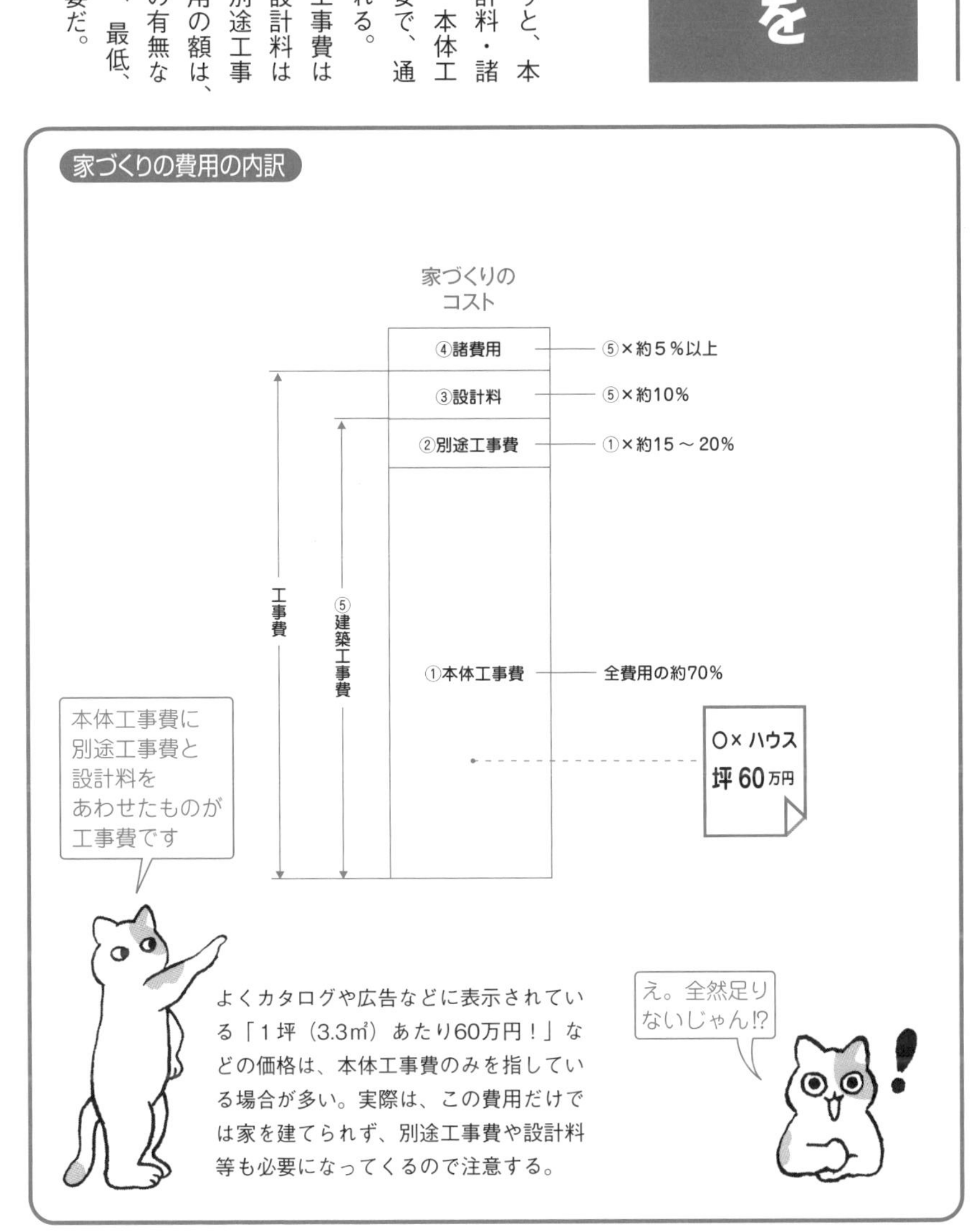

006

本体工事費は条件によって変わる

建物の価格は構造や広さ、間取り、グレードによって大きく変わるほか、同じ仕様の建物でも、建てる場所や時期、支払い条件などにより異なる。全国で地域差もある。そのため、建築工事費は1つひとつ見積りを取り、きちんとした数字を出す必要がある。

本体工事費については、住居専用建物の都道府県別の工事費単価や住宅金融支援機構の「フラット35」の対象となった個人住宅のデータが参考になる。別途工事費は、本体工事費の15～20%を目安にするとよい。

敷地条件で値段が変わる

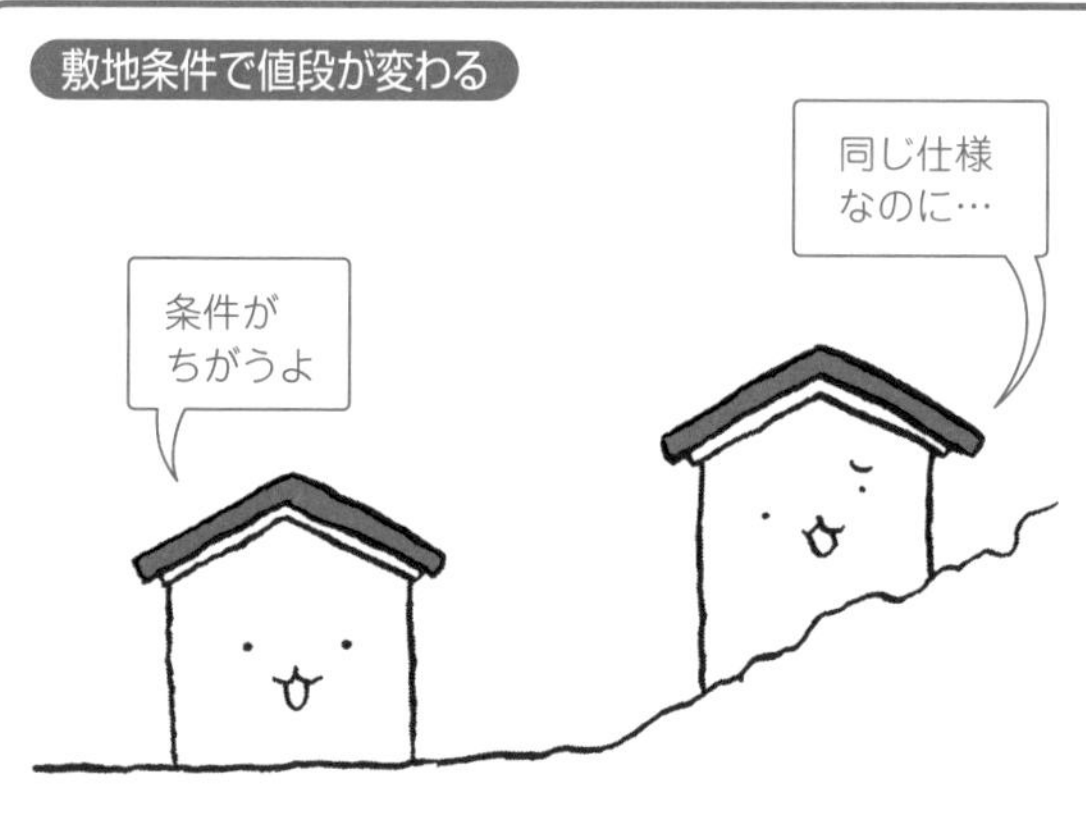

同じ建物でも同じ値段じゃない!?

ハウスメーカーのカタログなどを見ると、同じ建物なら同じ価格のように見えるが、建てる場所や時期、支払い条件などによって価格は変わる。たとえば、傾斜地では平地よりも基礎工事費が高くなるのは当然だ。

構造で値段が変わる

構造によっても材料の価格が異なるため、家の価格は異なってくる。木造住宅の全国平均坪単価（本体工事費）は、約78.0万円、鉄骨造住宅は約109.4万円となっている。

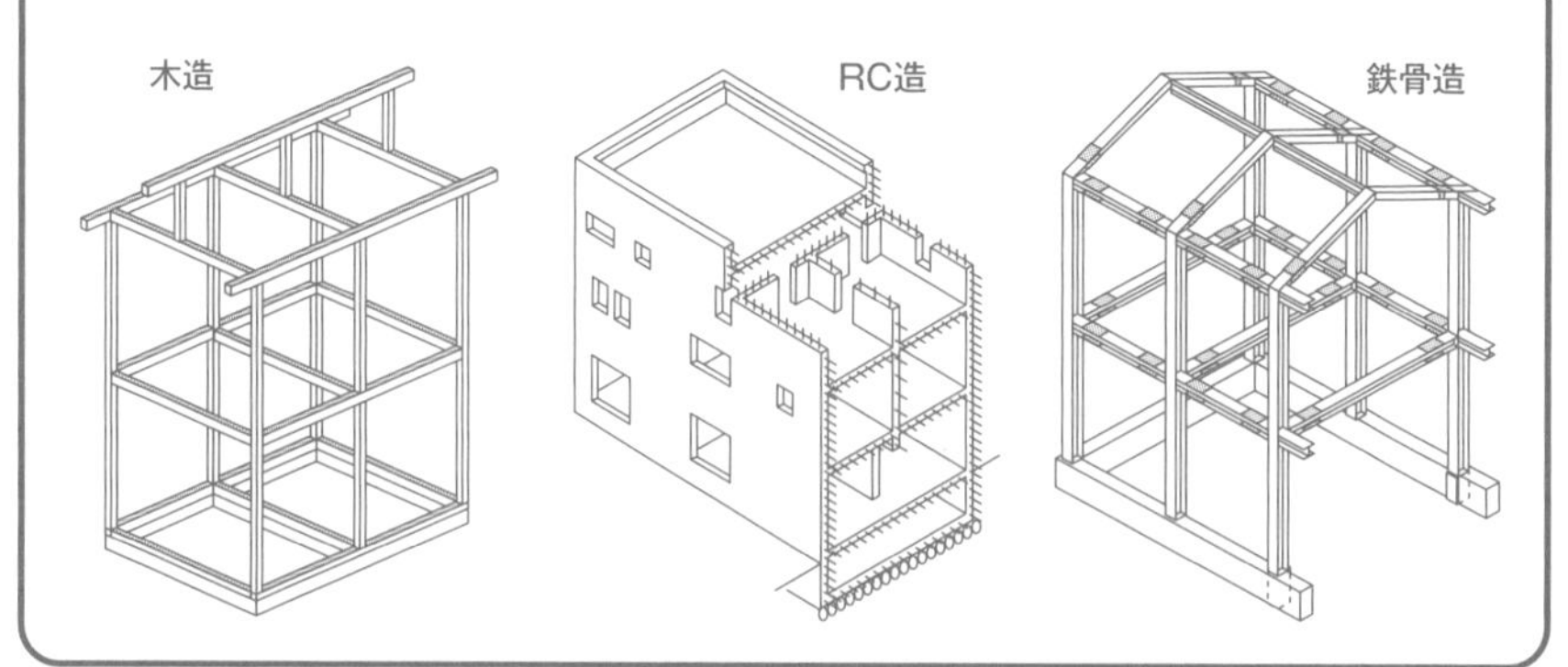

都道府県別工事費単価と注文住宅の戸当たり建設単価

（単位：万円/㎡）

	木造	鉄骨造	ＲＣ造	全体	注文住宅の建設単価
全国	23.6	33.1	38.5	24.8	30.3
北海道	24.9	33.0	44.0	25.4	29.4
青森県	21.6	31.0	26.3	22.0	26.6
岩手県	23.7	30.4	0.0	24.1	26.6
宮城県	23.0	29.4	26.8	23.5	28.0
秋田県	21.6	33.2	25.5	22.2	27.0
山形県	23.7	33.5	30.6	24.2	28.0
福島県	23.6	32.7	0.0	24.2	29.0
茨城県	22.5	29.1	36.9	23.2	28.4
栃木県	23.2	28.7	50.1	23.9	29.2
群馬県	23.5	31.5	34.8	24.4	27.9
埼玉県	22.5	32.7	42.6	23.8	31.1
千葉県	23.7	34.3	33.6	24.9	30.1
東京都	26.6	39.5	65.7	29.4	35.9
神奈川県	24.4	37.7	54.5	26.4	32.9
新潟県	24.4	31.2	24.1	24.9	27.9
富山県	24.6	33.4	30.1	24.8	27.1
石川県	24.2	32.2	29.2	24.5	28.8
福井県	23.0	33.8	0.0	23.5	27.8
山梨県	24.9	30.8	18.3	25.6	27.5
長野県	27.0	30.3	61.2	27.6	31.5
岐阜県	24.3	33.2	33.2	25.5	29.0
静岡県	24.0	30.6	28.6	25.0	30.0
愛知県	23.9	32.7	42.0	25.7	31.0
三重県	25.0	32.7	32.9	26.2	30.1
滋賀県	21.8	32.0	65.3	23.2	29.0
京都府	20.9	34.2	47.9	24.3	32.6
大阪府	21.3	33.4	33.8	23.1	32.6
兵庫県	22.8	32.8	54.7	24.2	31.5
奈良県	22.6	31.6	32.1	23.8	31.3
和歌山県	21.4	32.8	42.8	22.8	30.9
鳥取県	24.4	29.8	0.0	24.6	28.8
島根県	25.5	31.7	62.8	25.9	31.9
岡山県	24.9	31.9	34.6	25.7	31.2
広島県	23.8	31.3	37.9	24.7	30.8
山口県	24.5	33.4	28.7	25.4	29.8
徳島県	22.7	28.8	59.9	23.2	27.1
香川県	23.7	30.7	57.7	24.4	30.1
愛媛県	22.2	33.8	22.3	22.6	28.2
高知県	24.5	30.1	42.6	25.1	28.6
福岡県	22.8	31.8	46.6	24.1	29.6
佐賀県	22.2	31.3	0.0	22.7	29.0
長崎県	21.9	31.1	46.2	22.4	28.0
熊本県	23.2	29.8	27.2	23.6	29.6
大分県	22.9	33.0	29.4	23.9	31.3
宮崎県	21.6	31.7	60.7	22.3	30.1
鹿児島県	22.4	30.2	35.4	22.7	28.7
沖縄県	24.8	33.2	29.0	27.7	31.9

・都道府県別工事費単価（居住専用）：国土交通省「建築着工統計」（2023年度）より作成。「全体」は、構造の種別にSRC造、コンクリートブロック造、その他を含む
・注文住宅の戸当たり建設単価（構造問わず）：住宅金融支援機構「2022年度フラット35利用者調査」より作成

007

別途工事費と設計料を見込んでおく

別途工事費をさらに細かくみると、地盤改良工事費や外構工事費、照明器具工事費などいろいろある（下表参照）。

設計料は、設計から監理業務までの対価として設計事務所に払うもの。一般的な木造戸建て住宅で建築工事費（本体工事費 ＋ 別途工事費）の約10％、建築規模が小さいと10～15％程度、大きいと7～10％程度となる。「設計料をとりません」というハウスメーカーや工務店でも、設計料は発生している。

別途工事費の概要

別途工事費	内容
既存建物の解体費	何も建っていない土地なら必要ないが、建て替えの場合などは必要。一般的な木造住宅の解体なら、1㎡あたり 1 ～ 1.5 万円前後。最近は建築廃材の廃棄コストが高くなっている
地盤改良工事費	通常の木造住宅を建てる場合はほとんど必要ないが、埋め立て地などの軟弱地盤では必要。専門家に相談することをすすめる
外構工事費	フェンスや塀、門扉、屋外駐車場、アプローチ、庭の造園、植栽など、建物の外まわりの費用全般を指す。金額は施工内容により千差万別。通常、建物完成間際に施工されるため、予算に余裕のないことが多いようだ
照明器具工事費	リビングやダイニング、寝室などの、本体工事費に含まれない照明器具（洗面所や浴室など水まわりの照明器具は本体工事に含まれることが多い）。こちらも建物完成間際の工事となるため予算に余裕のない場合が多いが、照明は部屋の印象に大きく影響するものなので、ある程度の予算を見込んでおきたい項目
カーテン工事費	各部屋のカーテンやロールブラインド、カーテンレール、カーテンボックスなどの工事費。照明器具同様、部屋の印象を決める大切な要素なので、当初からある程度の予算を見込んでおきたい
空調工事・特殊設備工事費	クーラーなどの冷暖房機器の配管・取り付け工事や、床暖房、24 時間換気システム、家庭内 LAN システムなどの特殊な設備工事の費用。最近の健康志向、IT 対応などによりニーズが高まっているが、コスト的には相当大きな負担になることも
屋外電気工事費・屋外給排水衛生工事費	建物外部（敷地内）の配線・配管工事と、門、アプローチ、庭、屋外駐車場などの電気・給排水衛生工事のこと。外構工事費に含める場合もある
引き込み工事費	上下水道や電話、CATV、通信回線などの引き込みの費用。自治体によって負担金が決まっていることが多い。CATV やインターネット利用などのために専用の回線を引き込むことも多くなっており、その費用を見込んでおくことも必要だ

008 着工時に工事費の20%を支払う

では、ここまでに解説してきた本体工事費・別途工事費、設計料の支払いタイミングを確認しておこう。

家のプランが決まって建築確認申請が通ったら、工事会社と工事請負契約を結ぶが、このとき「工事着手金」を支払う。工事費総計に対する着手金の比率は、ケースバイケースだが、最低でも20%程度は見込んでおいたほうがよい。ちなみに着手金は、原則、自己資金でまかなわなければならない。

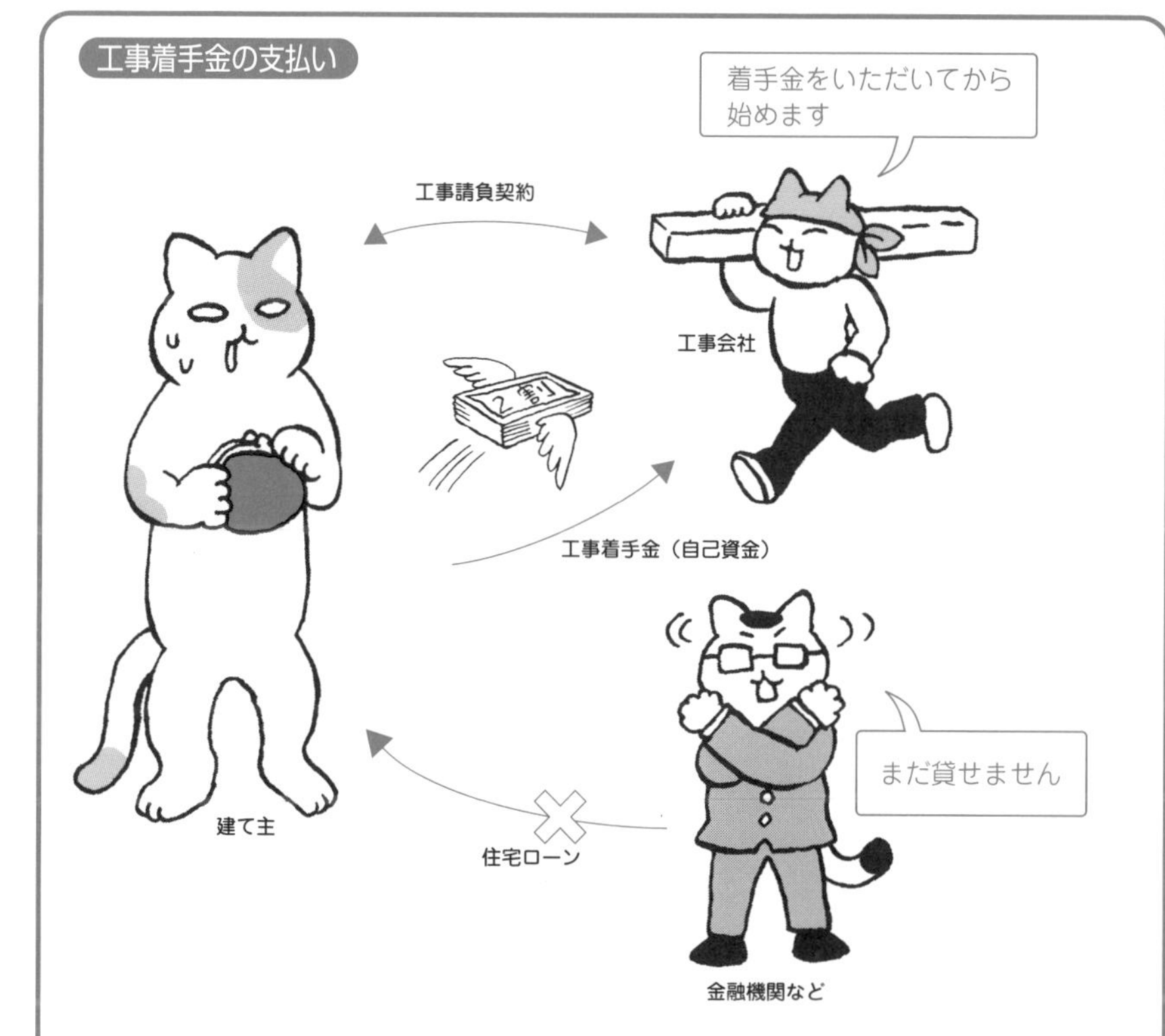

工事会社と工事請負契約を結ぶ際に、着手金を支払う。住宅ローンは、建物ができて保存登記されてから実行されるので、原則、建物完成までの費用は自己資金でまかなわなければならない。着手金の前にも、仮契約で設計料を支払ったり建築確認申請費用がかかったりする。また建て替えの場合は、解体費用、滅失登記費用、引っ越しや仮住まいが必要になる。何かとかかるこれらの費用も自己資金で用意しなければならないのが、家づくりの資金調達のポイントだ。

009

上棟時に中間金を支払う

着工後、契約によっては、家の骨組みと屋根ができあがった上棟時に「中間金」の支払いが発生する。この段階で工事費の20～30％程度を支払うこともあるが、支払い内容は工事請負契約に明記されるので始めの取り決めが大切だ。

着手金と同じく中間金も自己資金でまかなうのが原則だが、一部の金融機関などは中間資金のための融資を行っている。自己資金が足りず融資を受けたい人は早めに検討しよう。ただし、金利や手数料はかかる。

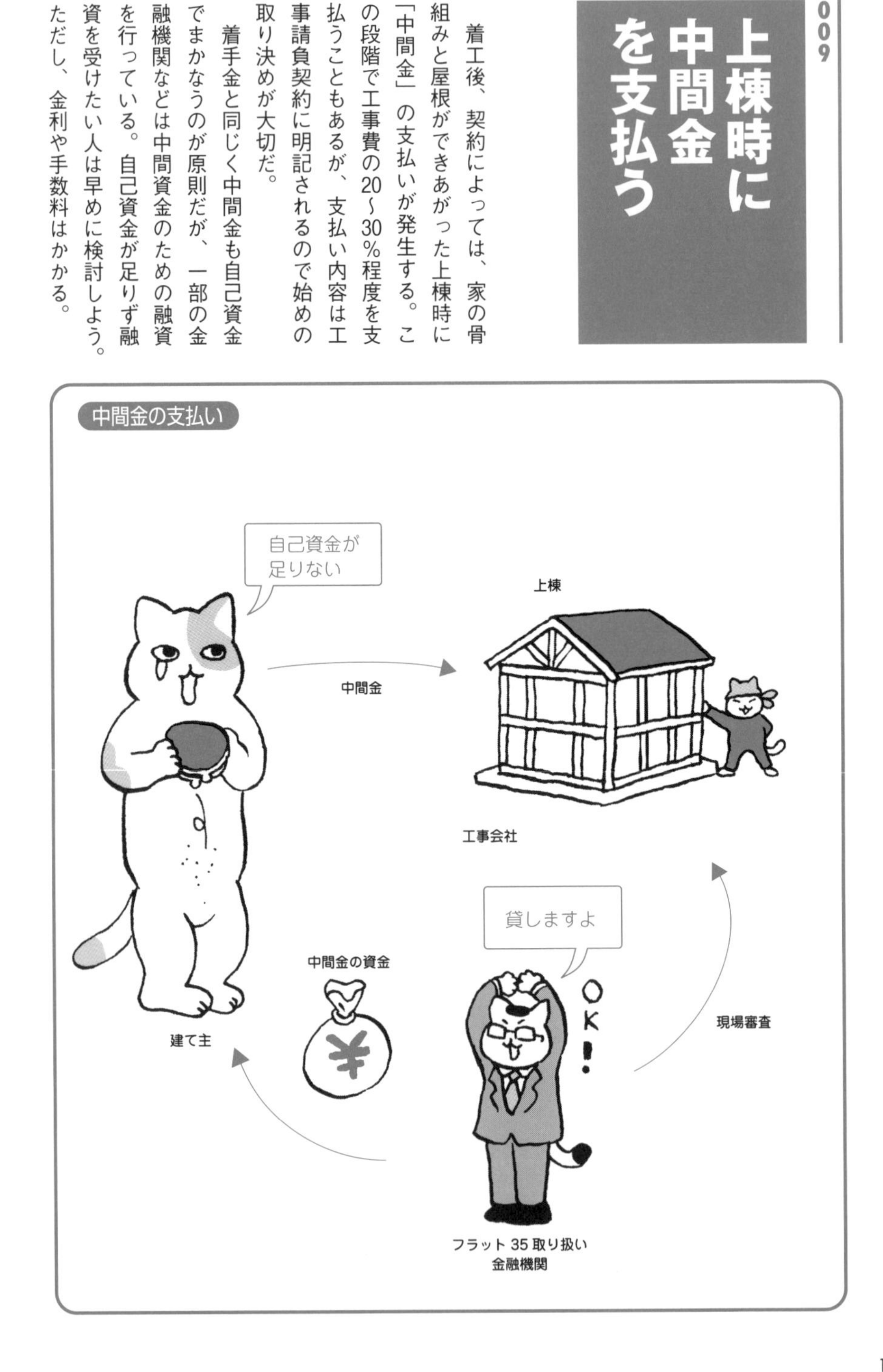

010

完成後、残金を支払う

多くの工事会社は、残金の支払いを引き渡しと同時に求めてくる。しかし、財形住宅融資等を利用する場合は、ローンの実行日よりも引き渡し・残金支払い日のほうが早いため、引き渡し前に別の融資を受けて資金を用意しておかなければならない。

そこで利用するのが、「つなぎ融資」だ。ローンが実行されるまでのあいだつなぎで借入し、引き渡し時に実行されたローンで残金決済を行う。つなぎ融資にも金利や手数料は発生する。

残金の支払いとつなぎ融資

引っ越しと同時に、工事費の残金のほか登記費用、ローン手数料、税金、保険料などを払わなければならない。

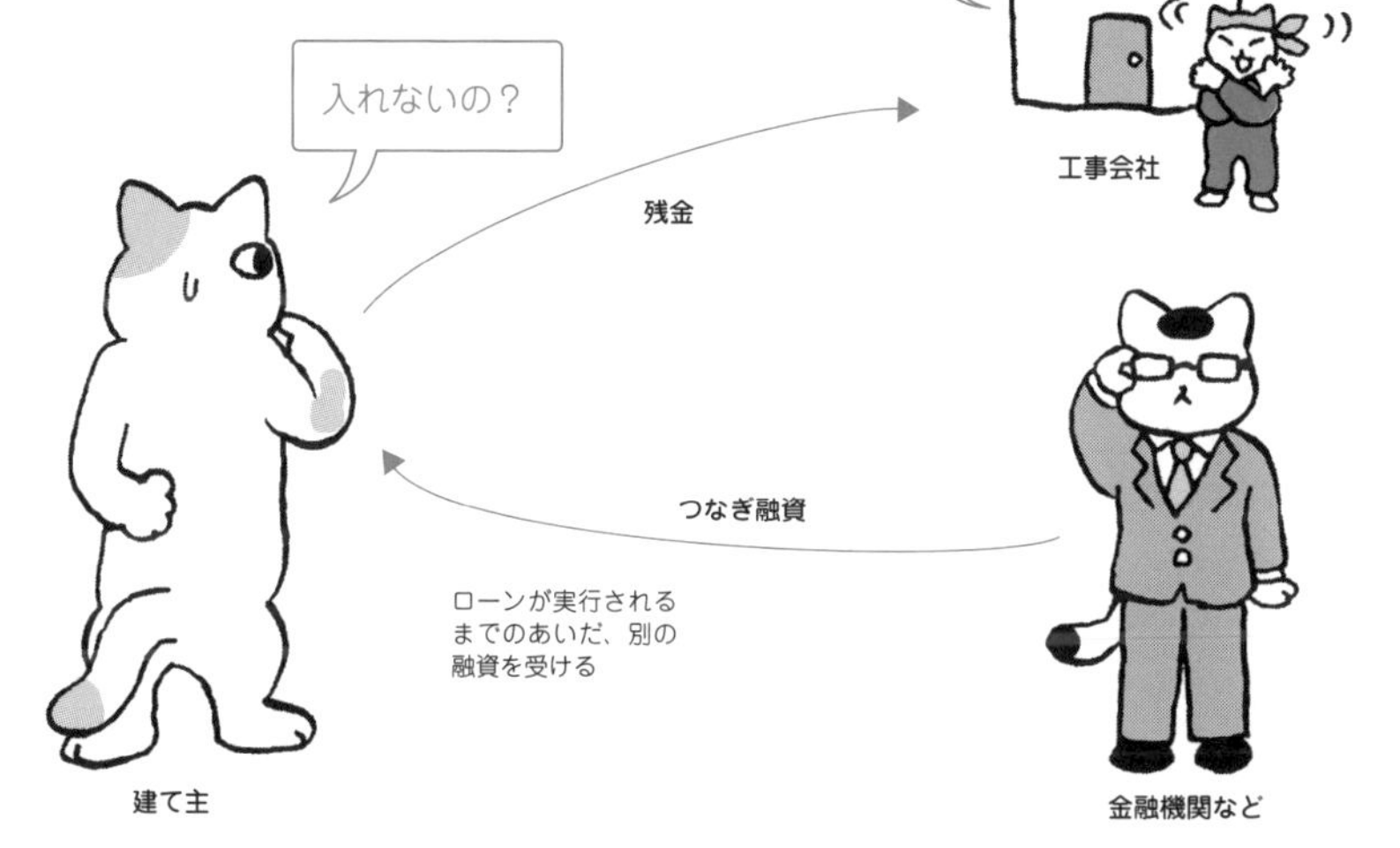

代理受理という方法も

「代理受理」といって、工事会社が直接金融機関から融資を受け取る契約にして残金決済を待ってもらう方法もある。ただし、代理受理が可能かどうかは工事会社次第。民間ローンは割と柔軟な対応をしてくれるが、いずれにせよ、ローン申し込み時に家づくりのスケジュールと支払い時期を担当者に詳しく伝えて相談しておくことが大切だ。

011

工事費以外のさまざまな諸費用

　工事費以外に必要な諸経費も意外と多い。下表の建築確認申請料や登記費用はかならずかかる。確認申請料は検査機関によって異なるが、床面積が100～200㎡の場合、数万円程度だ。建物表示登記等、土地家屋調査士や司法書士などへ約20万円の報酬・手数料を支払う。

　近隣挨拶関係費や地鎮祭・上棟式の費用は内容によって金額が変わり、ない場合もある。そのほか、ローン手数料や保険料、建て替えの場合は仮住まい費用などが必要になる。

家づくりの諸費用の概要

	諸経費	内容
工事関係	建築確認申請料	建築設計図書の確認申請の手数料。通常、設計料とは別に建て主負担となる
	近隣挨拶関係費	挨拶の手土産代など。規模の大きな住宅の場合、工事費の1～2%の近隣対策費が必要になることも
	地鎮祭費用	地鎮祭の費用のうち、建て主負担分
	上棟式・竣工式費用	通常、建て主が負担する
	※これ以外に、現場の職人への茶菓子代など	
引っ越し	引っ越し費用	新居への引っ越し代
登記関係	建物表示登記	土地家屋調査士への報酬と手数料
	土地所有移転登記／建物所有権保存登記	登録免許税と、司法書士への報酬
	抵当権設定登記	登録免許税と、司法書士への報酬
ローン関係	住宅ローン手数料	フラット35の場合は「融資手数料」、銀行の場合は「事務手数料」という
	住宅ローン保証料	銀行融資の場合には、連帯保証人がいなければ保証会社に支払う。フラット35の場合は不要
	団体信用生命保険特約料	ローン契約者の死亡等に備えて加入するのが一般的。銀行融資の場合、加入が義務付けられていることが多いが、費用はローン返済額に含まれていることが多い。 フラット35の場合も金利に含まれる
	火災保険料	フラット35の場合、加入義務がある。銀行融資の場合も、通常、加入を義務付けられる。支払いは毎年払いと一時払いとがある。地震保険は任意加入となる
建て替え関係（建て替え時のみ）	仮住まい費用	解体費用と、建設期間中の仮住まいの費用。家賃のほかに、敷金・礼金なども必要。荷物保管料や粗大ごみの処分費用などがかかることも
	滅失登記費用	既存家屋の滅失登記にかかる費用。土地家屋調査士への報酬が大半
	引っ越し費用	解体する旧家屋から仮住まいへの引っ越し費用

012

家づくりには税金もかかる

契約書の「印紙税」と不動産登記の「登録免許税」というものもかかってくる。

印紙税は、建築請負契約書と、融資の金銭消費貸借契約書を作成する際に、およそ3～5万円が課税される。

また、不動産の売買契約が成立すると所有権移転登記を、新築した場合は保存登記を行う。ローンを利用する際には抵当権の設定登記をする。このとき登録免許税がかかり3～5万円が目安とされている。

印紙税の計算方法

契約書の記載金額に応じて次のように課税される。

<table>
<tr><th>記載金額</th><th>売買契約</th><th>請負契約</th><th>ローン契約</th></tr>
<tr><td>100万円超200万円以下</td><td rowspan="3">1,000円</td><td>200円</td><td rowspan="3">2,000円</td></tr>
<tr><td>200万円超300万円以下</td><td>500円</td></tr>
<tr><td>300万円超500万円以下</td><td>1,000円</td></tr>
<tr><td>500万円超1000万円以下</td><td>5,000円</td><td>5,000円</td><td>10,000円</td></tr>
<tr><td>1000万円超5000万円以下</td><td>10,000円</td><td>10,000円</td><td>20,000円</td></tr>
<tr><td>5000万円超1億円以下</td><td>30,000円</td><td>30,000円</td><td>60,000円</td></tr>
</table>

（2027年3月31日まで）

登録免許税の計算方法

■土地取得時の土地所有権移転登記：評価額×1.5%（2026年3月31日まで）

■住宅新築時の建物表示登記：無税

■所有権保存登記：評価額×0.4%

〈下記のすべての条件を満たす特例適用住宅の場合：
評価額×0.15%（2027年3月31日まで）。認定住宅の場合0.1%（2027年3月31日まで）〉

A．床面積50㎡以上（登記面積）
B．2027年3月31日までに新築または取得した自分で住むための住宅
C．住宅専用または住宅部分の床面積が9割以上の併用住宅
D．新築または取得してから1年以内に登記すること

ローンを借りたとき

■抵当権設定登記：債権額（借入額）×0.4%
（上記特例適用住宅購入のための住宅ローンの場合：債権額×0.1%）

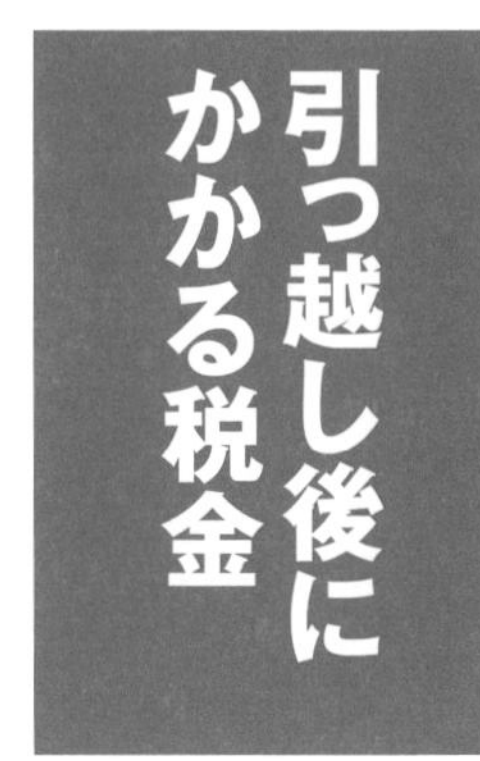

013 引っ越し後にかかる税金

新しい家に引っ越した後には「不動産取得税」「固定資産税」「都市計画税」の３つが課税される。

不動産取得税はその名のとおり、不動産を取得したときに課税される。固定資産税は、毎年１月１日現在で、各市町村の固定資産課税台帳に記載されている土地・建物にかかる税金。都市計画税は、市街化区域内にある土地・建物についてかかる税金だ。いずれも、一定の要件に該当する住宅や土地を取得した場合は特例があり、税額が軽減される。

不動産取得税の計算方法

■土地取得時（住宅用地）：評価額×3％（2027年3月31日まで）

（下記条件のいずれかを満たす土地の場合は上記金額より次の① ②のうち多い額を控除）

A．取得してから３年以内（やむを得ない事情がある場合は４年以内）にその土地に住宅を新築したとき
B．住宅を新築してから１年以内に、その土地を取得したとき
C．未入居の土地付き住宅を取得したとき

①：45,000円

②：1㎡あたり土地評価額×1／2×建物床面積の2倍（200㎡が限度）×3％

■住宅新築時（床面積と共用部分の按分（あんぶん）面積を加えた面積が50㎡以上240㎡以下の場合）：

（建物評価額－控除額1200万円［※］）×3％

※ 認定長期優良住宅の場合1300万円（2026年3月31日まで）

固定資産税の計算方法

■一般の土地：評価額×1.4％（標準税率）

■小規模住宅用地（1戸あたり200㎡以下の部分）：（評価額×1／6）×1.4％（標準税率）

■一般住宅用地（1戸あたり200㎡を超える部分）：（評価額×1／3）×1.4％（標準税率）

■建物：評価額×1.4％（標準税率）

住宅新築時3年間（マンション・認定長期優良住宅では5年間、認定長期優良住宅のマンションは7年間）

（床面積の50％以上が居住用かつ、床面積と共用部分の按分面積を加えた面積が50㎡以上280㎡以下の新築住宅の120㎡以下の部分）：（評価額×1.4％）×1／2

都市計画税の計算方法

■一般の土地：評価額×0.3％（最高税率）

■小規模住宅用地（1戸あたり200㎡以下の部分）：（評価額×1／3）×0.3％（最高税率）

■一般住宅用地（1戸あたり200㎡を超える部分）：（評価額×2／3）×0.3％（最高税率）

■建物：評価額×0.3％（最高税率）

014

必要な費用を確認したら資金準備を

家づくりにおいて、いつ、どんな支払いが発生するのかわかってきただろうか。次は、その支払いのための「資金」について知ろう。

住宅ローンを利用する場合は、まず自分の予算の目安をつけて家づくりの依頼先を選び、プランと見積もりを出してもらう（3章）。予算と見積もりが問題なく合えば、資金計画を立ててローンを申し込む。資金計画を立てるには、金融機関の窓口に直接行って、月々の返済額などを具体的に出してもらうとよい。

家ができるまでのスケジュールと支払い

家ができるまでの流れ	主な内容	費用
家を建てたい	理想の家のイメージづくり 予算の検討	
業者選び 業者への申込み	モデルハウスの見学 工務店・設計事務所の検討 見積もり依頼	契約金・申込金 地盤調査費
資金計画	借入額・借入先の検討	
設計	設計契約 ※別途設計者に依頼する場合 設計者とプランニングの相談	設計契約金
ローンの申込み	ローン申込書記入 必要書類提出	ローン申込書類代（民間は無料） （ローン申込代行手数料）
業者と契約	工事業者と請負契約	印紙税 建築確認申請費用　etc.
着工	着手金の支払い	工事着手金（工事・設計） 地鎮祭の費用 [建て替えの場合] 解体工事費 引っ越し代・仮住まい費用　etc.
上棟	現場審査（検査期間） 中間金の支払い	上棟式の費用 中間金の支払い
完成	竣工検査（施主・検査期間） 適合証明申請・交付（フラット35）	
引っ越し	費用決済 登記 引っ越し 工事残金支払い	工事費・設計料残金 登記関連費用　引っ越し代 [つなぎ融資が必要な場合] つなぎ融資利息　ローン事務手数料　etc.
ローン契約	ローン契約	印紙税　登記関連費用 ローン事務手数料・保証料 火災保険料　etc.
入居	新築パーティー・近所挨拶 最終資金の受け取り	不動産取得税　家具等購入費 近所挨拶　etc.

家づくりのコスト算出シート（簡易版 記入例）

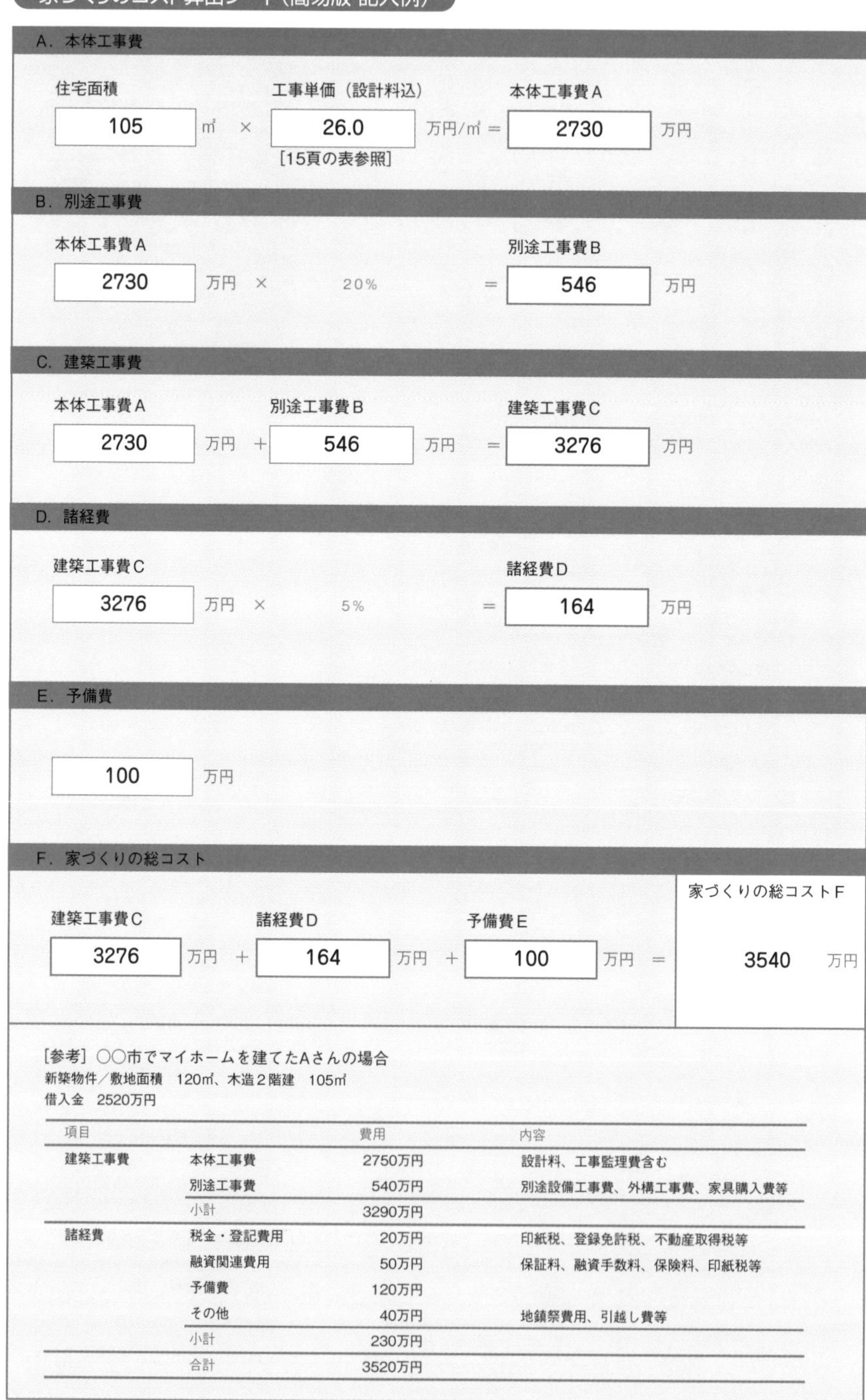

A．本体工事費

住宅面積 105 ㎡ × 工事単価（設計料込）26.0 万円/㎡ ＝ 本体工事費A 2730 万円

［15頁の表参照］

B．別途工事費

本体工事費A 2730 万円 × 20％ ＝ 別途工事費B 546 万円

C．建築工事費

本体工事費A 2730 万円 ＋ 別途工事費B 546 万円 ＝ 建築工事費C 3276 万円

D．諸経費

建築工事費C 3276 万円 × 5％ ＝ 諸経費D 164 万円

E．予備費

100 万円

F．家づくりの総コスト

建築工事費C 3276 万円 ＋ 諸経費D 164 万円 ＋ 予備費E 100 万円 ＝ 家づくりの総コストF 3540 万円

［参考］○○市でマイホームを建てたAさんの場合
新築物件／敷地面積　120㎡、木造２階建　105㎡
借入金　2520万円

項目		費用	内容
建築工事費	本体工事費	2750万円	設計料、工事監理費含む
	別途工事費	540万円	別途設備工事費、外構工事費、家具購入費等
	小計	3290万円	
諸経費	税金・登記費用	20万円	印紙税、登録免許税、不動産取得税等
	融資関連費用	50万円	保証料、融資手数料、保険料、印紙税等
	予備費	120万円	
	その他	40万円	地鎮祭費用、引越し費等
	小計	230万円	
	合計	3520万円	

家づくりのコスト算出シート(簡易版)

A. 本体工事費

住宅面積 [　　　] ㎡ × 工事単価（設計料込）[　　　] 万円/㎡ ＝ 本体工事費A [　　　] 万円

[15頁の表参照]

B. 別途工事費

本体工事費A [　　　] 万円 × 20% ＝ 別途工事費B [　　　] 万円

C. 建築工事費

本体工事費A [　　　] 万円 ＋ 別途工事費B [　　　] 万円 ＝ 建築工事費C [　　　] 万円

D. 諸経費

建築工事費C [　　　] 万円 × 5% ＝ 諸経費D [　　　] 万円

E. 予備費

[　　　] 万円

F. 家づくりの総コスト

建築工事費C [　　　] 万円 ＋ 諸経費D [　　　] 万円 ＋ 予備費E [　　　] 万円 ＝ 家づくりの総コストF [　　　] 万円

MEMO

■前提条件　〈土地〉120㎡（取得済）
〈建物〉木造、在来工法　床面積：105㎡
〈借入〉フラット35:1200万円（35年返済）

(4)　融資関連費用

①印紙税　A 2 万円

銀行融資分 2 万円（融資額による）＋ その他融資分 ［　］万円（融資額による）＝ 印紙税A 2 万円

②登録免許税　B 1.2 万円

（銀行融資額 1,200 万円 ＋ その他融資額 ［　］万円）× 0.1% ＝ 登録免許税B 1.2 万円

③登記手数料　C 5 万円

銀行融資分 5 万円 ＋ その他融資分 ［　］万円 ＝ 登記手数料C 5 万円

④融資手数料　D 3 万円

銀行融資分 3 万円（約3万円程度）＋ その他融資分 ［　］万円（財形住宅融資は不要）＝ 融資手数料D 3 万円

⑤保証料　E 0 万円

銀行融資分 ［　］万円（保証会社の場合、30年返済で100万円あたり2万円程度）＋ その他融資分 ［　］万円 ＝ 保証料E 0 万円

⑥保険料　F 14.4 万円

火災保険料 12 万円（5年契約の場合、100万円あたり1万円程度）＋ 地震保険料 2.4 万円（100万円あたり4千円程度（保険期間1年間））＝ 保険料F 14.4 万円

小計 融資関連費用(4)　25.6 万円

①＋②＋③＋④＋⑤＋⑥

■ 売買・ローン契約の印紙税額

記載金額	印紙税
100万円超500万円以下	2,000円
500万円超1千万円以下	1万円
1千万円超5千万円以下	2万円
5千万円超1億円以下	6万円
1億円超5億円以下	10万円

■ 登記手数料
報酬額のほか登記申請料などの実費がかかります

■ 融資手数料
財形融資は手数料がかかりません

(5)　その他

①引越し費　30 万円

10～30万円程度。仮住まいが必要な場合は2回分必要です。

現在お持ちの家電品や家具等を処分する場合はその処理費用もみておく必要があります。

②雑費　10 万円

地鎮祭や上棟式、近所挨拶などの費用、10～20万円程度はみておきましょう。

③予備費　120 万円

建築中の固定資産税や仮住まい費用、水道加入金、つなぎ融資が必要な場合の関連費用等、予想外の出費に備え、最低100万円程度はみておきたいものです。

④小計 その他費用(5)　160 万円

①＋②＋③

家づくりの総コスト	3466.6 万円	(1) ＋ (2) ＋ (3) ＋ (4) ＋ (5)

家づくりのコスト算出シート（詳細版 記入例）

(1) 土地関連費

①土地代

土地面積 [　　] ㎡ × 購入単価 [　　] 万円／㎡ ＝ 土地代A [　　] 万円

A 0 万円

②仲介手数料

土地代A [　　] 万円 × 3% ＋ 6万円 ＝ 仲介手数料B [　　] 万円

B 0 万円

③土地調査費

（一式5万～10万円程度）

10 万円

小計 土地購入関連費(1)

①＋②＋③

10 万円

(2) 建築工事費

①本体工事費

床面積 [105] ㎡ × 工事単価（設計料込） [26.0] 万円／㎡ ＝ 本体工事費A [2730] 万円

A 2730 万円

②別途工事費

古家床面積 [　　] ㎡ × 撤去工事単価 [　　] 万円／㎡ ＝ 既存家屋撤去工事費B [　　] 万円
（撤去工事単価：1万円前後）

土地面積 [120] ㎡ × 外構工事単価 [2] 万円／㎡ ＝ 外構工事費C [240] 万円
（外構工事単価：標準で1～3万円程度）

本体工事費A [2730] 万円 × 10% ＝ 設備工事・家具購入費D [273] 万円

B＋C＋D 513 万円

小計 建築工事費(2)

①＋②

3243 万円

(3) 税金・登記費用

①印紙税

土地売買契約分 [　　] 万円 ＋ 工事請負契約分 [1] 万円 ＝ 印紙税A [1] 万円
（土地売買契約分：契約金額による／工事請負契約分：契約金額による）

A 1 万円

②登録免許税

土地移転登記分 [　　] 万円 ＋ 建物保存登記分 [2] 万円 ＋ 建物滅失登記分 [　　] 万円 ＝ 登録免許税B [2] 万円
（土地移転登記分：評価額による／建物保存登記分：評価額による／建物滅失登記分：撤去家屋がある場合1件あたり0.1万円）

B 2 万円

③不動産取得税

土地取得分 [　　] 万円 ＋ 建物取得分 [13] 万円 ＝ 不動産取得税C [13] 万円
（土地取得分：評価額による／建物取得分：評価額による）

C 13 万円

④登記手数料

表示登記分 [10] 万円 ＋ 保存登記分 [2] 万円 ＝ 登記手数料D [12] 万円
（表示登記分：土地購入がある場合は15万円、ない場合は10万円程度／保存登記分：土地移転登記、建物保存登記とも2万円前後）

D 12 万円

小計 税金・登記費用(3)

①＋②＋③＋④

28 万円

■ 工事請負契約の印紙税額

契約金額	印紙税
1万円超200万円以下	200円
200万円超300万円以下	500円
300万円超500万円以下	1,000円
500万円超1千万円以下	5,000円
1千万円超5千万円以下	1万円

■ 登録免許税
［土地］評価額×1.5%
［建物］評価額*×0.15%
*本体工事費の60%程度が目安

■ 不動産取得税
［土地］評価額×1/2×3%－控除額*
*4.5万円または床面積に応じた額
［建物］（評価額－1,200万円）×3%

■ 登記手数料
左記の金額例は報酬額で、このほか登記申請料などの実費がかかります

(4) 融資関連費用

①印紙税

A　万円

銀行融資分 [　] 万円 ＋ その他融資分 [　] 万円 ＝ 印紙税A [　] 万円

（銀行融資分）融資額による　（その他融資分）融資額による

②登録免許税

B　万円

（銀行融資額 [　] 万円 ＋ その他融資額 [　] 万円）× 0.1% ＝ 登録免許税B [　] 万円

③登記手数料

C　万円

銀行融資分 [　] 万円 ＋ その他融資分 [　] 万円 ＝ 登記手数料C [　] 万円

④融資手数料

D　万円

銀行融資分 [　] 万円 ＋ その他融資分 [　] 万円 ＝ 融資手数料D [　] 万円

（銀行融資分）約3万円程度　（その他融資分）財形住宅融資は不要

⑤保証料

E　万円

銀行融資分 [　] 万円 ＋ その他融資分 [　] 万円 ＝ 保証料E [　] 万円

（銀行融資分）保証会社の場合、30年返済で100万円あたり2万円程度

⑥保険料

F　万円

火災保険料 [　] 万円 ＋ 地震保険料 [　] 万円 ＝ 保険料F [　] 万円

（火災保険料）5年契約の場合、100万円あたり1万円程度　（地震保険料）100万円あたり4千円程度（保険期間1年間）

小計 融資関連費用(4)

万円

①＋②＋③＋④＋⑤＋⑥

■ 売買・ローン契約の印紙税額

記載金額	印紙税
100万円超500万円以下	2,000円
500万円超1千万円以下	1万円
1千万円超5千万円以下	2万円
5千万円超1億円以下	6万円
1億円超5億円以下	10万円

■ 登記手数料
報酬額のほか登記申請料などの実費がかかります

■ 融資手数料
財形融資は手数料がかかりません

(5) その他

①引越し費

万円

10〜30万円程度。仮住まいが必要な場合は2回分必要です。
現在お持ちの家電品や家具等を処分する場合はその処理費用もみておく必要があります。

②雑費

万円

地鎮祭や上棟式、近所挨拶などの費用、10〜20万円程度はみておきましょう。

③予備費

万円

建築中の固定資産税や仮住まい費用、水道加入金、つなぎ融資が必要な場合の
関連費用等、予想外の出費に備え、最低100万円程度はみておきたいものです。

④小計 その他費用(5)

万円

①＋②＋③

家づくりの総コスト　　万円　(1) ＋ (2) ＋ (3) ＋ (4) ＋ (5)

家づくりのコスト算出シート(詳細版)

(1) 土地関連費

① 土地代 A 万円

土地面積 ［　］㎡ × 購入単価 ［　］万円／㎡ ＝ 土地代A ［　］万円

② 仲介手数料 B 万円

土地代A ［　］万円 × 3% ＋ 6万円 ＝ 仲介手数料B ［　］万円

③ 土地調査費 万円

(一式5万~10万円程度)

小計 土地購入関連費(1) 万円

①＋②＋③

(2) 建築工事費

① 本体工事費 A 万円

床面積 ［　］㎡ × 工事単価(設計料込) ［　］万円／㎡ ＝ 本体工事費A ［　］万円

② 別途工事費 B＋C＋D 万円

古家床面積 ［　］㎡ × 撤去工事単価 ［　］万円／㎡ ＝ 既存家屋撤去工事費B ［　］万円
1万円前後

土地面積 ［　］㎡ × 外構工事単価 ［　］万円／㎡ ＝ 外構工事費C ［　］万円
標準で1~3万円程度

本体工事費A ［　］万円 × 10% ＝ 設備工事・家具購入費D ［　］万円

小計 建築工事費(2) 万円

①＋②

(3) 税金・登記費用

① 印紙税 A 万円

土地売買契約分 ［　］万円 ＋ 工事請負契約分 ［　］万円 ＝ 印紙税A ［　］万円
契約金額による　契約金額による

② 登録免許税 B 万円

土地移転登記分 ［　］万円 ＋ 建物保存登記分 ［　］万円 ＋ 建物滅失登記分 ［　］万円 ＝ 登録免許税B ［　］万円
評価額による　評価額による　撤去家屋がある場合1件あたり0.1万円

③ 不動産取得税 C 万円

土地取得分 ［　］万円 ＋ 建物取得分 ［　］万円 ＝ 不動産取得税C ［　］万円
評価額による　評価額による

④ 登記手数料 D 万円

表示登記分 ［　］万円 ＋ 保存登記分 ［　］万円 ＝ 登記手数料D ［　］万円
土地購入がある場合は15万円、ない場合は10万円程度　土地移転登記、建物保存登記とも2万円前後

小計 税金・登記費用(3) 万円

①＋②＋③＋④

■ 工事請負契約の印紙税額

契約金額	印紙税
1万円超200万円以下	200円
200万円超300万円以下	500円
300万円超500万円以下	1,000円
500万円超1千万円以下	5,000円
1千万円超5千万円以下	1万円

■ 登録免許税
［土地］評価額×1.5%
［建物］評価額*×0.15%
*本体工事費の60%程度が目安

■ 不動産取得税
［土地］評価額×1/2×3%－控除額*
*4.5万円または床面積に応じた額
［建物］(評価額－1,200万円)×3%

■ 登記手数料
左記の金額例は報酬額で、このほか登記申請料などの実費がかかります

015 自己資金は20%以上用意する

家づくりの資金は、自己資金と住宅ローンの組み合わせで考えるのが基本。提携ローンなどがついている分譲マンションなどなら頭金10%程度で購入できることもあるが、戸建て住宅を新築する場合は、支払い時期の関係もあるので、一般的に20～30%程度の自己資金を用意するのが望ましいといわれている。

住宅ローンについては、「いくら借りられるか」ではなく「いくらなら余裕をもって返せるか」を考えることが大切だ。

住宅資金の3原則

住宅資金を考える上で大切な3つのポイントをチェックしよう。まず、総費用に占める自己資金の比率は高ければ高いほどよいが、少なくとも20～30%は用意しておきたい。次に、有利な金利を利用すること。38頁で詳しく述べるが、金利水準と金利の選択は住宅ローン選びでもっとも重要な要素となる。そして、余裕をもった返済計画を心がけるように。

返済額の目安には注意

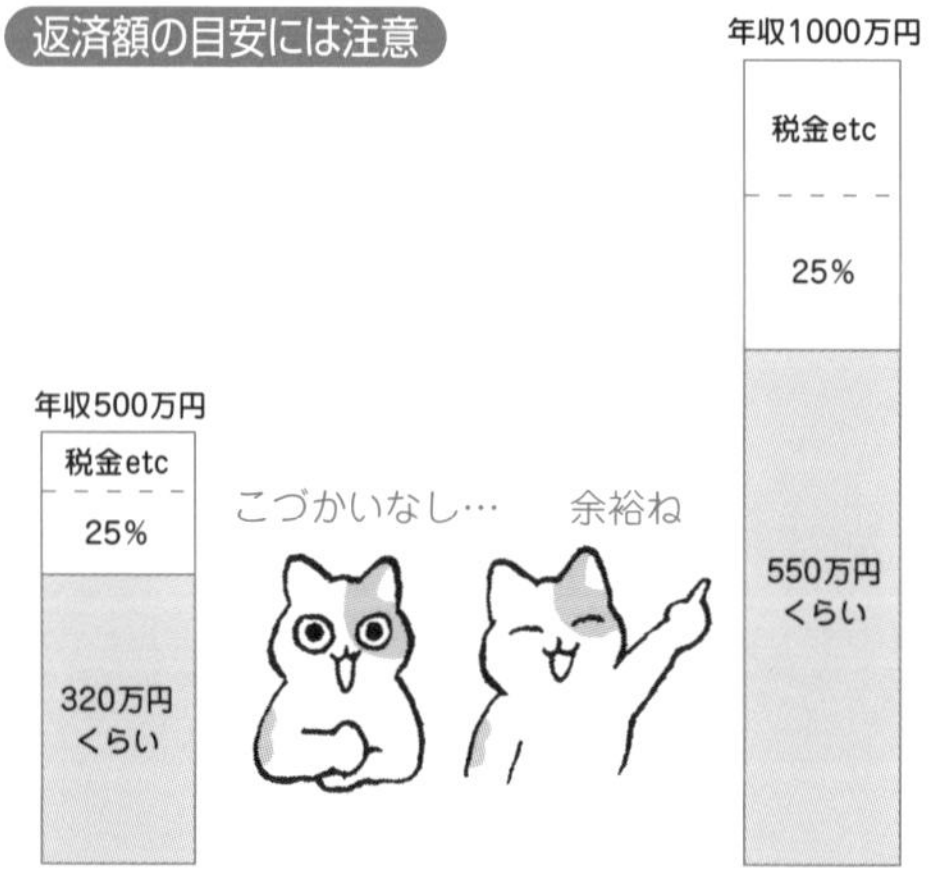

住宅ローンの返済額は、年収の25%以下に抑えるのが望ましいといわれているが、年収によって家計の余裕度は異なるので、年収に対する年間返済額の比率の上限は、年収が高い人ほど高く、低い人ほど低くなる。

016

財形住宅貯蓄を利用する

自己資金をつくる手段に、「財形住宅貯蓄」がある。給料などからの天引きで住宅取得のための資金を積み立てる貯蓄である。財形制度を行っている企業に勤める年齢55歳未満の勤労者で、積立期間5年以上、1人1契約という制約がある。ほかの金融機関は利子課税が20％［※］かかるが、550万円までは非課税なので、利用度が高い。また、財形貯蓄を1年以上継続し、貯蓄残高が50万円以上あれば、公的融資の1つである「財形住宅融資」が利用できる。

財形住宅貯蓄の特徴

概要	勤労者が住宅を取得する目的で、給料や賞与からの天引きによって資金を積み立てるもの
取扱機関	金融機関等
積立方法	事業主を通じて給料から天引きで預入をする
積立期間	5年以上
申込条件	1人1契約 契約締結時に55歳未満の勤労者であること
メリット	利子課税が550万円まで非課税（ただし、財形年金貯蓄と合算して）。「財形住宅融資」が利用できる
備考	550万円以上での課税扱いも可能（ただし、全額20%［※］の課税扱い）。転職した場合は、転職後2年以内に転職先の事業主を通して申し出れば、転職先の財形住宅貯蓄に移し替えて継続できる。住宅の取得や増改築等の頭金に充てる場合を除き、払い出しをしないこと（住宅取得以外の払い出しについては、5年間さかのぼって、利息の20%［※］が課税される）

※ 復興特別所得税は除く

勤務先の企業がこの制度を導入していれば加入できる。貯蓄先や運用商品は、その企業が契約している金融機関や運用金融商品に限定され、利息は、預ける金融機関によって違う。また、財形貯蓄は金融機関や金融商品により「貯蓄型」と「保険型」に分かれ、税金の取り扱いや貯蓄限度額が異なる。加入する前に、会社に内容を確認しておこう。

住宅金融支援機構の財形住宅融資

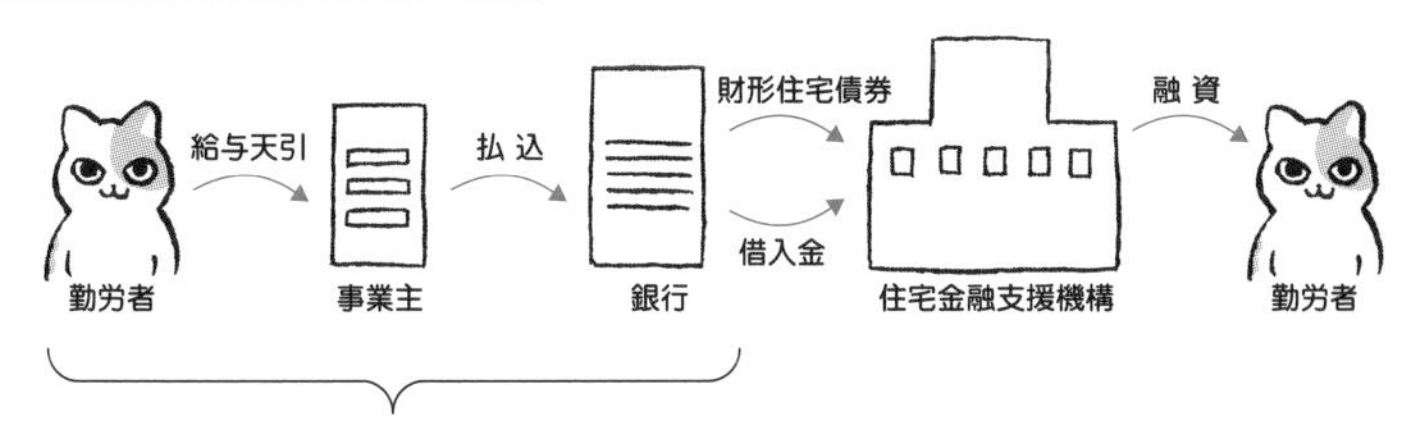

財形住宅融資は、民間の住宅ローンと比べて金利設定が低いことが特徴。また、フラット35とあわせて利用でき、両方の融資額合計で建設費または購入価格まで借入が可能だ。ただし、それぞれの融資額は、フラット35は8000万円、財形住宅融資は4000万円を限度とする。そして、保証料が不要となるメリットもある。機構財形住宅融資は、借入れ時の融資手数料も不要となる。

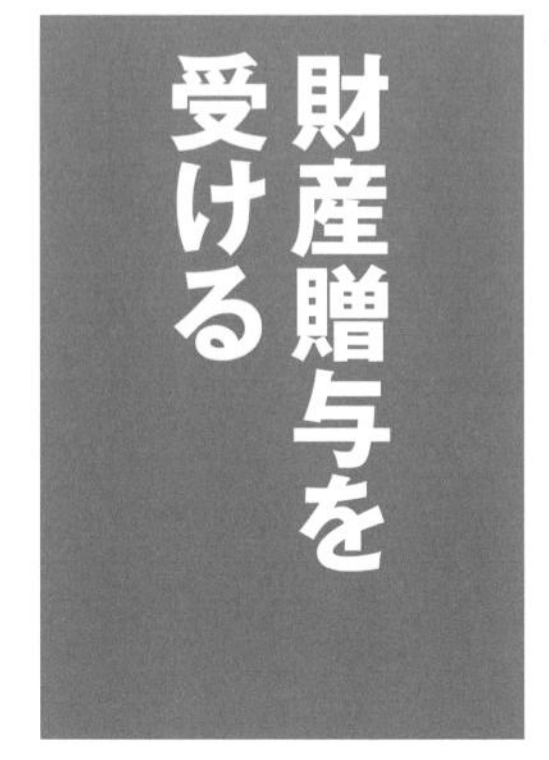

財産の贈与が行われた場合、その翌年の3月15日までに贈与税の申告をしなければならない。ここでは、贈与税がかからない特例を確認しておこう。

贈与税の課税制度には、「暦年課税」と「相続時精算課税制度」があり、暦年課税は毎年110万円まで、相続時精算課税は2500万円まで非課税となる。また、2026年12月31日までに住宅取得等資金の贈与を受けた場合は、最高1000万円まで贈与税がかからない特例がある。

贈与税の課税制度の比較

住宅取得等資金の贈与税における非課税の特例は、暦年課税制度や相続時精算課税制度とあわせて選択できる。

	住宅取得等資金の贈与税における非課税の特例	相続時精算課税制度	暦年課税
適用期限	2026年12月31日まで	住宅取得のための特例は2026年12月31日まで	
非課税枠	耐震・エコ・バリアフリー住宅／上記以外の住宅（～2026年12月）1000万円／500万円	2500万円（ただし、相続財産に加算）	110万円まで
贈与を受ける者	贈与の年の1月1日現在で18歳以上の子・孫で合計所得金額2000万円以下［※］の人	贈与の年の1月1日現在で18歳以上の子・孫	制限なし
贈与をする者	親・祖父母等の直系尊属	贈与の年の1月1日現在で60歳以上の父母・祖父母（住宅取得等のための資金の贈与では60歳未満でもよい）	制限なし
適用対象	贈与を受けた年の翌年3月15日までに、住宅取得資金の金額を充てて住宅用家屋の新築もしくは取得または増改築等をし、居住すること	制限なし	制限なし

※ 床面積40～50㎡未満の場合は1000万円以下

相続時精算課税制度の注意点

「相続時精算課税」を利用すると、2500万円［※］までの贈与には税金がかからない。ただし、一度この制度を選択すると、取り消しできない。また相続の際には、相続財産に、特例で差し引いた非課税贈与額を加えて相続税計算を行うことになる。相続財産の評価は難しいので、心配な人は税理士などの専門家に相談するとよい。

※ 2024年1月からは110万円／年までは贈与に含まれず、相続財産にも加えない

018 何かとお得な共有名義

もともと建物の名義は、負担した費用の割合で登記を行うのが原則。もし負担した費用の割合と異なる登記を行うと、贈与税を課税されるおそれがあるからだ。

贈与税の特例を使ってお子さんが祖父母から住宅資金の贈与を受けた場合、お子さんもその分の資金を負担したものとして、建物の共有持ち分を持つ。また、親からの資金援助で非課税枠を超える分については、親も負担額に応じて共有名義にすれば贈与税はかからない。

建物登記には共有名義がお得

2025年12月31日までに住宅ローンを夫婦2人で借りて住宅を取得、居住した場合、2人とも住宅ローン減税［46頁］を受けられる。

また、将来、家を売却して利益が出たときは、同居している共有名義者1人あたり3000万円の特別控除が受けられる。

住宅ローンには、公的金融機関が融資するものと、民間金融機関が融資するものがある。銀行ローンでもフラット35や、一定期間は固定金利が適用され、その後に固定金利か変動金利を再選択できる固定金利選択型ローン等いろいろ。固定金利選択型ローンはフラット35や同じ銀行の全期間固定金利より安い場合もあるので、繰り上げ返済の見込みがある場合には有利になる可能性がある。

ほかに、公的融資の財形住宅融資や自治体融資などがある。

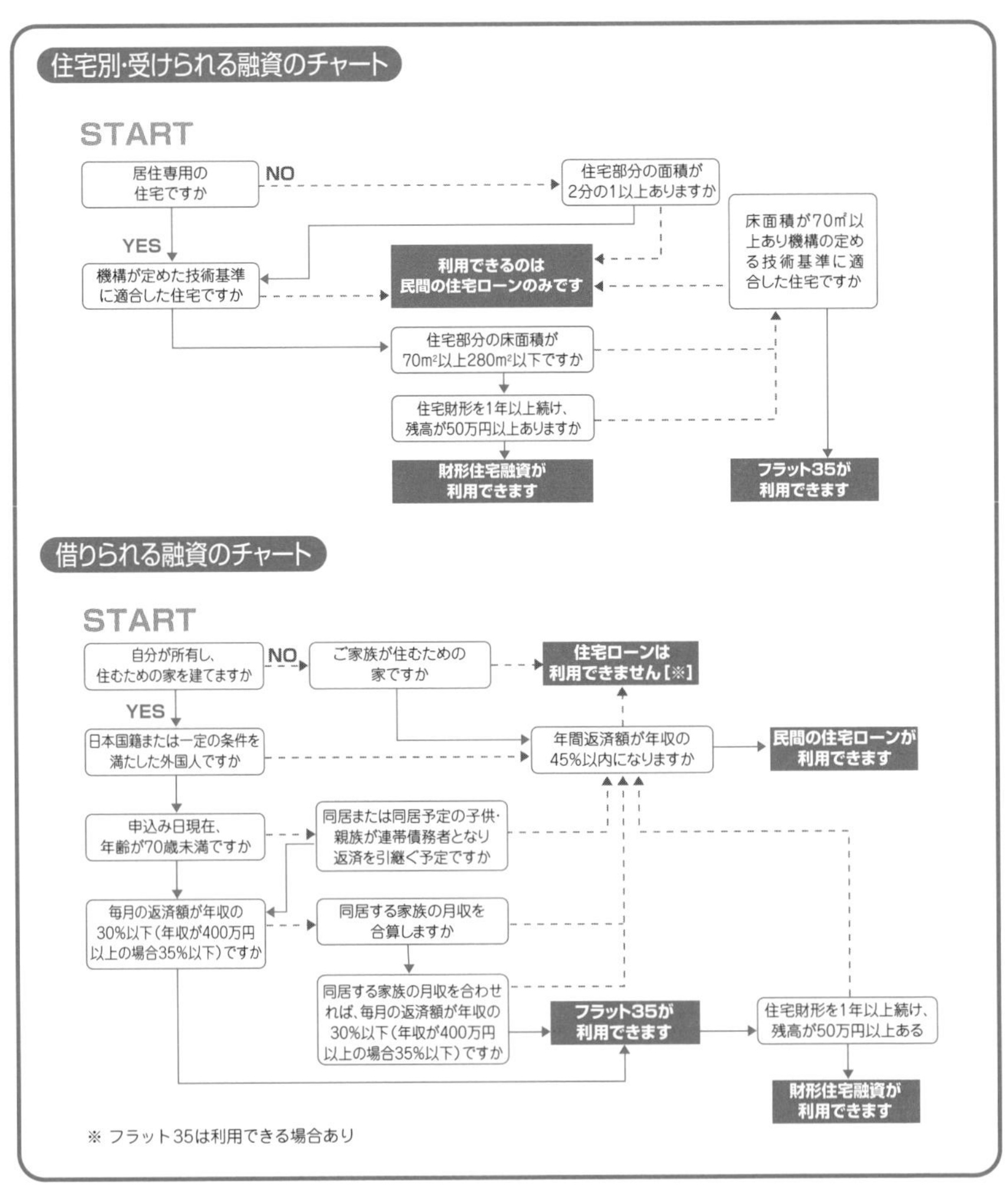

020

フラット35を上手に利用する

フラット35の融資を受けるためには、住宅金融支援機構の定める条件に適合する必要がある。たとえば、住宅面積は70㎡以上、敷地の接道長さは原則2m以上などの条件がある。また、申込者の条件は、申込日現在で原則70歳未満であり、自分で所有して住居する住宅を建てる人で、借入れる人の年収が400万円未満の場合は年間返済額が年収の30%以下、年収400万円以上の場合は年収の35%になる金額までしか借入れられない。

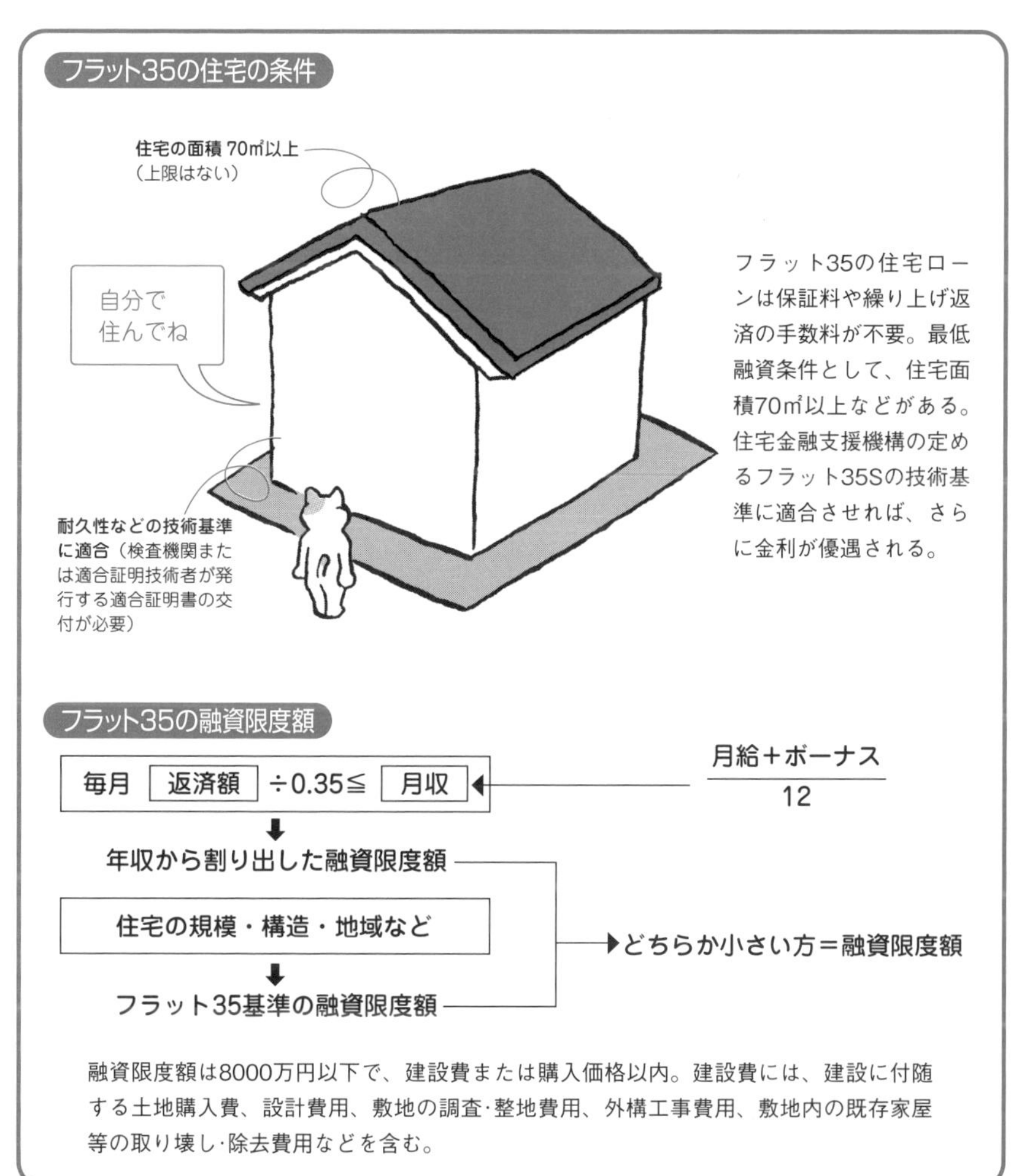

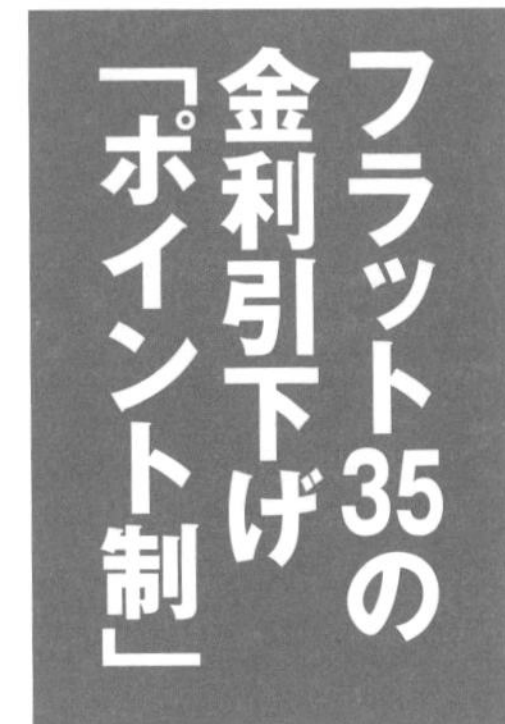

021 フラット35の金利引下げ「ポイント制」

フラット35を利用する人が子育て世帯の場合や、長期優良住宅などの省エネルギー性、耐震性等に優れた住宅を取得する場合には、フラット35の借入金利が一定期間引き下げられる。

具体的には、①家族構成、②住宅性能、③管理・修繕、④エリアのグループごとに1つの金利引下げメニューを選択でき、合計ポイント数によって金利引下げ幅と引下げ期間が決まる。

ポイント制の概要

下記1～4のグループごとに1つの金利引下げメニューのみを選択できる。

1. 住宅性能で選ぶ	新築戸建住宅	新築マンション	中古住宅	中古住宅＋リノベ
	フラット35 子育てプラス			
若者夫婦世帯［※1］またはこども［※2］1人	1ポイント Ⓟ			
こども［※2］N人	Nポイント			

＋

2. 住宅性能で選ぶ	新築戸建住宅	新築マンション	中古住宅	中古住宅＋リノベ
	フラット35 S			フラット35 リノベ
ZEH	3ポイント ⓅⓅⓅ			—
金利Aプラン	2ポイント ⓅⓅ			4ポイント ⓅⓅⓅⓅ
金利Bプラン	1ポイント Ⓟ			2ポイント ⓅⓅ

＋

3. 管理・修繕で選ぶ	新築戸建住宅	新築マンション	中古住宅	中古住宅＋リノベ
	フラット35 維持保全型			フラット35 リノベを選択した場合は、フラット35維持保全型との併用は不可
長期優良住宅	1ポイント Ⓟ			
予備認定マンション	—	1ポイント Ⓟ	—	
管理計画認定マンション	—		1ポイント Ⓟ	
安心R住宅	—		1ポイント Ⓟ	
インスペクション実施住宅	—		1ポイント Ⓟ	
既存住宅売買瑕疵保険付住宅	—		1ポイント Ⓟ	

＋

4. エリアで選ぶ	新築戸建住宅	新築マンション	中古住宅	中古住宅＋リノベ
	フラット35 地域連携型・フラット35 地方移住支援型 [[※3]			
ZEH	2ポイント ⓅⓅ			
金利Aプラン	1ポイント Ⓟ			
金利Bプラン	2ポイント ⓅⓅ			

↓

合計ポイントに応じて金利引下げ［※5］

	1ポイント Ⓟ	2ポイント ⓅⓅ	3ポイント ⓅⓅⓅ	4ポイント ⓅⓅⓅⓅ	5ポイント ⓅⓅⓅⓅⓅ	6ポイント ⓅⓅⓅⓅⓅ
当初5年間	年▲0.25%	年▲0.50%	年▲0.75%	年▲1.00%	年▲1.00%	年▲1.00%
6～10年目	—	—	—	—	年▲0.25%	年▲0.25%

※1 借入申込時に夫婦（法律婚、同性パートナーおよび事実婚の関係。なお、婚約状態の方は対象外）であり、夫婦のいずれかが借入申込年度の4月1日において40歳未満である世帯
※2 借入申込年度の4月1日において18歳未満である子（実子、養子、継子および孫をいい、胎児を含む。ただし、孫の場合は申請者と同居している必要がある。また、別居しているこどもの場合は、申請者が親権を有している必要がある）
※3 地方公共団体の支援があるエリアの場合に選択可能
※4 地方移住支援型のみを利用する場合は、当初5年間年▲0.6%となる
※5 フラット35 子育てプラスを利用しない場合は、4ポイント（当初5年間年▲1.0%）が上限

フラット35融資の借入限度額算出シート（例）

試算者のプロフィールと物件概要
・年収：700万円
・所要額：2500万円（土地は取得済み）
・建物：105㎡、木造

フラット35融資の借入限度額算出シート

1. 所要額からのフラット35融資限度額

所要額 [2500] 万円 × 融資割合 100% ＝ [2500] 万円 ―― a
建設費＋土地購入費

2. 財形住宅融資

所要額 [　] 万円 × 90%＝ [　] 万円 ―― A
申込時点の財形貯蓄残高合計 [　] 万円 × 10 ＝ [　] 万円 ―― B

財形住宅融資限度額

A、Bおよび4000万円のうち最も小さい額　財形融資限度額 c [　] 万円

3. 年間返済額のチェック
1～2で求めた借入限度額（a～c）をもとに、あなたが必要な借入額をそれぞれ設定し、必要月収（千円未満は切り捨て）の確認を行って下さい

フラット35借入額の必要月収

フラット35融資額 a 以下の額で設定 a' [2500] 万円 ÷ 100万円 × 100万円あたりの返済額［41頁の表参照］ [3,061] 円 ÷ [0.35] ＝ フラット35借入の必要月収 [218,643] 円 ―― ①

（金利：[1.5] %、返済期間：[35] 年）

財形借入額の必要月収

財形借入額 c以下の額で設定 c' [　] 万円 ÷ 100万円 × 100万円あたりの返済額［41頁の表参照］ [　] 円 ÷ [　] ＝ 財形借入の必要月収 [　] 円 ―― ②

（金利：[　] %（全期間同一型・段階金利型）、返済期間：[　] 年）

必要月収の合計

① ＋ ② ＝ [218,643] 円 ―― ③

上記で設定した借入額において、以下の式を満たすことが必要となります。
満たさなかった場合は借入額もしくは借入条件を変更し、再度検討を行って下さい。

年収 [7,000,000] 円 ÷ 12 ＝ [583,333] 円 ≧ 必要月収③ [218,643] 円 OK!

022

民間ローンのポイント

全般的に、民間ローンは公的融資よりも条件が緩やかでローンの種類も豊富。たとえば、建築基準法などの法的条件を満たせば物件による制限はない。金利の種類も、変動金利型、固定金利型、固定金利選択型などさまざまだ。

民間融資の場合、年収300万円未満では25%以下、300万円以上400万円未満では30%、400万円以上では35%のように、年収に応じて年間の返済額の占める割合の限度を各金融機関によって決めている。

民間ローンとフラット35の比較

いろいろ選べる民間ローン

固定金利のみのフラット35

短期で
どんどん返せる
なら、お得

民間融資は、借りるときの条件はフラット35に比べて緩やかだが、ポイントは、返すときに楽かどうかということ。左ページにある民間融資の借入限度額算出シートで公的融資と比較検討して、余裕のある返済計画を立てよう。

民間融資の借入限度額算出シート(例)

試算者のプロフィールと物件概要
・年収：700万円
・所要額：2600万円（土地は取得済み）

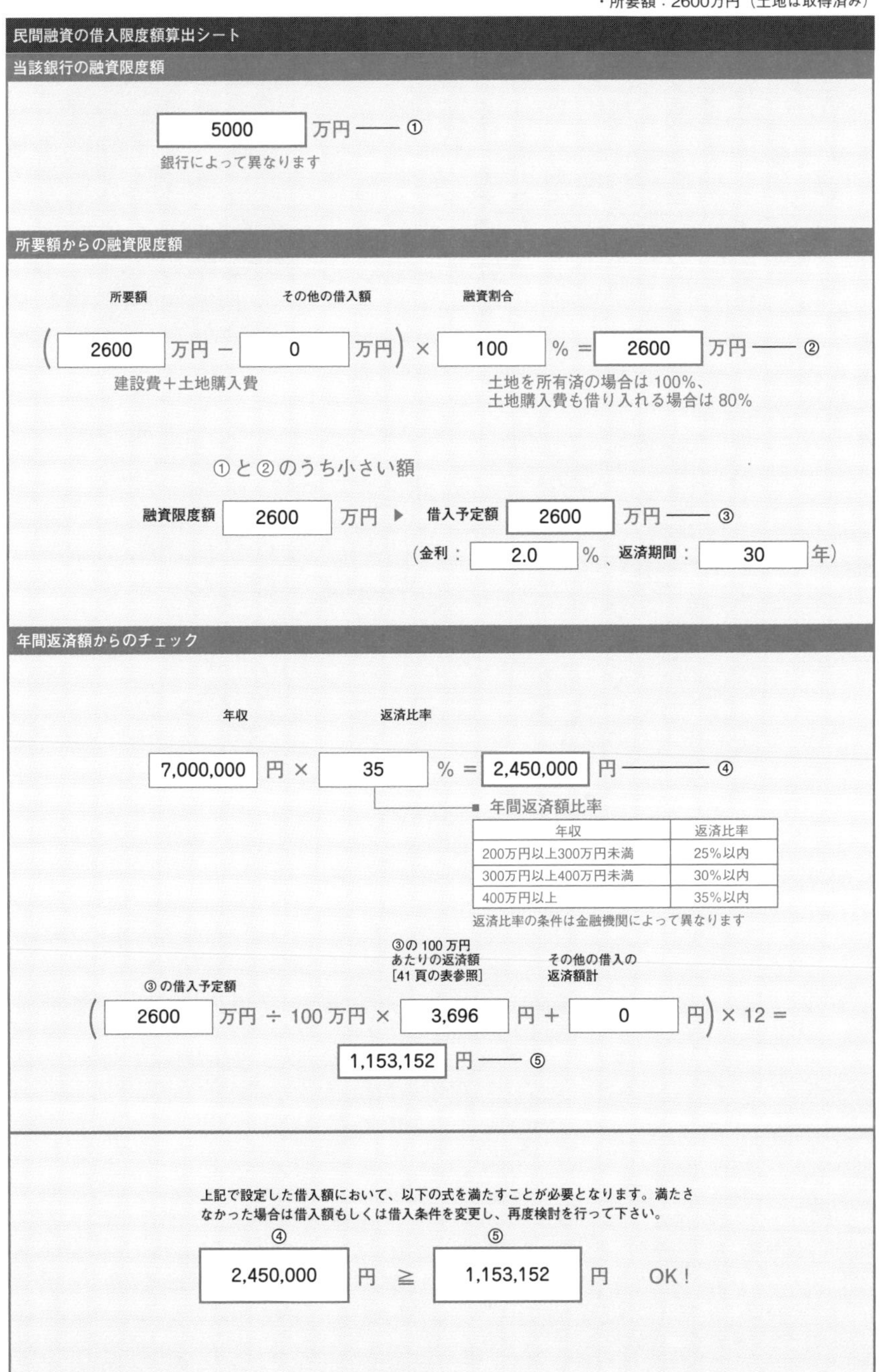

民間融資の借入限度額算出シート

当該銀行の融資限度額

5000 万円 ── ①
銀行によって異なります

所要額からの融資限度額

（所要額 2600 万円 − その他の借入額 0 万円）× 融資割合 100 % = 2600 万円 ── ②
建設費＋土地購入費
土地を所有済の場合は 100%、
土地購入費も借り入れる場合は 80%

①と②のうち小さい額

融資限度額 2600 万円 ▶ 借入予定額 2600 万円 ── ③
（金利：2.0 %、返済期間：30 年）

年間返済額からのチェック

年収 7,000,000 円 × 返済比率 35 % = 2,450,000 円 ── ④

■ 年間返済額比率

年収	返済比率
200万円以上300万円未満	25%以内
300万円以上400万円未満	30%以内
400万円以上	35%以内

返済比率の条件は金融機関によって異なります

（③の借入予定額 2600 万円 ÷ 100 万円 × ③の100万円あたりの返済額[41頁の表参照] 3,696 円 ＋ その他の借入の返済額計 0 円）× 12 =
1,153,152 円 ── ⑤

上記で設定した借入額において、以下の式を満たすことが必要となります。満たさなかった場合は借入額もしくは借入条件を変更し、再度検討を行って下さい。

④ 2,450,000 円 ≧ ⑤ 1,153,152 円 OK！

・なお、民間融資の金利は2.0%でも、通常、銀行では返済額のチェックは4%程度の金利で行う等、借入金利と審査金利は異なっている

023

金利1％の違いは大きい

住宅ローンを選ぶ際は、金利水準をきちんと見よう。住宅ローンの返済は長期間なので、わずかな金利差でも返済総額は大きく変わる。たとえば、1000万円を25年間の元利（がんり）均等返済で借りた場合、金利が1％違うと、毎月の返済額は約5000円、25年間の返済総額では約150万円も変わってくる。

金利が固定か変動かについても注意して。変動金利は、目先は低くても、将来的な支払い増加の危険性がある。

金利1%の違い

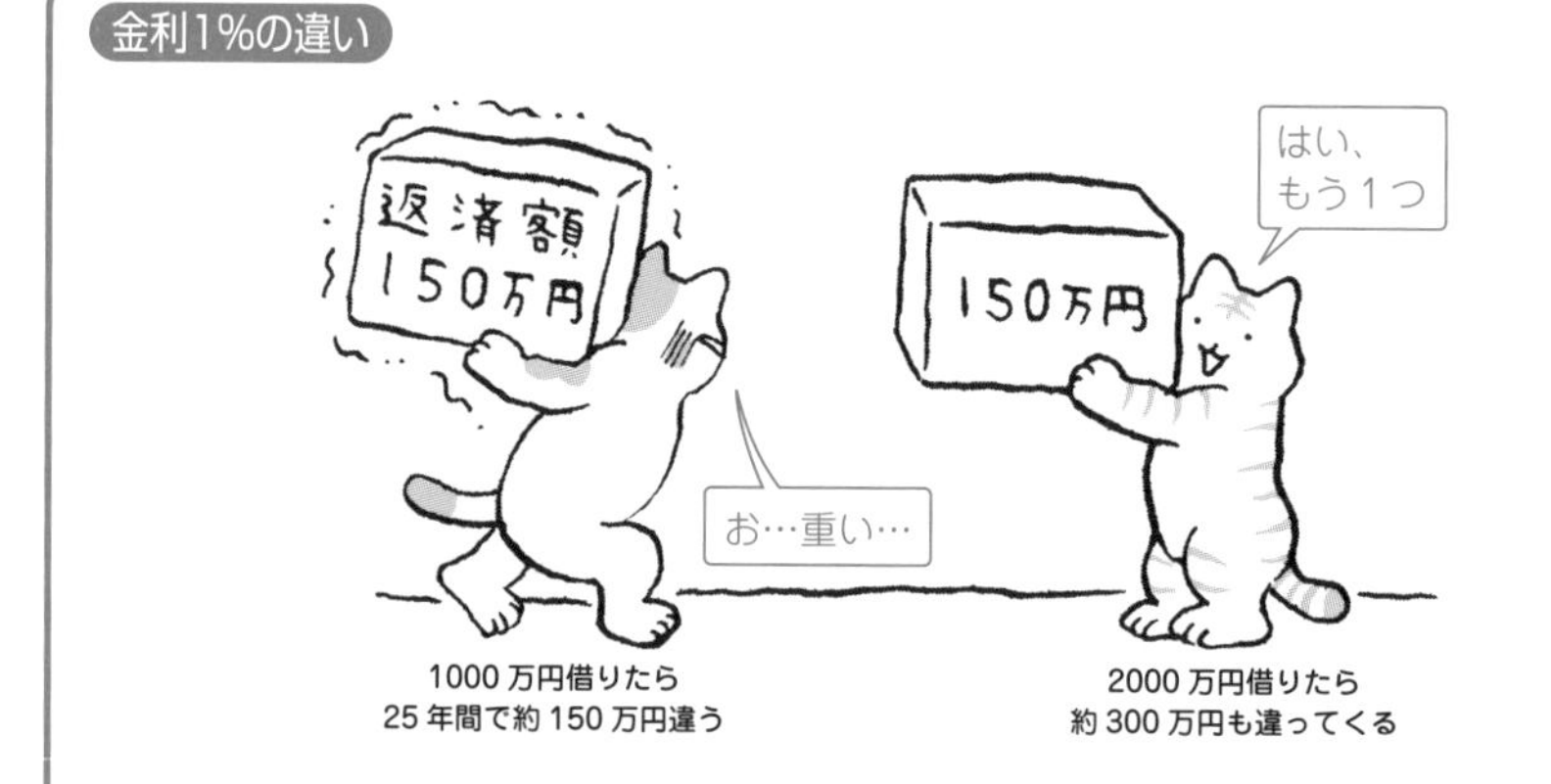

1000万円借りたら
25年間で約150万円違う

2000万円借りたら
約300万円も違ってくる

変動金利はリスクが大きい

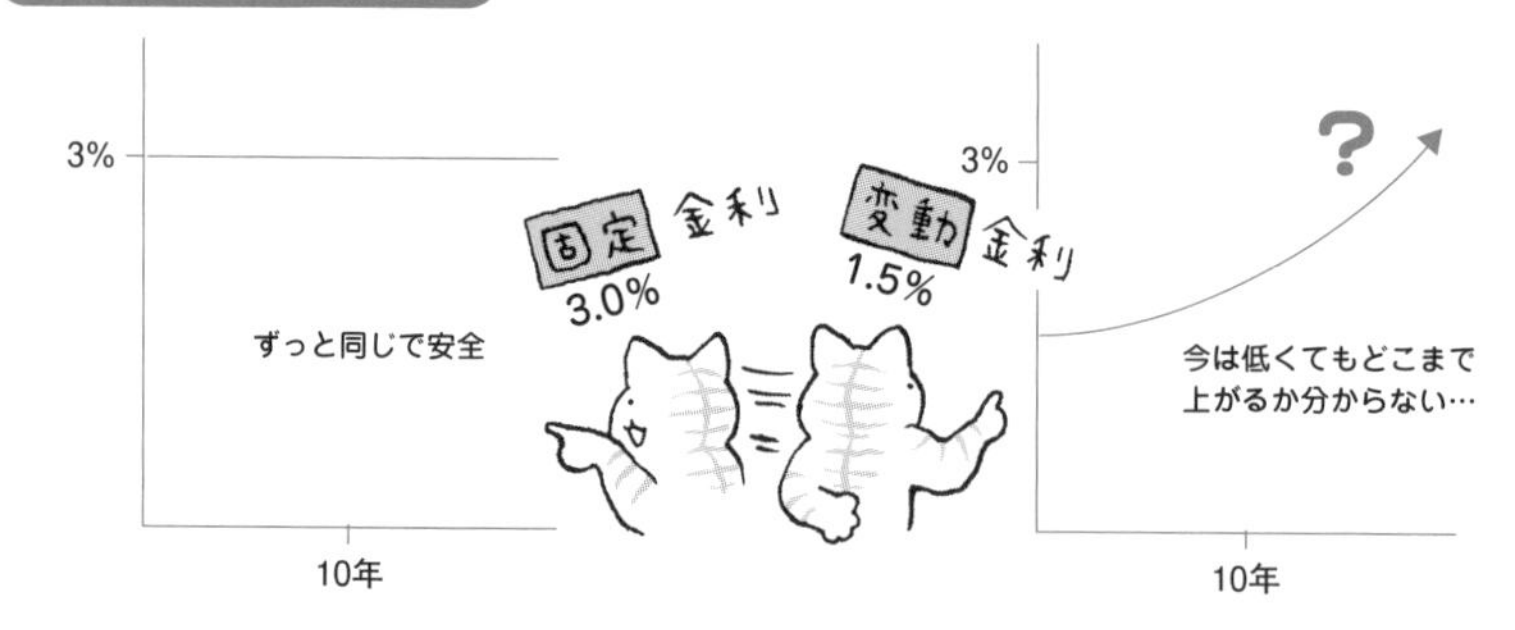

住宅ローンの借入先は、金融機関との取引関係、便利さ、担保の関係などいろいろな要素をふまえて決める必要があるが、金利水準と金利の種類（固定金利か変動金利か）は特に重要な要素となる。目先の金利としては低くても、変動金利では、将来の金利上昇により思わぬ支払い増加を招く危険性があるので、一般的には、長期間金利が固定されている融資が有利といわれている。

100万円あたりの毎月返済額

（単位：円）

金利（%）		返済期間					
		10年	15年	20年	25年	30年	35年
元利均等返済	0.5	8,545	5,767	4,379	3,546	2,991	2,595
	0.6	8,587	5,810	4,422	3,590	3,035	2,640
	0.7	8,630	5,853	4,466	3,634	3,080	2,685
	0.8	8,673	5,897	4,510	3,678	3,125	2,730
	0.9	8,717	5,941	4,554	3,723	3,170	2,776
	1.0	8,760	5,984	4,598	3,768	3,216	2,822
	1.1	8,803	6,029	4,643	3,814	3,262	2,869
	1.2	8,847	6,073	4,688	3,859	3,309	2,917
	1.3	8,891	6,117	4,734	3,906	3,356	2,964
	1.4	8,935	6,162	4,779	3,952	3,403	3,013
	1.5	8,979	6,207	4,825	3,999	3,451	3,061
	1.6	9,023	6,252	4,871	4,046	3,499	3,111
	1.7	9,067	6,297	4,917	4,094	3,547	3,160
	1.8	9,112	6,343	4,964	4,141	3,596	3,210
	1.9	9,156	6,389	5,011	4,190	3,646	3,261
	2.0	9,201	6,435	5,058	4,238	3,696	3,312
	2.1	9,246	6,481	5,106	4,287	3,746	3,364
	2.2	9,291	6,527	5,154	4,336	3,797	3,416
	2.3	9,336	6,574	5,202	4,386	3,848	3,468
	2.4	9,381	6,620	5,250	4,435	3,899	3,521
	2.5	9,426	6,667	5,299	4,486	3,951	3,574
	2.6	9,472	6,715	5,347	4,536	4,003	3,628
	2.7	9,518	6,762	5,397	4,587	4,055	3,683
	2.8	9,564	6,810	5,446	4,638	4,108	3,737
	2.9	9,609	6,857	5,496	4,690	4,162	3,792
	3.0	9,656	6,905	5,545	4,742	4,216	3,848
元金均等返済	0.5	8,749	5,971	4,582	3,749	3,193	2,796
	0.6	8,833	6,055	4,666	3,833	3,277	2,880
	0.7	8,916	6,138	4,749	3,916	3,360	2,963
	0.8	8,999	6,221	4,832	3,999	3,443	3,046
	0.9	9,083	6,305	4,916	4,083	3,527	3,130
	1.0	9,166	6,388	4,999	4,166	3,610	3,213
	1.1	9,249	6,471	5,082	4,249	3,693	3,296
	1.2	9,333	6,555	5,166	4,333	3,777	3,380
	1.3	9,416	6,638	5,249	4,416	3,860	3,463
	1.4	9,499	6,721	5,332	4,499	3,943	3,546
	1.5	9,583	6,805	5,416	4,583	4,027	3,630
	1.6	9,666	6,888	5,499	4,666	4,110	3,713
	1.7	9,749	6,971	5,582	4,749	4,193	3,796
	1.8	9,833	7,055	5,666	4,833	4,277	3,880
	1.9	9,916	7,138	5,749	4,916	4,360	3,963
	2.0	9,999	7,221	5,832	4,999	4,443	4,046
	2.1	10,083	7,305	5,916	5,083	4,527	4,130
	2.2	10,166	7,388	5,999	5,166	4,610	4,213
	2.3	10,249	7,471	6,082	5,249	4,693	4,296
	2.4	10,333	7,555	6,166	5,333	4,777	4,380
	2.5	10,416	7,638	6,249	5,416	4,860	4,463
	2.6	10,499	7,721	6,332	5,499	4,943	4,546
	2.7	10,583	7,805	6,416	5,583	5,027	4,630
	2.8	10,666	7,888	6,499	5,666	5,110	4,713
	2.9	10,749	7,971	6,582	5,749	5,193	4,796
	3.0	10,833	8,055	6,666	5,833	5,277	4,880

024

住宅ローンの返済方法

住宅ローンの返済方法は「元利均等返済」と「元金均等返済」がある。

元利均等返済は、毎月返済する元金と金利の合計が一定で、家計のやりくりを考えやすい。しかし、返済当初は元金よりも金利のほうが多く、元金がなかなか減らない。

元金均等返済は、元金を毎月均等額返済するので元金が着実に減り、金利を含めた返済額も減少していく。結果的に返済総額も少なくなる。ただし、当初の返済額は多くなるので、家計にゆとりがあれば検討したい。

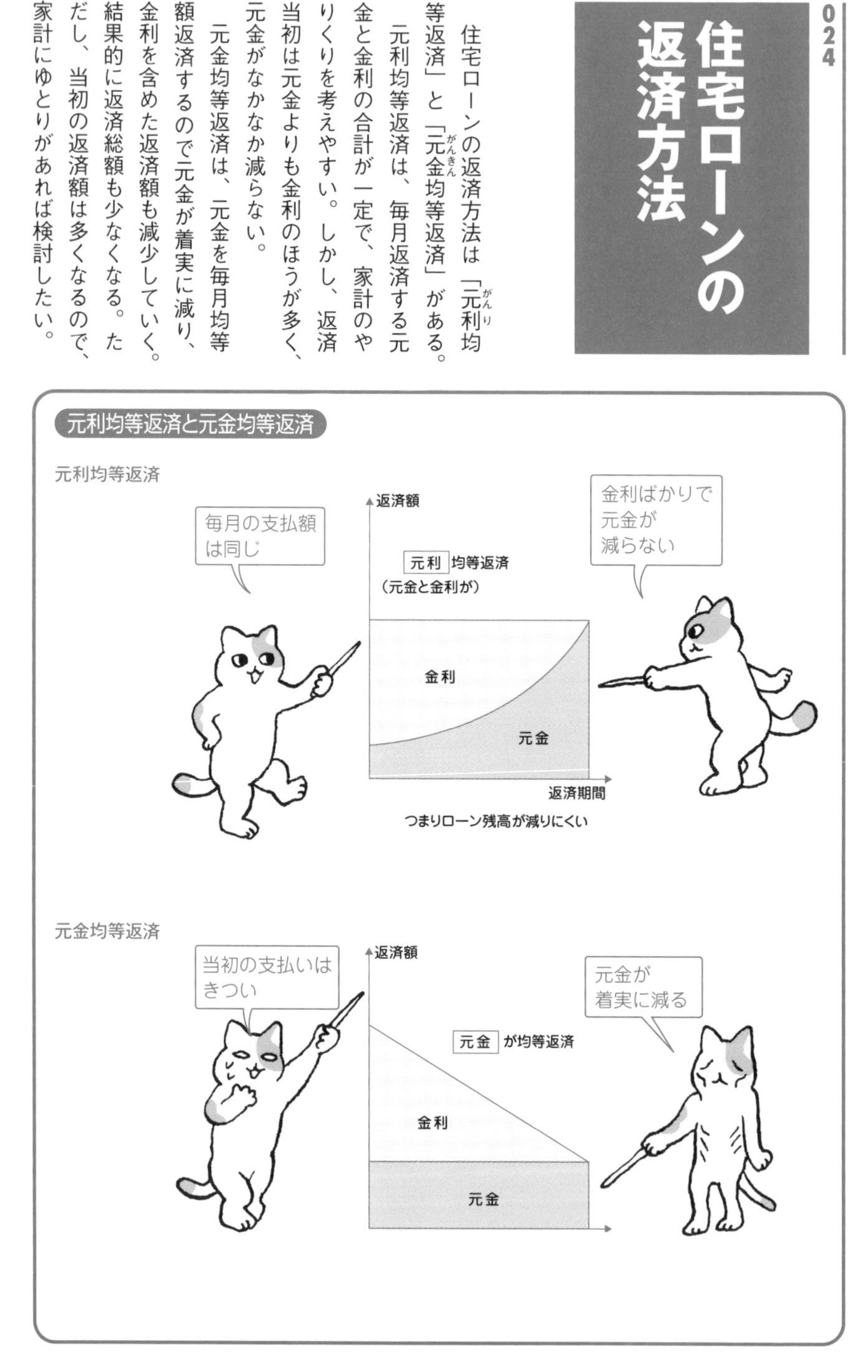

025

繰り上げ返済で上手に返す

ローンの上手な返し方に、毎月の返済額とは別にまとまった金額を返済する繰り上げ返済がある。繰り上げ返済額は基本的にはローンの元金に充てられるので、その後の金利も減り、負担が大きく減少する。

繰り上げ返済には、毎月の返済額はそのままで、元金と利息が減った分期間を短縮する「期間短縮型」と、毎月の返済額を減らす「返済額軽減型」がある。同額を繰り上げ返済するなら、期間短縮型のほうが金利の軽減効果は大きい。

繰り上げ返済のしくみ

期間短縮型

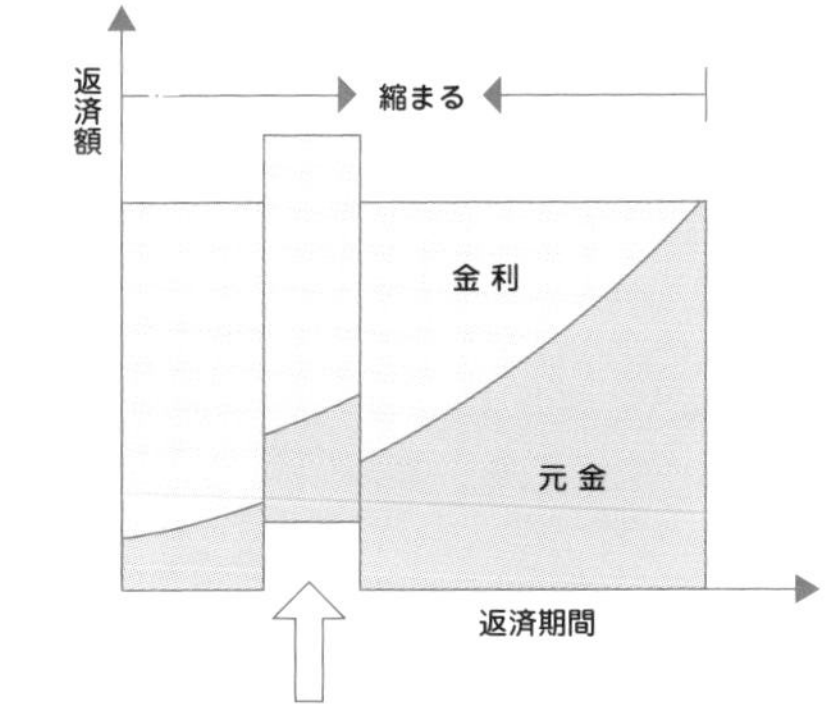

返済額
縮まる
金利
元金
返済期間

期間短縮型は、毎月の返済額はそのままで、元金と利息が減った分、期間が短縮される。

こちらがダンゼンお得

返済額軽減型

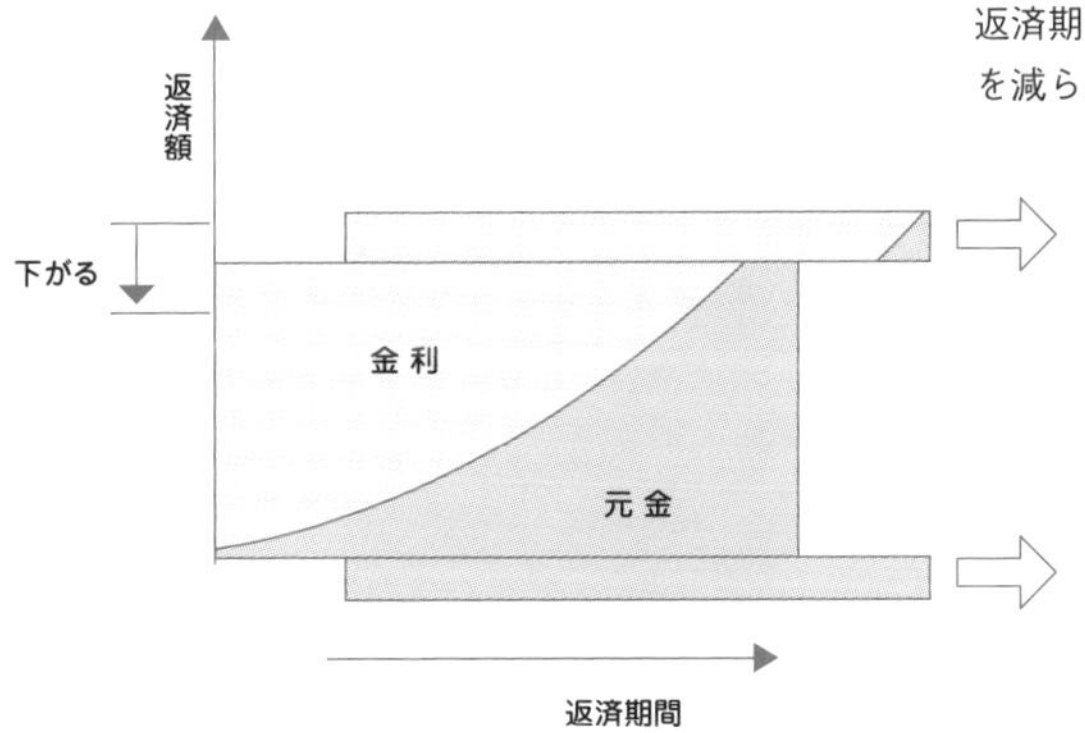

返済額
下がる
金利
元金
返済期間

返済額軽減型は、繰り上げ返済後も返済期間は変えずに、毎月の返済額を減らす。

家計が苦しい人はこちら

繰り上げ返済は早いうちにすると、支払う利息が大幅に減り、負担軽減効果は大きくなる。

026

返済条件の見直しと借り換え

返済の条件変更もローンの上手な返し方の1つ。借りた後でも無理や無駄がないか見直すようにしよう。返済期間を短くしたり長くしたり、月々の返済額を増やしたり減らしたり、現在の状況にあった返し方を検討して。

それから、現在のローンを完済してほかのローンに組み替える「借り換え」という手もある。高金利から低金利のローンへ組み替えたり、旧タイプから新タイプの有利なローンへ組み替えたりする方法だ。

返済条件の変更

①返済期間
- 家計にゆとりがあるなら → 返済期間を短縮
  毎月の支払い額を増やせば、返済総額を大きく減らすことができる。
- 月々の返済額を減らしたいなら → 返済期間を延長

②毎月の返済方法
- 家計にゆとりがあるなら → 元利均等返済を元金均等返済に変更
- 月々の返済額を減らしたいなら → 元金均等返済を元利均等返済に変更
  当面の毎月返済額は減る。

③ボーナス返済額
- ボーナス返済額を減らしたいなら → ボーナス返済額の割合を低く、毎月返済額の割合を高く
- 毎月返済額を減らしたいなら → ボーナス返済額の割合を高く、毎月返済額の割合を低く

借り換えの目安

ローン残高1000万円以上、返済期間が10年以上残っており、借り換え後の金利が1％以上下がるなら検討してみる価値がある。返済期間があまり残っていなかったり金利差が小さかったりすると、メリットはほとんどない。また、異なる金融機関に借り換える場合は、手続き費用などが最低でも20〜30万円かかる。

各種融資の比較

種類		融資の名称	返済方法（金利、期間）	物件条件	融資額	申込資格
公的融資	住宅金融支援機構	財形住宅融資	[金利] 変動金利（5年固定） [返済期間] 10年以上35年以下（リ・ユース住宅は25年）。完済上限80歳	[住宅床面積] 70～280㎡ [その他] 支援機構の技術基準に当てはまる住宅であることなど	最高4000万円（財形貯蓄残高の10倍まで）所要額の90％まで	・財形貯蓄を1年以上続け、残高50万円以上であること ・年収に占めるすべての借入の年間合計返済額の割合が年収400万円未満の場合30％以下、400万円以上の場合35％以下
	自治体融資	東京都個人住宅利子補給助成	[金利] 当初10年間銀行金利▲1.0％ [返済期間] 35年以内	[住宅床面積] 80～175㎡＊ [敷地面積] 100㎡以上＊ ＊例外あり	次のいずれか少ない額が上限 ① 4590万円 ② 毎年の返済額が申込時年収の30％以内になる額 ③ 住宅の建替えに要する費用×90％	・防災都市づくり推進計画で指定する整備地域、防災都市づくり推進計画で指定する重点整備地域、または木造住宅密集地域整備事業地区内で耐火・準耐火構造住宅を建替えにより建設すること
民間融資		フラット35 （その他、フラット35リノベ、フラット35地域連携型、フラット35維持保全型等、ポイント数に応じて金利を引き下げる制度がある）	[金利] 全期間固定金利 [返済期間] 15年以上35年以内（60歳以上の場合は10年以上）。完済上限80歳	[住宅床面積] ・戸建70㎡以上 ・共同住宅30㎡以上 [その他] 支援機構が定めた技術基準に適合する住宅	100万円以上8000万円以下	・年齢70歳未満 ・年収に占めるすべての借入の年間合計返済額の割合が年収400万円未満の場合30％以下、400万円以上の場合35％以下
		フラット35S	[金利] 金利Aプラン： 当初5年間フラット35金利▲0.5％ 金利Bプラン： 当初5年間フラット35金利▲0.25％ ZEH： 当初5年間フラット35金利▲0.75％	[次のいずれか1つ以上の基準を満たす住宅] 金利Aプラン： ①断熱等性能等級5以上かつ一次エネルギー消費量等級6 ②長期優良住宅 ③耐震等級3、または免震建築物 ④高齢者配慮等級4以上（共同住宅の専用部は等級3以上） 金利Bプラン： ①断熱等性能等級5、または、一次エネルギー消費量等級5以上 ②劣化対策等級3かつ維持管理対策等級2以上 ③耐震等級2以上 ④高齢者配慮等級3以上 ZEH： ZEH住宅		・物件条件、申込資格はフラット35の条件を満たしていること
		住宅ローンなど	[金利] 最長35年固定型 変動型、上限付変動型、固定金利型など [返済期間] 最長35年	特になし	上限5000万～1億円（上限は評価額の80％以内が一般的）	・年間返済額が年収の45％以内など（年収による） ・前年年収100万円以上など ・満20歳以上で完済時80歳未満など

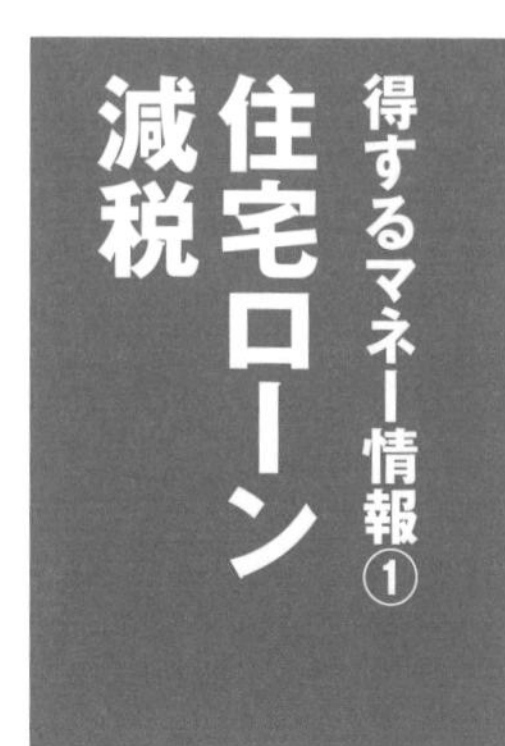

027 得するマネー情報① 住宅ローン減税

住宅ローンの残高に応じて所得税額を控除する住宅ローン減税。正式には「住宅借入金等特別控除制度」といい、13年間で最大４５５万円の税金が戻る。ただしこれは最大額で、住宅ローン残高がずっと５０００万円以上あれば、という話。実際は年収や借入額、借入期間、返済方法によって控除額は変わる。たとえば、借入額３０００万円、借入期間30年間、金利２％元利均等返済［42頁］の場合、最大で２２０万円程度の所得税が戻る。

住宅ローン減税の概要

住宅の環境性能等	控除率	控除期間	借入限度額		
			2024年12月までに入居		2025年12月までに入居
			子育て世帯［※1］・若者夫婦世帯［※2］	その他の世帯	
長期優良住宅・低炭素住宅	0.7%	13年間	5000万円	4500万円	4500万円
ZEH水準省エネ住宅			4500万円	3500万円	3500万円
省エネ基準適合住宅			4000万円	3000万円	3000万円
省エネ基準を満たさない住宅		—	0［※3］		

※１ 19 歳未満の子を有する世帯
※２ 夫婦のいずれかが 39 歳以下の世帯
※３ 2023 年 12 月までに建築確認を受けた場合。控除期間は 10 年間で、借入限度額は 2000 万円

主な要件

①	自らが居住するための住宅
②	床面積が 50㎡以上（2024 年末までに建築確認を受けた場合、所得 1000 万円以下に限り、40㎡以上）
③	控除を受ける年の合計所得金額が 2000 万円以下
④	住宅ローンの借入期間が 10 年以上
⑤	引渡し、または工事完了から 6 カ月内に入居

注１：住宅を２つ以上所有する場合には、主として居住する１つの住宅に限られる
注２：親戚などからの個人的な借入金や、勤務先からの無利子または 0.2% に満たない利率による借入金などは、控除の対象にならない
注３：サラリーマンが最初にこの控除を受ける年分については、確定申告が必要。確定申告をした年分の翌年以降の年分については、年末調整で受けることができる
注４：居住した年と、その前２年、後３年の計６年の間に、居住用財産や等価交換などの買換え・交換の特例などを受けている、または受ける場合は、控除を受けることができない

住宅ローン減税の例

たとえば、2024年12月末までに入居した場合、毎年末の住宅ローン残高の0.7％の金額が13年間毎年の所得税額から控除される。所得税の金額が控除額以下の場合は、その年の所得税額が0になり、控除しきれなかった分は住民税からも控除することが可能だ。この制度を利用するには税務署などで確認しよう。

028

得するマネー情報②

子育てエコホーム支援事業

子育て世帯や若者夫婦世帯がZEH住宅等の省エネ性能の高い住宅を取得する場合には、子育てエコホーム支援事業が利用できる。

床面積50㎡以上の長期優良住宅かZEH水準住宅が対象で、新築住宅の場合、戸あたり最大100万円の助成が受けられる。

ただし、遅くとも2024年末までに申請が必要となっているうえ、予算上限に達したら終了となるので、申請を希望する場合には早めの検討が必要だ。

子育て世帯・若者夫婦世帯による住宅の新築

子育て世帯（2005年4月2日以降に出生した子を有する世帯）または若者夫婦世帯（夫婦のいずれかが1983年4月2日以降に生まれた世帯）が新たに発注または購入する、延べ面積50㎡以上240㎡以下の住宅が対象。土砂災害特別警戒区域等における住宅は原則除外となる。

対象住宅	補助額
長期優良住宅	100万円／戸
ZEH水準住宅	80万円／戸

住宅のリフォーム

対象工事		補助額
①必須	省エネルギー改修	改修工事内容に応じて定める額 ・子育て世帯・若者夫婦世帯：上限30万円／戸 （既存住宅購入を伴う場合は上限60万円／戸、長期優良住宅の認定を受ける場合は上限45万円／戸） ・その他の世帯：上限20万円／戸 （長期優良住宅の認定を受ける場合は上限30万円／戸）
②任意	子育て対応改修、防災性向上改修、バリアフリー改修、空気清浄機能・換気機能付きエアコン設置工事等	

029

得するマネー情報③

譲渡損失の繰越控除制度

住宅ローン減税と並んで知っておきたいのが「譲渡損失の繰越控除制度」だ。住宅を中古で売ると、買ったときより値下がりをしていることが多い。このようにマイホームの売却で譲渡損失がでた場合、その譲渡損失の金額を所得から差し引き、引ききれなかった金額については翌年以降、最長3年間繰り越して所得から差し引いて所得税と住民税を計算できる。住宅ローン減税と併用できるので、買い換えで損がでた人にとってはありがたい。

譲渡損失の繰越控除制度の例

買った値段		売った値段		譲渡損失
3000万円	−	1000万円	=	2000万円

マイホーム買換え等の場合に、マイホームの売却ででた譲渡損失の金額を所得から差し引く。引ききれなかった金額については、翌年以降最長3年間繰り越して所得から差し引いて所得税と住民税を計算できる。当てはまる人は、一度、税理士や税務署に相談してみるとよい。

	所得		譲渡損失				
当年	500万円	−	2000万円	=	−1500万円	→	税金0
1年	500万円	−	1500万円	=	−1000万円	→	税金0
2年	500万円	−	1000万円	=	−500万円	→	税金0
3年	500万円	−	500万円	=	0円	→	税金0

第2章
土地の選び方と買い方

土地の値段から
知って得する
法律の知識まで
まるごと分かります。

030

地価相場を調べよう

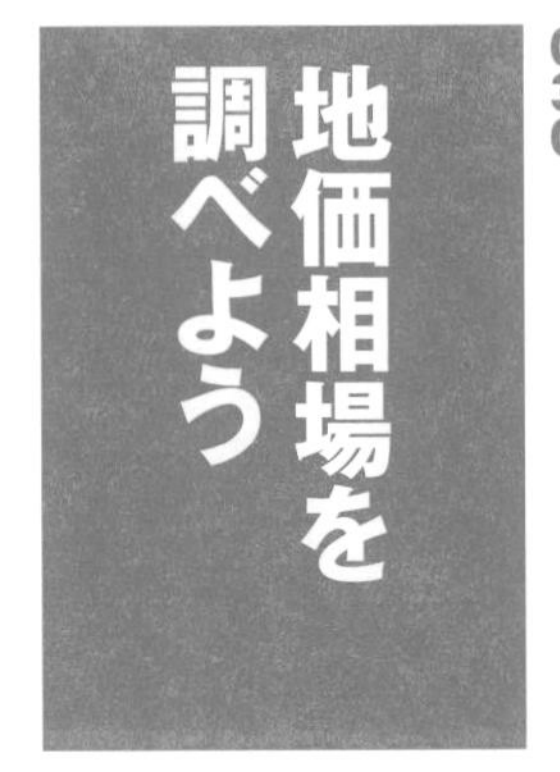

土地探しでいちばん気になるのは値段ではないだろうか。地価の相場は、地域のイメージや住環境水準などによって形成される。まず、東京、大阪などの大都市圏ごと、鉄道路線ごとに大まかな水準が形成され、次いで駅ごと、そしてその近隣地域ごとの水準が形成される。

こうした相場を初めての人が正確に把握するのは簡単ではないので、土地の取引価格に対して適正な指標を与えるためにつくられた、地価公示を活用するとよい。

公示価格の例

標準地番号	世田谷 -1	世田谷 -2	世田谷 -3
住居表示	東京都世田谷区桜上水 5-40-10	東京都世田谷区等々力 5-33-15	東京都世田谷区上馬 1-7-7
地価（円/㎡）	604,000	795,000	686,000
地積（㎡）	132	345	86
形状（間口：奥行）	1.0：2.0	1.0：1.5	1.0：1.5
利用区分、構造	敷地 W2F	—	敷地 W2F
前面道路	北 4m 区道	北 6m 区道	西 3.5m 私道
側面道路	なし	なし	なし
給排水（ガス，水道，下水）	ガス、水道、下水	ガス、水道、下水	ガス、水道、下水
最寄駅，距離 (m)	桜上水 420m	尾山台 300m	駒澤大学 750m
法規制	1 低専準防	1 低専準防	1 低専準防
建ぺい率／容積率（%）	50 ／ 100	50 ／ 100	60 ／ 150
区域区分	市街化区域	市街化区域	市街化区域
利用現況	住宅	空地	住宅
周辺地利用現況	中小規模の一般住宅が多い閑静な住宅地域	中規模一般住宅が多い区画整然とした住宅地域	一般住宅とアパートが立ち並ぶ既成住宅地域

注 上表の略式表示は次のとおりです。〔利用区分構造〕敷地：建物などの敷地、W：木造、S：鉄骨造、2F：2 階建て
〔法規制〕1 低専：第 1 種低層住居専用地域、準防：準防火地域

全国約26,000カ所の地点（標準地）について、毎年1月1日現在の正常な地価を判定し、その結果が3月下旬頃に国土交通省から発表される。この地価を公示価格という。公示価格は国土交通省のホームページ（http://mlit.go.jp）などで調べられるほか、土地の所在する市町村に問い合わせれば、近くの標準値の公示価格を教えてもらえるはず。ただし、地価はその土地の形状や地形、道路付けなどの個別的な要因により大きく変化するので、公示価格はあくまで目安として考える必要がある。

031 路線価の調べ方

地価の目安を知るもう1つの方法に、相続税の路線価がある。相続税の路線価とは、国税局長が相続税や贈与税などの課税のため、都市部の道路（＝路線）ごとに決定した土地の単価のこと。その道路に接する土地は、課税上この単価を基準に評価される。路線価は、国税庁のホームページ（http://www.nta.go.jp）で調べることができる。

相続税の路線価は、公示価格の80％を目安に付けられている。

路線価図の例

1㎡当たりの相続税路線価が540千円（＝54万円）であることを示している。

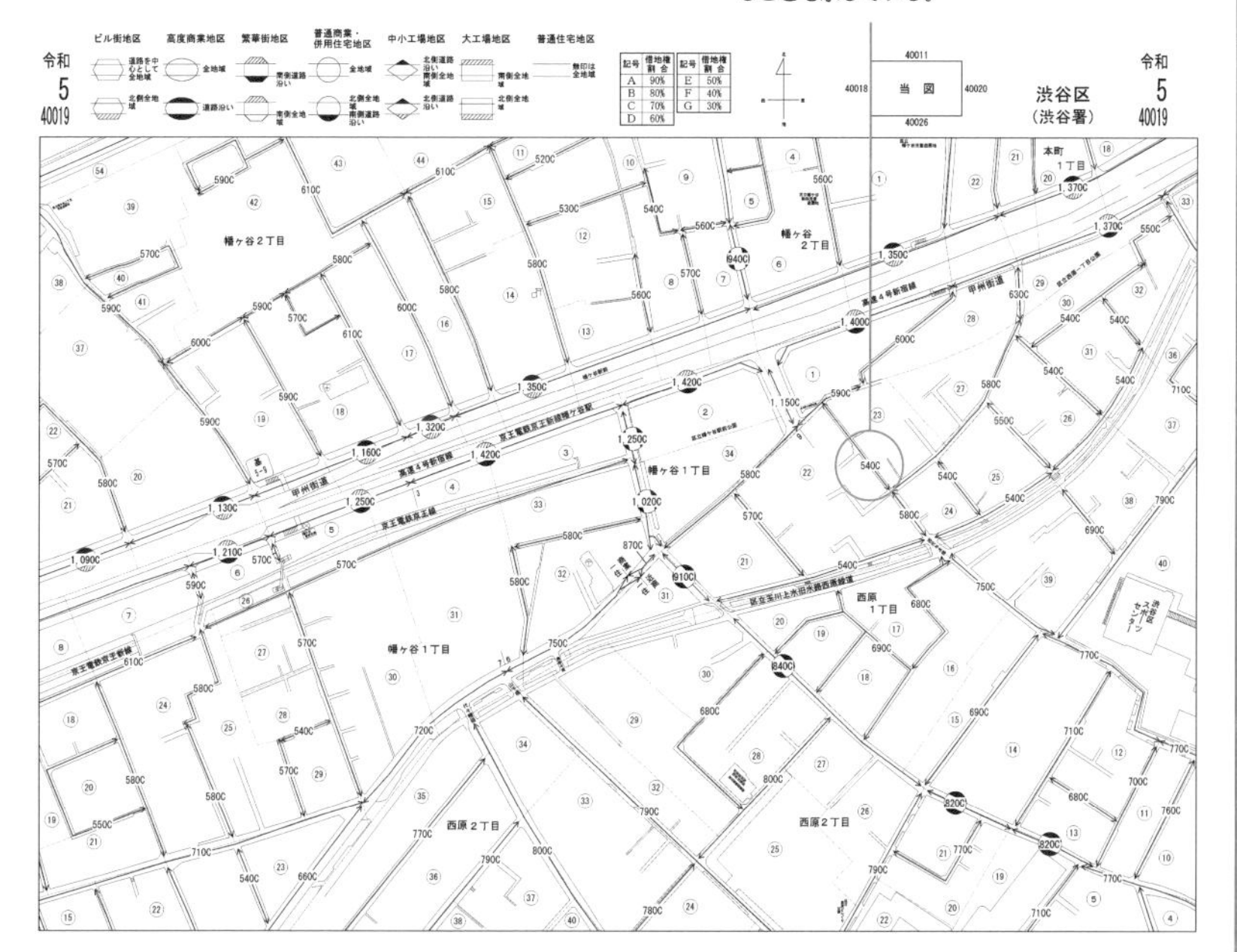

相続税の路線価の便利なところは、公示価格と違って買いたい土地が接する道路の価格がそのまま出ているため、道路ごとの微妙な地価の差が単価に反映されていること。公示価格の80％を目安に付けられているので、土地の単価のおおよその相場を知るためには、相続税の路線価を0.8で割り戻せば求められる。ただし、こうした方法で地下を把握し、相場より安い土地が見つかったとしても、安い土地には欠点があるもので、お買い得とは限らない。むしろ欠点の少ない土地で、「買いたい！」と思える土地を選ぶのがよい。

032

家を建てられる土地を知る

わが国では、全国の約4分の1の地域が「都市計画区域」となっている。都市計画区域は「市街化区域」と「市街化調整区域」に分けられ、この区分を線引きという。原則、市街化を促進する市街化区域には家を建てられるが、市街化を抑制する市街化調整区域には建てられない。

線引きが行われていない未線引き(白地地域、無指定区域ともいう)にも家を建てられるが、未開発の場所では水道や電気などを自分で引かなければならないことがある。

都市計画法による地域区分

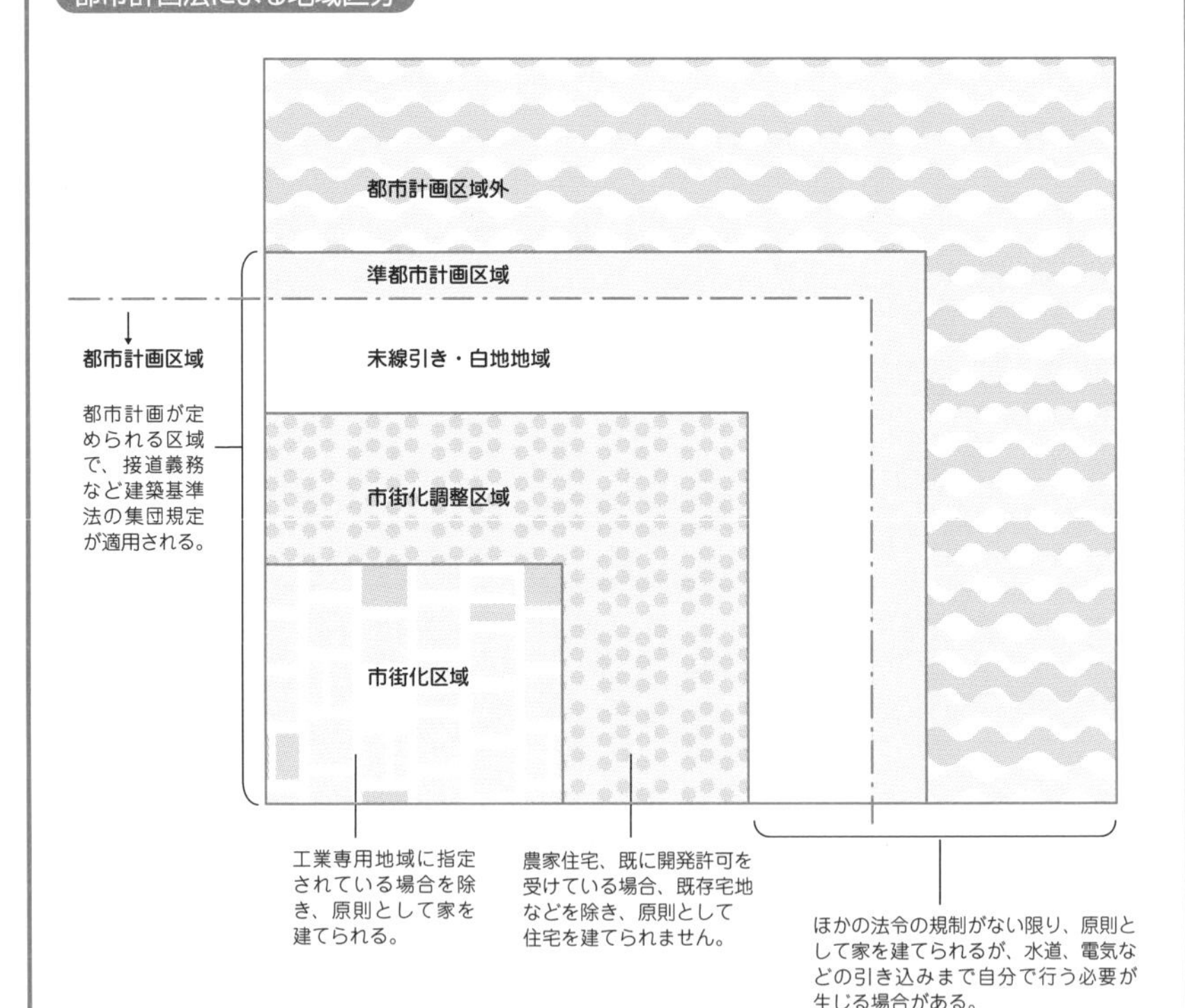

市街化区域では、「用途地域」といって、土地利用を住居専用地域や商業地域、工業地域など13種に分けて定めている。用途地域ごとに建築可能な用途が異なるので、居住環境にかなり差が出てくる。土地購入の際は、用途地域の特徴も確認し、近接する地域の用途制限も考慮するとよい。

033

家を建てるには道路が必要

建築基準法は都市計画区域内の土地に関して、長さ2m以上、幅員4m以上の道路に接していなければ建築物の敷地として認めていない。これを「接道義務」という。

しかし実際の道路の多くは幅員4m未満なので、特定行政庁（市町村または都道府県知事）が指定した場合は建築基準法上の道路として認められている。これを「2項道路」または「みなし道路」という。

接道条件は重要なので、土地選びの際まっさきに確認しよう。

2項道路とセットバックの原則

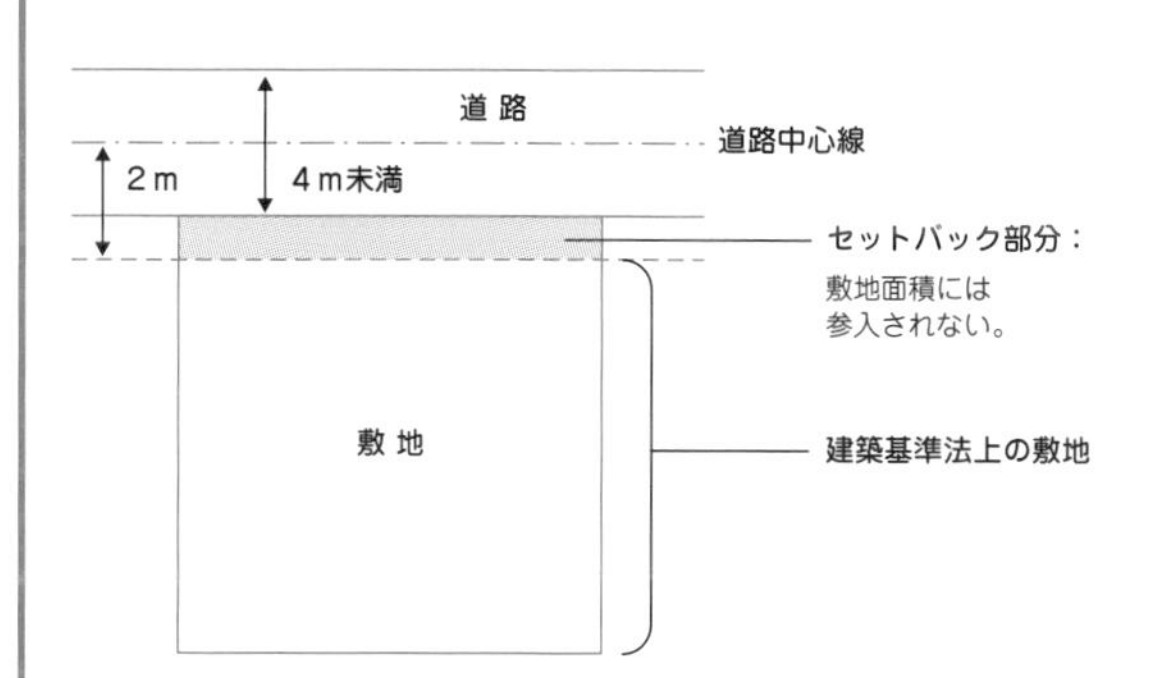

2項道路に2m以上接する敷地には建物が建てられる。この場合は、原則として道路の中心線から2m後退した線を敷地の境界線として扱う（「敷地のセットバック」という）。セットバックした部分は、自分の敷地であっても建物を建てることはできない。

2項道路とセットバックの例外

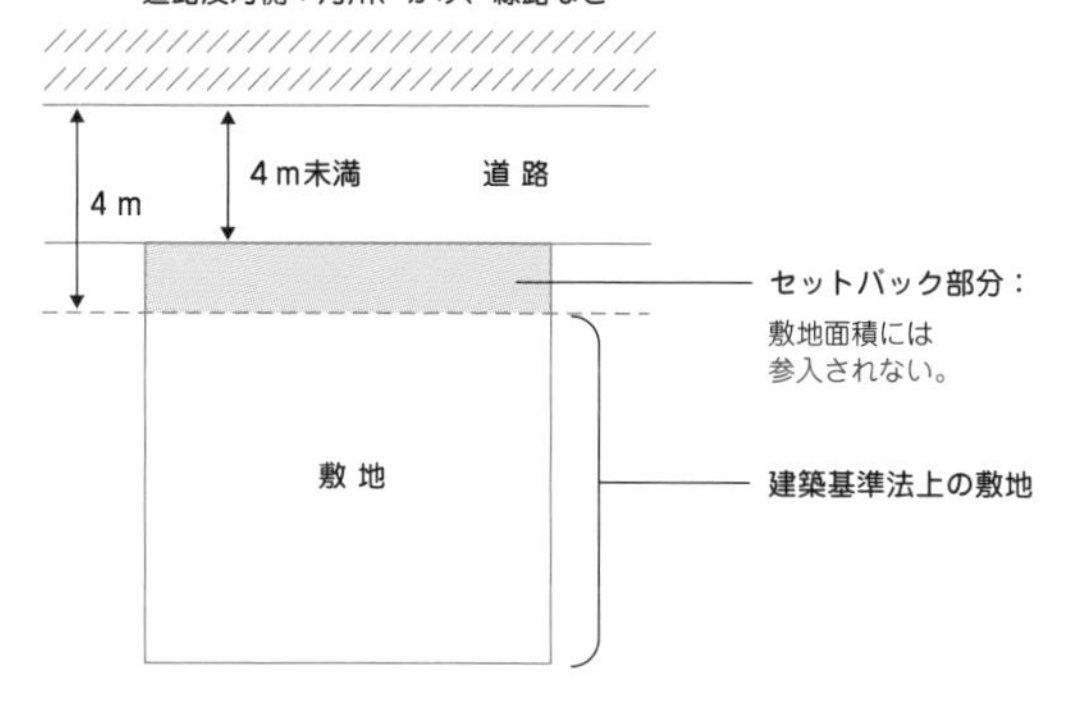

道路の反対側が川やがけ、線路敷地などになっている場合、反対側への道路拡幅は不可能なので、道路反対側から4mの線が、道路と敷地の境界線になる。

※土地の状況等からやむを得ないときで、建築審査会の同意を得た場合には、上図では中心線からの2mが1.35mまで、下図では反対側からの4mが2.7mまで緩和される場合がある。

034

整形の土地を選ぼう

家づくりのために購入する土地の形状は、できるだけ整形が望ましい。

よくあるのは図の土地Aのように、路地状部分だけ道路に接した敷地。「旗竿敷地（または路地状敷地）」という。面積の割に有効なスペースが少なく、場合によっては厳しい規制がかかるので購入は避けたほうが無難。また、道路にまったく接していない「袋地」という敷地は、いま建物が建っていたとしても新築や建て替えは原則できない。

旗竿敷地（路地状敷地）の例

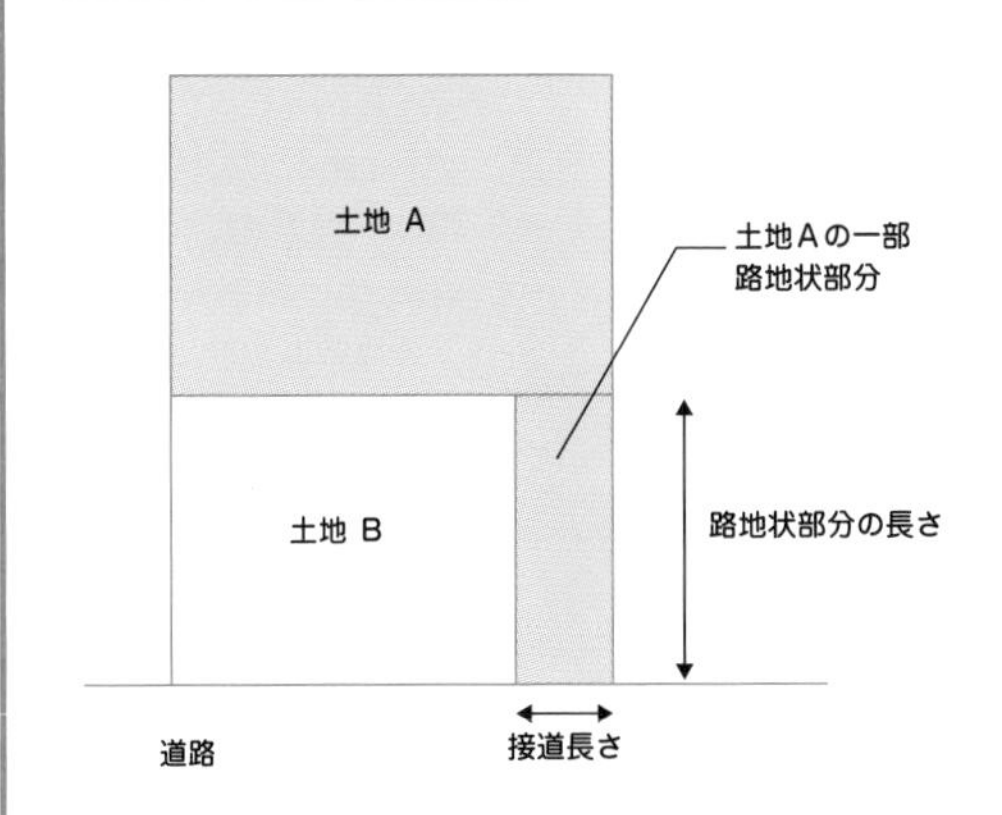

東京都の安全条例などでは、一般の戸建て住宅でも、路地状部分の長さが20mを越える場合には、接道長さは3m以上必要。また、3階以上の建物や集合住宅などの特殊建築物では、路地状部分の形状により、さらに厳しい規制が掛けられている。

袋地と囲繞地通行権の例

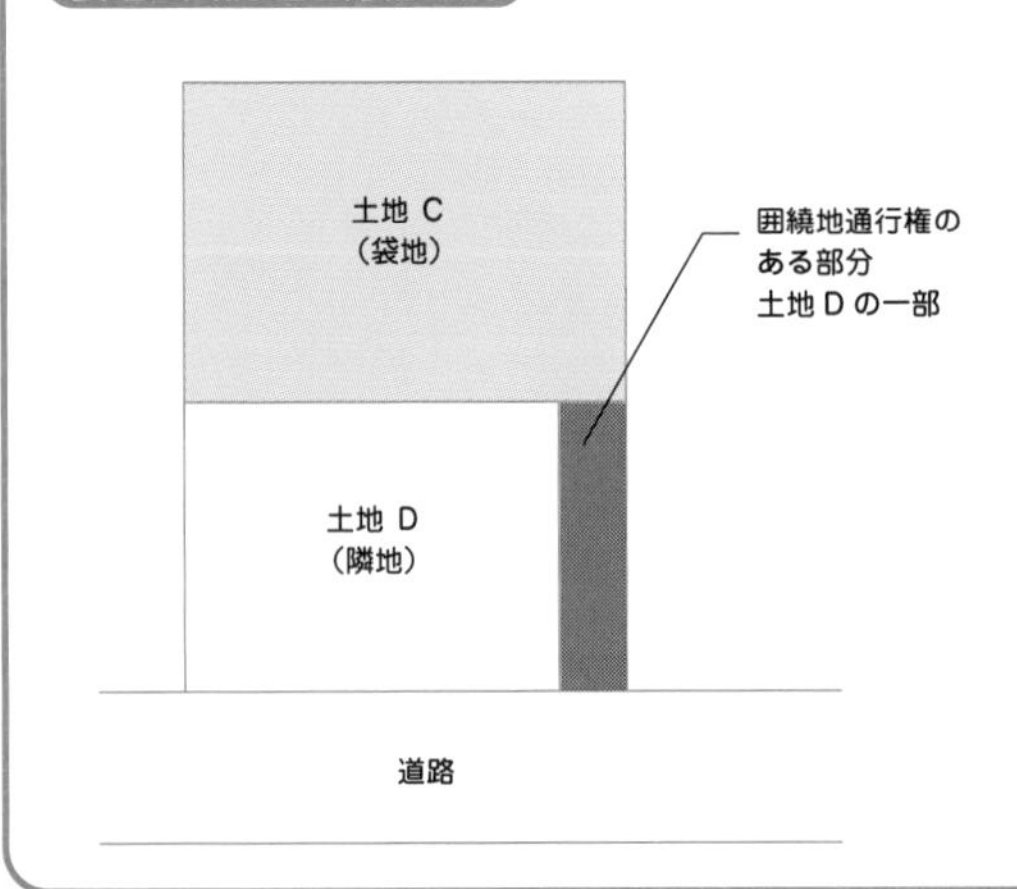

土地C（袋地）は、いま建物が建っていたとしても、原則的に新築や建て替えはできない。土地Cは土地Dの一部を通行する権利（囲繞地通行権）を持っているだけで、これは土地Dを借りる権利ではないからだ。

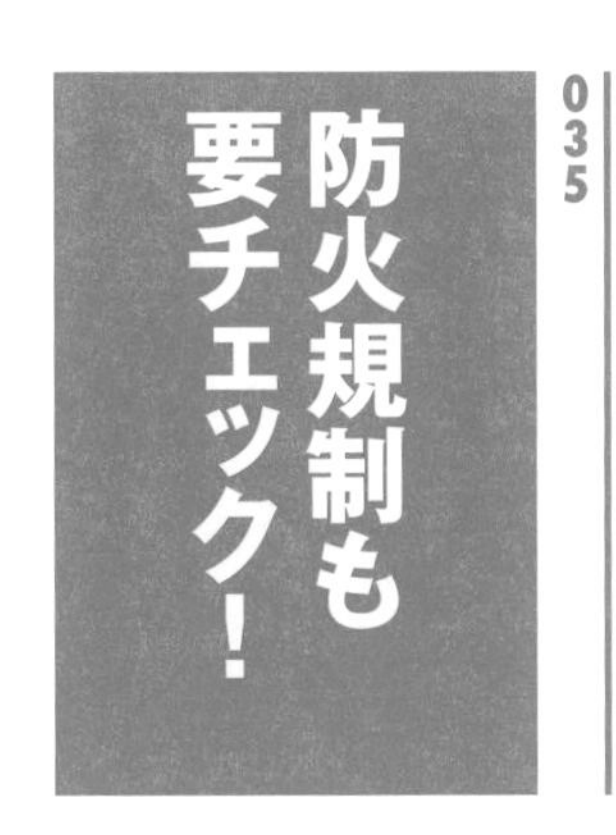

035 防火規制も要チェック！

都市における防火対策として、防火地域、準防火地域、それに法22条区域（屋根不燃化区域）の3つ規制地域が定められている。これらの地域では、火災の延焼の防止を目的とし、建物の材料を規制している。

防火地域の範囲は限られるが、準防火地域や屋根不燃化区域は、かなり広範囲に指定されている。どの地域に指定されているかは、都市計画図などに記載されている。

防火地域・準防火地域における規制

階数	防火地域			準防火地域		
	50㎡以下	100㎡以下	100㎡超	500㎡以下	500㎡超 1,500㎡以下	1,500㎡超
4階以上	耐火建築物 ＋耐火建築物相当	耐火建築物 ＋耐火建築物相当	耐火建築物 ＋耐火建築物相当	耐火建築物	耐火建築物	耐火建築物
3階建て	耐火建築物 ＋耐火建築物相当	耐火建築物 ＋耐火建築物相当	耐火建築物 ＋耐火建築物相当	一定の防火措置 ＋準耐火建築物相当	一定の防火措置 ＋準耐火建築物相当	耐火建築物
2階建て	準耐火建築物 ＋準耐火建築物相当	準耐火建築物 ＋準耐火建築物相当	耐火建築物 ＋耐火建築物相当	防火構造の建築物 ＋防火構造の建築物相当	準耐火建築物	耐火建築物
平屋	準耐火建築物 ＋準耐火建築物相当	準耐火建築物 ＋準耐火建築物相当	耐火建築物 ＋耐火建築物相当	防火構造の建築物 ＋防火構造の建築物相当	準耐火建築物	耐火建築物

防火地域内では、延べ面積が50㎡を超えると耐火または準耐火建築物等などに、100㎡を超えると耐火建築物等などにする必要がある。準防火地域内では、地階を除く階数が4以上の場合には耐火建築物等などとしなければならない。商業地の多くは防火地域の指定がなされている。また、都市部では住宅地でも防火規制に留意する必要がある。

延焼のおそれのある部分

延焼のおそれのある部分とは、隣地との境界線や敷地が面する道路の中心から、1階が3m以内、2階以上が5m以内にある部分のこと[※]。この3m、5mの線を延焼線と呼ぶこともある。防火地域や準防火地域では、この部分の窓や玄関のドアを網入りガラスなど防火仕様にする必要がある。

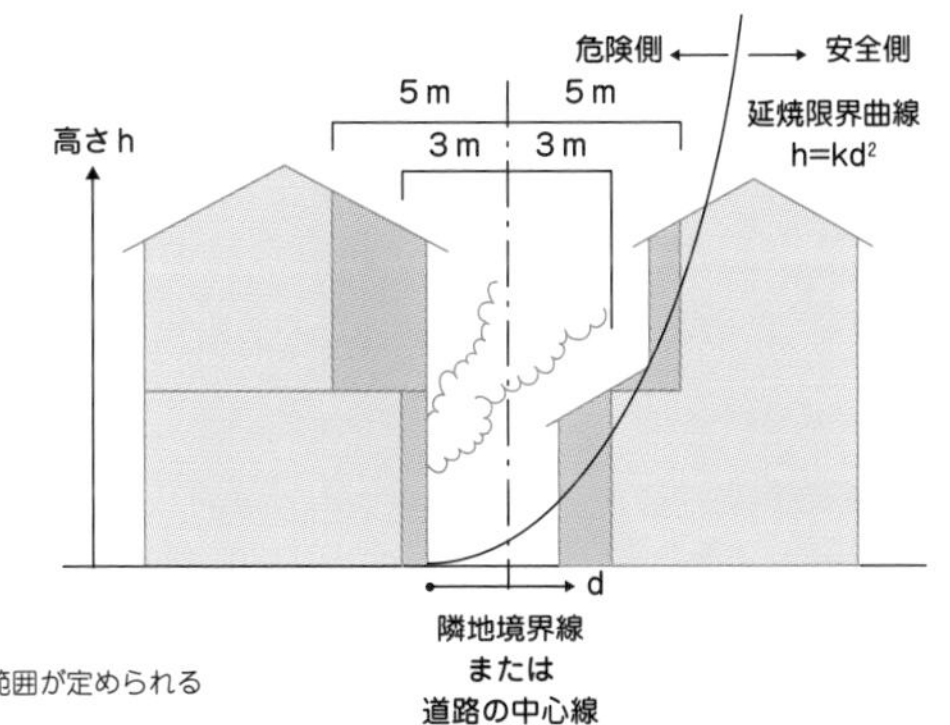

※ただし、建物と隣地境界線との角度に応じてその範囲が定められる

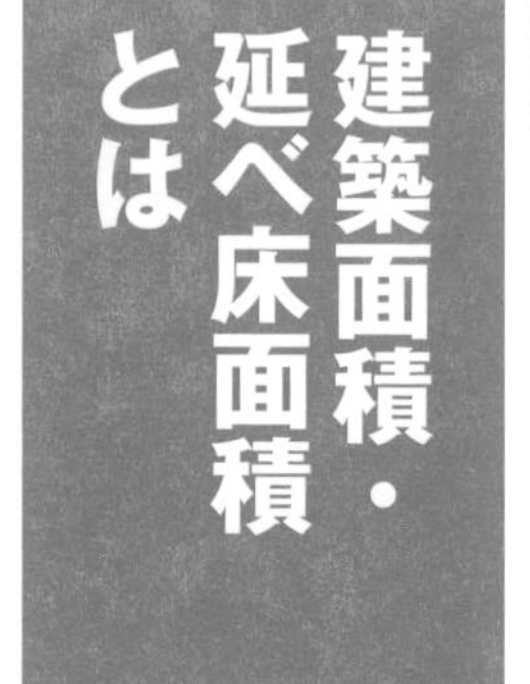

家の面積には、建築面積と延べ床面積がある。建築面積とは、建物を真上から見たときの水平投影面積のこと。軒やバルコニーなど柱や壁に支えられていないはね出している部分は、先端から1mを除いて計算する。

延べ床面積は、各階の床面積の合計のこと。屋内的用途に使われる空間の床面積が対象だ。駐車場は対象となるが、バルコニーは吹きさらしであれば、先端から2mまでは対象外。建築面積は建ぺい率で、延べ床面積は容積率でそれぞれ制限される。

建ぺい率と容積率の概要

種別	適用条件		用途地域													
			第1種低層住居専用地域	第2種低層住居専用地域	第1種中高層住居専用地域	第2種中高層住居専用地域	第1種住居地域	第2種住居地域	準住居地域	田園住居地域	近隣商業地域	商業地域	準工業地域	工業地域	工業専用地域	無指定地域
建ぺい率（%）	① 一般の敷地		30 40 50 60		30 40 50 60		50 60 80			30 40 50 60	60 80	80	50 60 80	50 60	30 40 50 60	30 60 40 70 50 [※1]
	②角地など[※2]		①に10加算								①に10加算		①に10加算		①に10加算	①に10加算
	③防火地域内の耐火建築物など[※3]		①に10加算								①に10加算	100	①に10加算		①に10加算	①に10加算
	④上記②+③[※3]		①に20加算								①に20加算	100	①に20加算		①に20加算	①に20加算
容積率（%）	前面道路の幅員≧12m [※4]	指定容積率	50 60 80 100 150 200		100 150 200 300 400 500		100 150 200 300 400 500			50 60 80 100 150 200	100 150 200 300 400 500	200 300 400 500 600 700 800 900 1000 1100 1200 1300	100 150 200 300 400 500	100 150 200 300 400	100 150 200 300 400	50 80 100 200 300 400
	前面道路の幅員<12m	基準容積率	前面道路の幅員（m）×0.4 （第1・2種低層地域以外で、特定行政庁の指定区域内：0.6）かつ指定容積率以下								前面道路の幅員（m）×0.6 （特定行政庁の指定区域内：0.4、0.8） かつ指定容積率以下					

※1 特定行政庁が都市計画地方審議会の議を経て指定する区域の数値
※2 角敷地または角敷地に準ずる敷地で、役所（特定行政庁）が指定するものの内にある建築物（役所ごとの基準に適合していること）
※3 第1種・2種・準住居地域、近隣商業地域、準工業地域で建ぺい率の上限が80%の区域は、制限なし（100%）、健ぺい率80%とされている地域外では準防火地域内の耐火・準耐火建築物なども含む
※4 前面道路が複数ある場合は、最大幅の道路で計算できる

敷地面積に、建ぺい率、容積率を乗じた数字が、建築面積と延べ床面積。たとえば、敷地面積が100㎡で、建ぺい率50%、容積率100%なら、建築面積の限度は50㎡、延べ床面積100㎡となる。建ぺい率、容積率は、用途地域ごとに異なる値が定められている。また、敷地が角地であれば、建ぺい率が10%加算されることがある。

037

延べ床面積の算定方法

延べ床面積は、敷地が接する前面道路の幅員によって容積率が変わってくる。幅員が12m以上であれば指定容積率そのものとなるが、12m未満の場合は、幅員に指定の係数を乗じた容積率と指定容積率を比べ、いずれか小さいほうの容積率となる。この容積率を「基準容積率」と呼び、敷地面積に基準容積率を乗じたものが、延べ床面積の最高限度となる。

乗じる係数は、「住」がつく用途地域は0・4、その他の用途地域は0・6である。

延べ床面積の算定方法

道路の幅員≧12mの場合

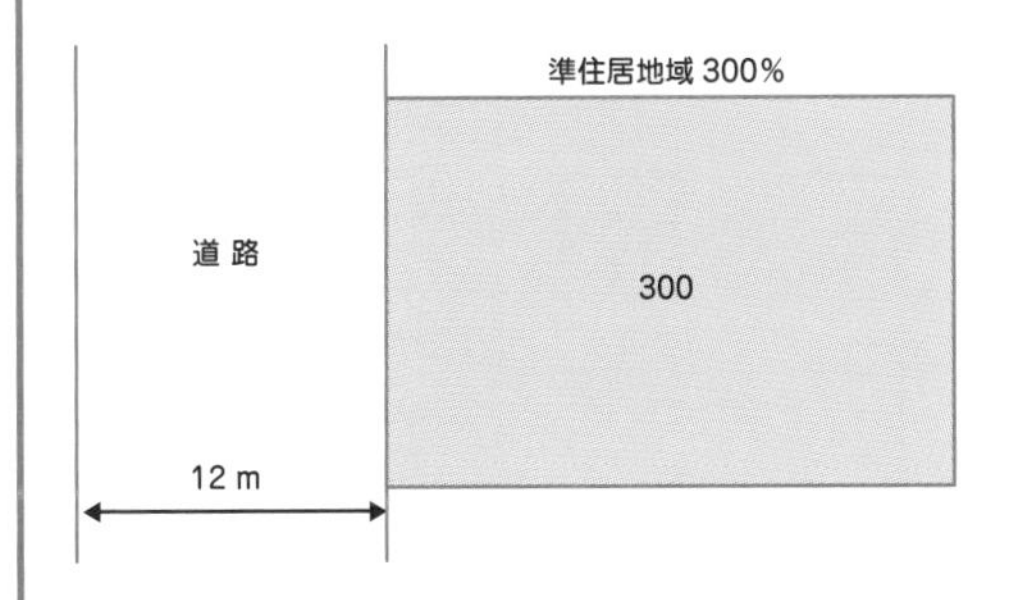

容積率の限度
基準容積率
＝指定容積率＝300%
延べ床面積の限度
最大許容延べ床面積
＝300㎡×300%＝900㎡

道路の幅員<12mの場合

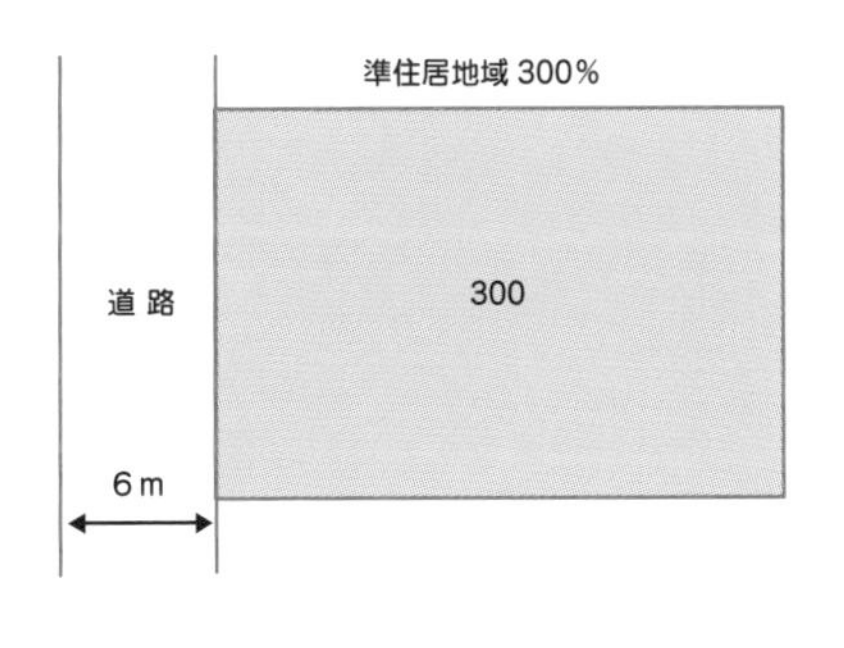

容積率の限度
前面道路による容積率、かつ、
指定容積率以下
基準容積率＝6m×0.4
＝240%<300%∴240%を採用
延べ床面積の限度
最大許容延べ床面積
＝300㎡×240%＝720㎡

038

延べ床面積をアップさせるテクニック①

駐車場（車庫）・駐輪場は住宅部分の25％まで、地下室は地上部分の50％まで、延べ床面積計算の対象外となる。駐車場などは住宅以外でも緩和されるが、地下室の緩和は住宅や老人ホームなどの用途に限られる。

たとえば、住宅の敷地が80㎡で、基準容積率が100％とすると、延べ床面積の限度は80㎡となるが、これに駐車場30㎡、地下室40㎡まで加えることができ、床面積は80＋30＋40の150㎡にまで拡大する。

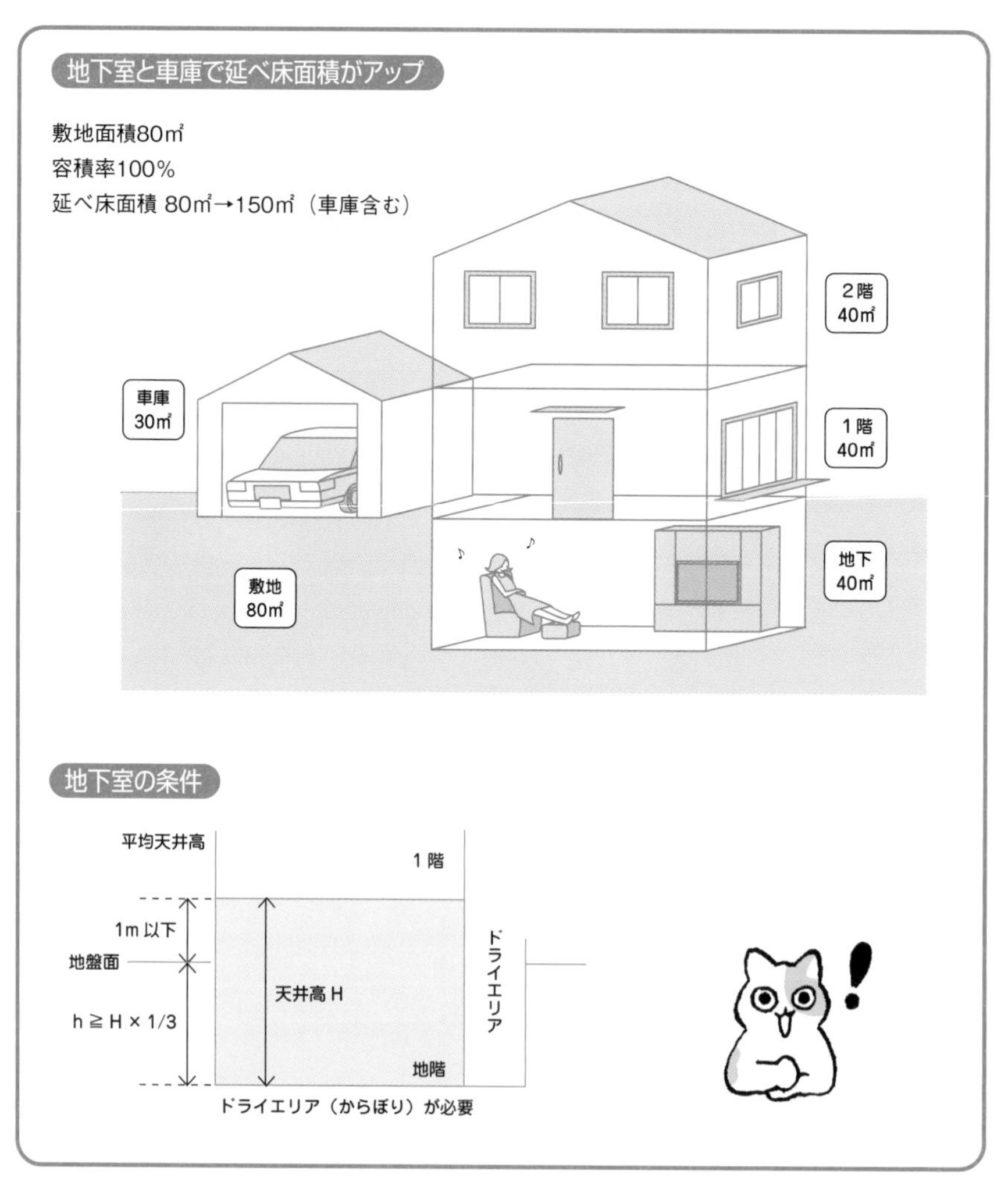

039

延べ床面積をアップさせるテクニック②

小屋裏物置は直下階の床面積の50%までなら床面積に参入されない。天井裏や床下も同様だ。ただし、天井の最高高さが1・4m未満で、物置など収納スペースに限られる。

これ以上の面積にしたり、天井高を高くしたりすると、階とみなされてしまう。2階建てでも3階建てに扱われ、そうなると、日影規制、防火規制、構造規制など、たくさんの規制が増えてくる。基本的に、建築基準法は3階以上だとかなり厳しくなってくる。

小屋裏で延べ床面積がアップ

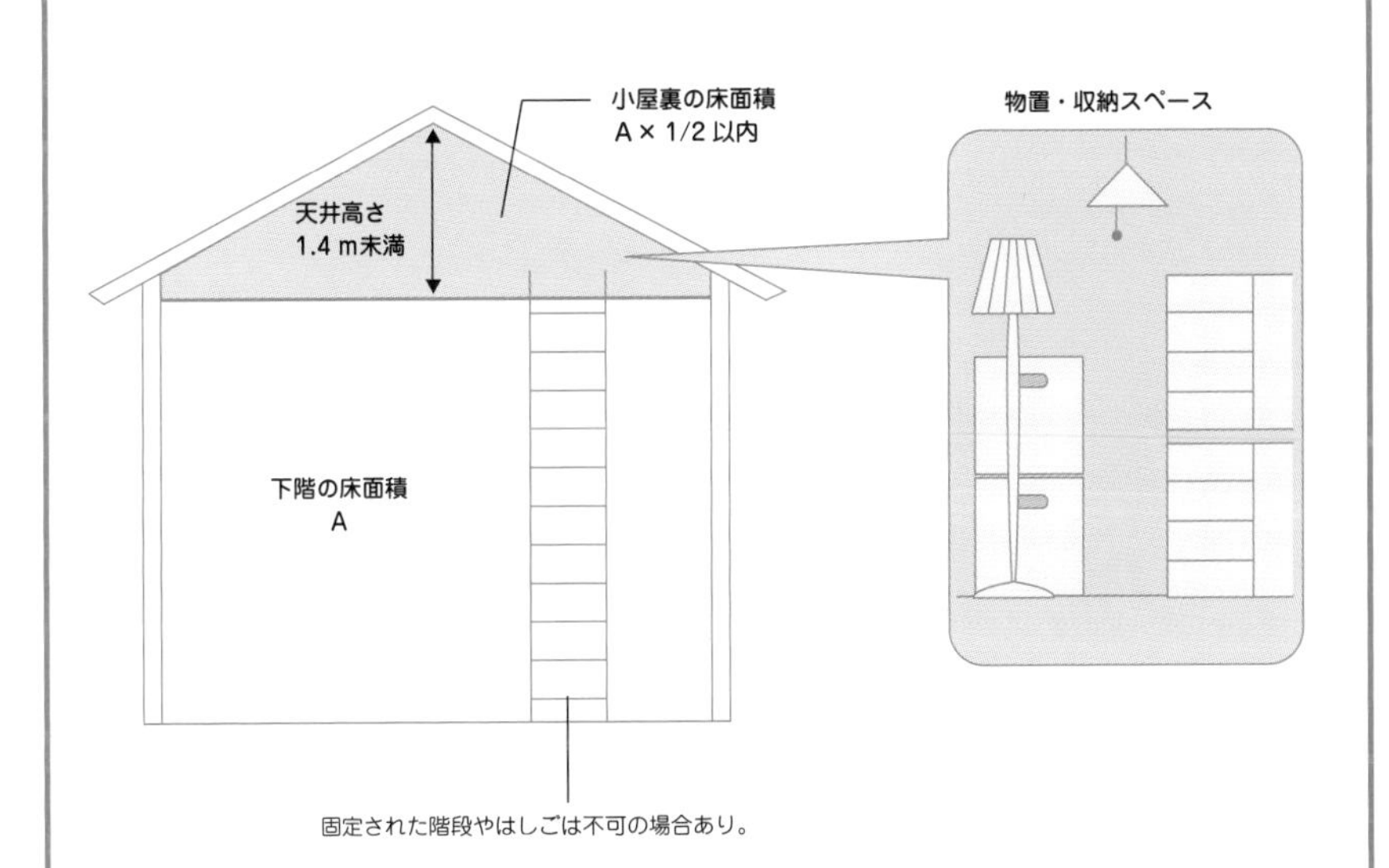

高さ制限

面積と同様、高さも用途地域ごとに制限はあるが、具体的にすべての建物の高さを制限しているのは第1種と第2種の低層住居専用地域と田園住居地域のみ。これらの地域では、学校などを除き、10mまたは12mを超える建物は建てられない。10mか12mかは都市計画で定めている。この制限以外には、「斜線規制」で高さを制限するものがある。

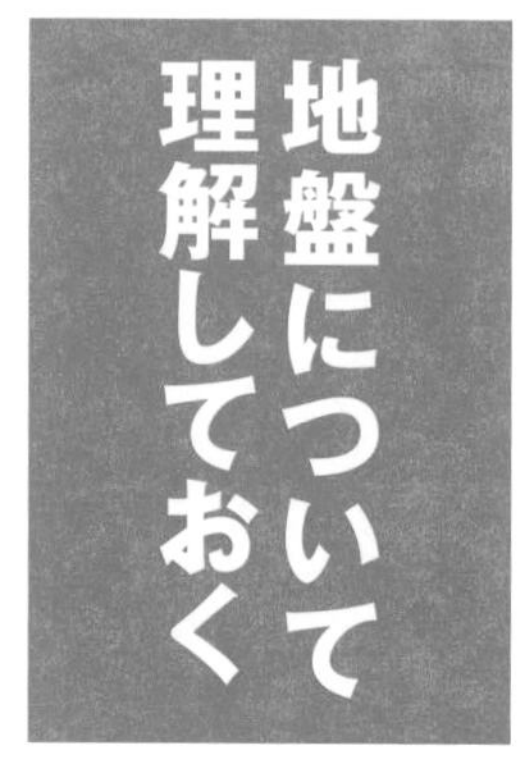

　家を建てる土地の成り立ちや特徴が分かれば、地盤の良し悪しを知る手がかりとなる。地盤の強度が推察できるため、地形に加えて、地質も理解しておくとよい。

　もともと高台で、固い地質をもつ地域でも、宅地造成などで人工的に地盤を改変したために、軟弱地盤となってしまった土地がある。また、地下水位が高い地盤では水位の下降や上昇で建物の沈下や浮き上がりが起きたり、砂質地盤では地震時に地盤が液状化したりすることもある。

地形の分類

日本の地形は大まかに、山地、丘陵地、台地、低地の4つに分類できる。地盤には見た目の地形だけでは判断できない要素もあるため、個別に現地調査を行うことが大切だ。

地形	地盤
山地・丘陵地	地盤は良好。ただし、宅地利用地は切土や盛土されていることが多いので注意が必要。
台地	地盤は良好。ただし、切土や盛土されている場合には注意が必要。
低地	地盤は軟弱。杭を打つなどの地盤対策が必要。一般的に洪水被害を受けやすい。
低地（扇状地）	地盤は普通。土石流や河川洪水による浸水のおそれがある。

地形と地質

これらは国土地理院が発行している「土地条件図」から知ることができる。山地や丘陵地、台地は比較的安定した地盤が多い。一方、新しい地層の低地は、軟弱かつ不安定な地盤が多いとされる。川・池の近くや坂道の下、水に関する地名の土地は、地盤調査を検討したい。

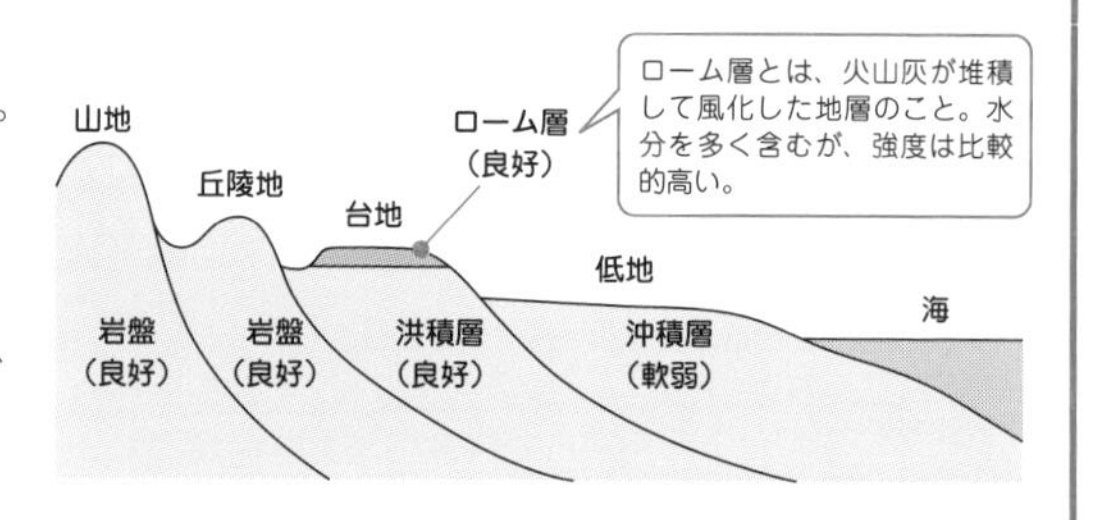

要注意の地盤

宅地造成などで軟弱地盤となった土地がある。もとの地盤を切り取った「切土」と、もとの地盤に土を盛り上げた「盛土」が混在している土地は要注意。切土と盛土で地震時の揺れ方が異なり、建物にねじれが生じることがある。

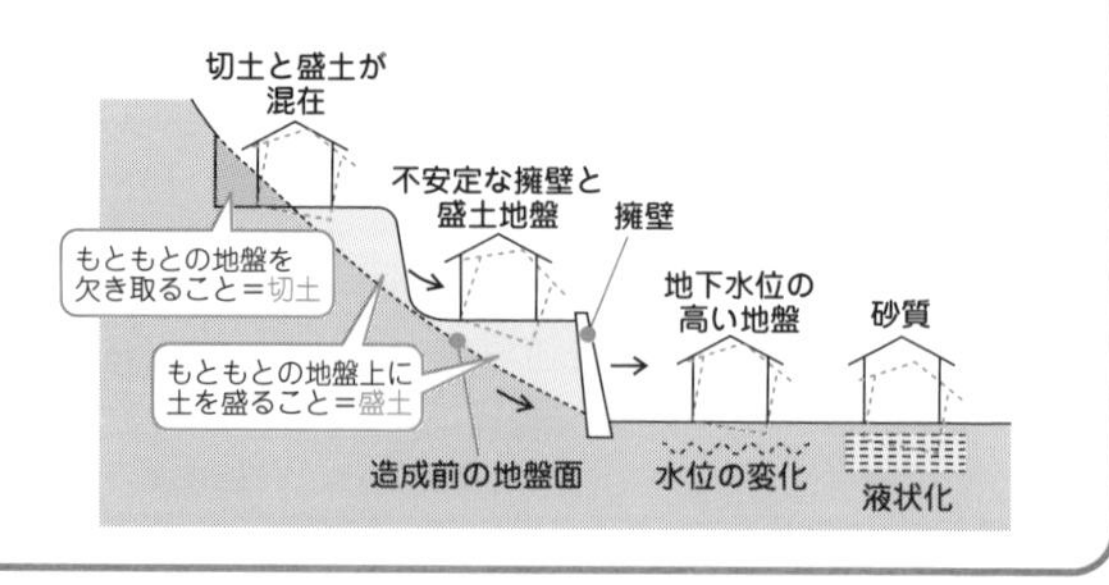

041

できれば行いたい地盤調査

木造住宅などの軽量で小規模な建物でも、基礎を設計する際は、地盤の状態が大きく影響する。できれば地盤調査は行いたい。その場合、調査会社に依頼する方法もあるが、家づくりの依頼先の設計者や工務店に相談するとよい。調査で地盤が軟弱と判定された場合、地震時に大きな被害を受ける可能性がある。軟弱地盤を解決する方法には、①表層改良、②柱状改良、③鋼管杭打ちの3つがある。費用は地盤の状況や方法によって異なるが、80～150万円ほど。

地盤調査の種類

名　称	対象建物	コスト（万円）	特　徴
スクリューウエイト貫入（SWS）試験	木造	5～8	先端がスクリュー状になっているロッド（棒）の頭部に重さを加えて地中に貫入させる調査法。この調査では粘性土か砂質土かといった地盤の構成状態は分からない。
表面（レイリー）波探査	木造	5～8	地表に起震器を設置し微細な人工地震を地盤に与え、その地震波の速度を計測して地耐力に換算する方法。異物の混入や層厚の判定はできるがデータの解析に熟練を要する。

地盤調査の方法は主にスクリューウエイト貫入試験と、表面波探査の2種類がある。

不同沈下

地盤の固さが一定でない場合、不同沈下が起こる。建物の重さを均一に支えることができず、家の傾きや断裂を引き起こすことがある。

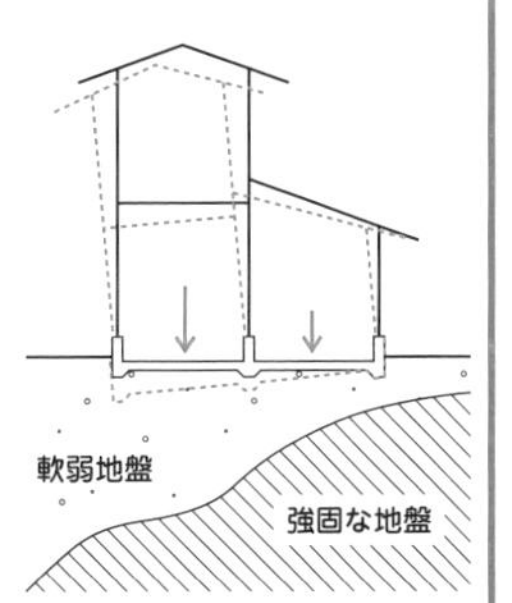

軟弱地盤の改良方法

表層改良は、地表から2mまでをセメント系の材料と土を混ぜ合わせて全面的に固める方法。柱状改良は、基礎梁の下部分に、セメント系の材料と土を混ぜ合わせながら太い柱状の杭をつくり、良好な地盤まで建物の重さを伝える。鋼管杭打ちは、鋼管やコンクリート製の杭を、真下の固い地盤まで深く打つことで建物を支える。

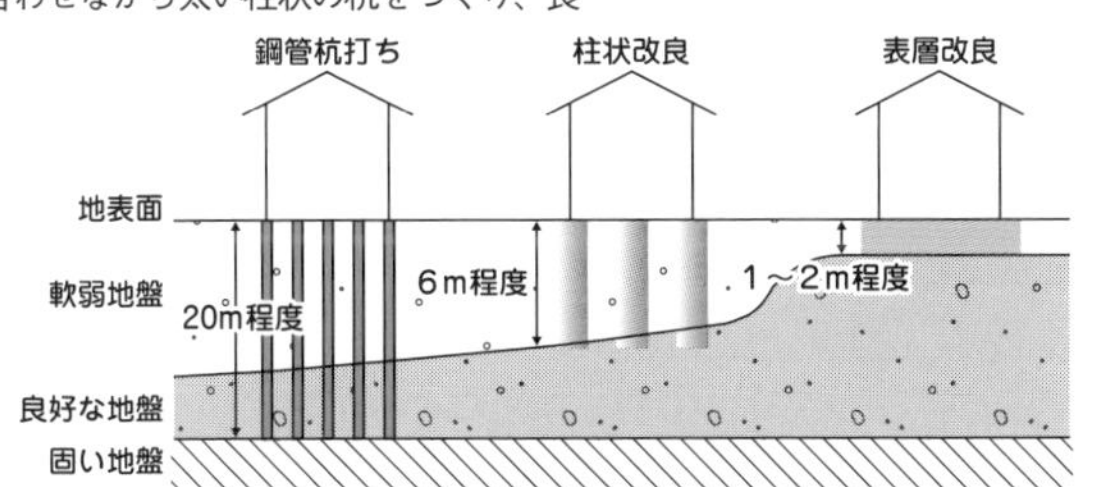

042

敷地自体の状況をチェックする

土地選びは、日照・通風、前面道路の状況、隣接地の状況、敷地の形状や地形、広さ、地盤の状況、法規制の状況など多面的な観点から検討を行う必要がある。下のチェックリストで整理しておこう。

しかし、初めての人がこれらを的確に判断するのは難しいもの。最終的な土地選びの段階で、信頼できる設計や施工者に現地に同行してもらい、プロの目で評価してもらうとよい。特に地盤の条件はとても大切だ。

戸建て住宅のための土地探し、土地選び敷地チェックリスト

	チェック項目	評価項目／備考
①環境条件	道路の向き	◎南側道路　○東側道路・西側道路　△北側道路
	日照・通風は良いか	◎日照・通風良　○ある程度の日照・通風が確保できる　▲日照・通風不良
	水はけはよいか／湿り気はないか	◎高台で水はけの良い土地　○平坦地で普通の土地 ▲まわりより低い水はけの悪い土地
	街並み・景観・住環境	◎街並みの整った計画的な住宅地　○戸建て住宅中心の一般住宅地 △アパートなども混在する住宅地　▲工場・店舗なども混在する地域
	周辺の平均的な敷地規模	◎ 200㎡以上　○ 150㎡以上　△ 100㎡以上　▲ 100㎡未満
	隣接地の状況	◎一般の戸建て住宅　○住居系用途（アパート等）／空き地 △非住居系用途・高層建物　▲嫌悪施設、高圧線等が近くにあり
	前面道路の交通量（騒音、振動等）	◎交通量は少ない　○交通量は普通　▲幹線道路で交通量多い
②敷地の画地条件	前面道路の幅員敷地形状はよいか	◎ 6 m以上／歩道付き　○ 4 m以上　▲ 2 項道路　◎整形（長方形）　○ほぼ整形　▲不整形・旗竿敷地
	地形はよいか	◎平坦もしくはやや南傾斜　○やや東傾斜／西傾斜　△やや北傾斜　▲傾斜地／崖地
	間口は十分にあるか	◎ 12 m以上　○ 8 m以上　△ 5 m以上　▲ 5 m未満
	道路との高低差は適切か	◎道路よりやや高い　○道路とほぼ平坦　▲道路より低い
	地盤はよいか	○台地などの良好な地盤　△台地と谷地の境　▲谷地などの軟弱地盤

登記上の記載（※の項目を除く）	地名・地番	
	※住所表示	
	地目	□宅地　□田　□畑　□山林　□その他（　　　　　）
	登記面積	㎡　　坪　うち私道負担分　　㎡
	※実測面積	㎡　　坪
	所有権	□自己所有地　□借地（地主：　　　　　）
	所有権以外（抵当権など）	
法的制限	都市計画区域	□市街化区域　□市街化調整区域　□未線引区域　□準都市計画区域 □都市計画区域・準都市計画区域外
	用途地域	□第 1 種低層住居専用地域　□第 2 種低層住居専用地域 □第 1 種中高層住居専用地域　□第 2 種中高層住居専用地域 □第 1 種住居地域　□第 2 種住居地域　□準住居地域　□田園住居地域　□近隣商業地域 □商業地域　□準工業地域　□工業地域　□工業専用地域　□なし
	防火・準防火地域	□防火地域　□準防火地域　□法 22 条区域（屋根不燃化区域）　□指定なし
	建ぺい率（建築面積の限度）	（　　　）%　敷地面積×建ぺい率／ 100 ＝　　　㎡まで
	容積率（延べ面積の限度）	（　　　）%　敷地面積×容積率／ 100 ＝　　　㎡まで
	高さ制限	絶対高さ制限　□有（高さ　　m）　□無 道路斜線　勾配（　　　　） 隣地斜線　□有　□無 北側斜線　□有（高さ　　m 以上で勾配）　□無
	計画道路の予定	□有　□無
	建築協定	□有　□無
	道路の所有	□公道　□私道（所有者：　　　　　）
敷地が接する道路	道路幅員	m（　　　側）
	敷地と接する長さ	m
	水道	□公営　□私営　□井戸
設備関係	ガス	□都市ガス（　　　　ガス）　□プロパン
	電気	電力
	雨水・雑排水／汚水	□本管　□Ｕ字溝　□水洗放流　□浄化槽　□汲取り
敷地と周囲との状況	境界線の距離　対角線の距離　土地の傾斜　隣地・道路との高低差（図で記入）	

043

敷地周辺の環境をチェックする

周辺の環境といっても、いろいろな要素が複合的に影響し合っているが、主な要素としては、①交通利便性　②生活利便性　③行政サービス・生活インフラ　④子育て・教育環境　⑤住環境　⑥地域の将来性などが挙げられる。それぞれ、具体的にチェックリストに書き出して整理するとよい。

土地を購入する前に、周辺地域を歩いてみたり、実際の通勤時間帯に通勤経路を体験してみたりする作業が不可欠だ。

周辺環境のチェックリスト

	チェック項目	結果
①交通利便性／通勤のしやすさ	最寄駅までの交通手段／所要時間	徒歩（　　）分　自転車（　　）分　バス（　　）分
	最寄駅までのバス便の通勤時間帯での本数	（　　）本／時間
	始発バス・終バスの時刻	始発（　：　）　最終（　：　）
	最寄駅から勤務先・通学先までの所要時間	通勤（　　）分　通学（　　）分
	ラッシュ時の本数	（　　）本／時間
	通勤・通学のしやすさ	乗換（　　）回 混雑度　□良　□可　□不可 乗り継ぎ　□良　□可　□不可
	急行等の停車	急行停車　□無 □有（　　）本／時間
	始発電車・終電車の時刻	始発（　：　）　最終（　：　）
	通勤交通費	往復（　）円　定期代（　）円／月
	タクシーの利用しやすさ	待ち時間（　　）分 台数　□多い　□少ない　□無　料金（　　）円
②生活利便性	買い物の利便性（商店街／スーパー等）	距離（　　）m 所要時間（　　）分　□徒歩　□自転車　□車 駐車台数（　　）台 閉店（　：　） 値段・品揃え　□良　□普通　□悪
	金融機関の利便性	□郵便局　□（　　）銀行 □（　　）信用金庫 営業時間（　：　）
	行政機関の利便性	役所：距離（　　）m　所要時間（　　）分 □徒歩　□自転車　□車　□バス 警察：距離（　　）m　所要時間（　　）分 □徒歩　□自転車　□車　□バス
	飲食施設等の利便性・充実度	レストラン　□有　□無（□美味　□普通 □不味　駐車台数（　　）台
	医療施設の利便性・充実度	□内科　□小児科　□病院　□保健所 □その他（　　） 評価：□良い　□普通　□悪い
③行政サービス・生活インフラ	文化施設・サービスの充実度	文化施設　□無　□有（　　） 距離（　　）m　所要時間（　　）分 □徒歩　□自転車　□車　□バス 評価　□良い　□普通　□悪い
	医療サービスの充実度	医療費補助　□無　□有（　　） 定期検診　□無　□有（　　） 成人病検診　□無　□有（　　）
	福祉サービスの充実度	各種補助　□無　□有（　　） ケアサービス　□無　□有（　　）
	住宅取得支援制度の充実度	融資　□無　□有（　　） 助成　□無　□有（　　）
	ゴミの収集方法	分別内容（　　） 週（　　）回　収集日（　　）
	自治体財政の健全性	財政　□良　□普通　□悪

	チェック項目	結果
④子育て・教育環境	保育環境	□保育園　□幼稚園募集時期（　月　日） 空き状況　□無　□有 時間外保育□無　□有（　　時まで）
	周辺の子供の遊び場	公園・遊び場　□無　□有 （□近　□普通　□遠） 安全度　□良　□普通　□悪
	子供たちの数	同年代の子供　□多い　□普通　□少ない クラス数：
	小学校・中学校への通いやすさ	学区（　　） 距離（　　）m 所要時間（　　）分 □徒歩　□自転車　□車　□バス
	通学路等の安全性	安全性　□安全　□普通　□悪い 備考：
	学校の教育環境	校風（　　） 雰囲気（　　） 進学状況（　　）
⑤住環境	騒音・大気汚染、悪臭等の有無	騒音　□良　□普通　□悪 大気汚染　□良　□普通　□悪 悪臭　□良　□普通　□悪 その他：（　　）
	災害履歴（津波・洪水・高潮・土砂災害・液状化等）	□無　□有 内容：
	嫌悪施設の有無	嫌悪施設　□無　□有　内容：
	緑地環境	公園・緑地　□無　□有 距離（　　）m 所要時間（　　）分 □徒歩　□自転車　□車　□バス
	街並み等の住環境	土地の利用状況（　　） 敷地規模　□広い　□普通　□狭い（　　）㎡位 美しさ・成熟度　□美　□普通　□醜
	法規制の状況	用途地域（　　） 建ぺい率（　　）%　容積率（　　）% 特別地区（　　） 地区計画　□無　□有 建築協定　□無　□有
	防犯・防災面から見た安全性	防犯上の評価　□良　□普通　□悪 防災上の評価　□良　□普通　□悪 避難場所　□無　□有　距離（　　）m 所要時間：徒歩（　　）分
⑥地域の将来性	大規模開発計画の有無	開発予定　□無　□有 内容：
	鉄道の新線計画等の有無	新線計画　□無　□有　新駅設置　□無　□有 その他：
	幹線道路の整備計画等の有無	幹線道路　□無　□新設　□拡幅　□延伸 インターチェンジ新設　□無　□有 その他：

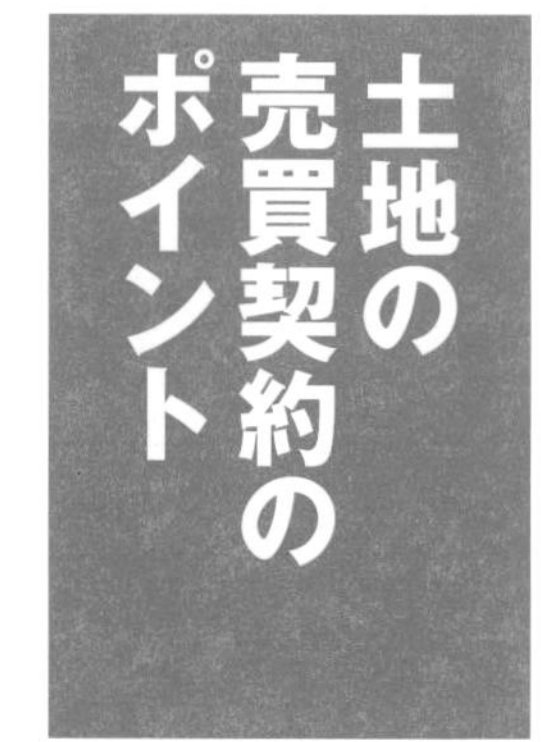

044 土地の売買契約のポイント

土地を買う際には、土地の権利関係や私道負担の状況、取引条件などを明確にする。契約の前に宅地建物取引士が調査を行い、売り主・買い主双方の意向を調整した上で、買い主に取引物件の重要な事項について書面（重要事項説明書）で説明することになっている。

売買契約の締結と同時に、手付金を買い主から売り主に支払う。金銭の授受に預金小切手を使う際は、コピーをとっておくと安心だ。

重要事項説明書の主な記載内容

	項目	細目
表示	仲介を行う宅建業者の概要	商号、代表者氏名、主たる事務所、免許番号
	説明をする宅地建物取引士	氏名、登録番号、業務に従事する事務所
	取引の態様	売買等の態様、売主・代理・媒介の区分
	取引対象物件の表示	土地（所在地、登記上の地目、面積〔登記上または実測〕） 建物（所在地、家屋番号、種類および構造、床面積） 売り主の住所・氏名
取引物件に関する事項	登記情報に記載された事項	所有権に関する事項（土地・建物の名義人、住所） 所有権にかかる権利に関する事項（土地・建物） 所有権以外の権利に関する事項（土地・建物）
	法令に基づく制限の概要	都市計画法（区域の区分、制限の概要） 建築基準法（用途地域、区域・地区・街区名等、建ぺい率の制限、容積率の制限、建築物の高さの制限、その他の建築制限、敷地と道路との関係、私道にかかる制限、その他の制限） それ以外の法令に基づく制限（法令名、制限の概要）
	私道の負担に関する事項	負担の有無、負担の内容（面積、負担金等）
	飲用水・電気・ガスの供給施設および排水施設の整備状況	直ちに利用可能な施設か、施設整備予定はあるか、施設整備に関する特別な負担はあるか等
	宅地造成または建物建築の工事完了時における形状・構造等	未完成の物件等の場合
取引条件に関する事項	代金および交換差金以外に授受される金額	金額、授受の目的
	契約の解除に関する事項	手付解除、引き渡し前の滅失・損害の場合の解除、契約違反による解除、ローン特約による解除、契約不適合責任による解除など
	損害賠償額の予定または違約金に関する事項	売買契約において損害賠償額や違約金に関する定めをする場合に、その額および内容を記載
	手付金等の保全の概要（業者が自ら売り主の場合）	宅建業者が自ら売り主となる宅地、建物の売買において、一定の額または割合を超える手付金等を受領する場合に義務づけられている保全措置を説明する項目で、保全の方式、保全を行う機関を記載
	支払金または預り金の保全措置の概要	宅建業者が支払金、預り金等を受領する場合には、その金銭について保全措置を行うか否か、行う場合にはその措置の概要を記載
	金銭の貸借の斡旋	宅建業者による金銭の貸借の斡旋の有無、斡旋がある場合にはその内容（取扱金融機関、融資額、融資期間、利率、返済方法、保証料、ローン事務手数料、その他）、金銭の貸借が成立しないときの措置について記載
	割賦販売に係わる事項（業者が割賦販売をする場合）	宅建業者が割賦販売をする場合、現金販売価格、割賦販売価格およびそのうち引渡しまでに払う金銭と賦払金の額を記載

重要事項説明書に書かれた内容は、いずれも売買契約するのに不可欠な項目。こうした内容を仲介を行う不動産屋（宅建業者）の宅地建物取引士から説明を受けて、疑問点をなくしてから契約にのぞむ。なお、売り主が登記上の所有者であるかどうか、乙区に抵当権などの所有権を制約する権利がついてないかといった基本事項については、登記情報の記載を自分の目で確かめるという姿勢が大切だ。

045

土地と建物の登記申請をする

登記とは、登記所が土地建物の状況や権利関係を登記情報として記載し、一般に公開することをいう。土地の売買契約が交わされたときに登記しないと、法律上、買い主は売り主以外の第三者に対して所有権を主張できなくなる。

残代金を支払うときに売り主が所有権移転登記をするのだが、通常この手続きは司法書士に依頼する。登記に必要な書類が売り主から司法書士に手渡されたことを確認してから、残代金を支払うようにする。

土地登記事項証明書の書面例
(不動産の所在、面積などの物理的現状をチェックする)

この所在と地番で物件を特定できる。

宅地、畑、山林など、土地の現況、利用目的などに重点を置いて定められている。

土地の水平投影面積で、宅地などは1㎡の100分の1まで計算して記載される。しかし、この登記面積（公簿面積）は実測面積と異なる場合も多く、売買契約では、どちらの面積で契約するかを確認する。

○○県○○市○○区○○丁目○○－○○－○　　全部事項証明書　（土地）

【表題部】（土地の表示）			調製　平成○○年○○月○○日	地図番号　余白
【所在】	○○区○○丁目		余白	
【①地番】	【②地目】	【③地積】㎡	【原因及びその日付】	【登記の日付】
○○番○○	宅地	188 63	余白	余白
余白	余白	余白	余白	平成○○年○○月○○日

【権利部（甲区）】（所有権に関する事項）				
【順位番号】	【登記の目的】	【受付年月日・受付番号】	【原因】	【権利者その他の事項】
1	所有権移転	平成○○年○○月○○日 第○○○○○号	平成○○年○○月○○日相続	所有者　○○区○○丁目○番○○○号
	余白	余白	余白	平成○○年○○月○○日

（注） 建物を新築した場合の登記の申請書に関しては、土地家屋調査士に作成を依頼する

相続・売買など所有権移転の原因の履歴がわかる。

所有権移転登記には、登記済証（いわゆる権利証、または登記識別情報）や印鑑証明書、売り主の実印による登記委任状などが必要になる。申請書作成は司法書士に依頼するのが一般的。申請書が受理されたら、受付日、受付番号が記録され、申請に不備がなければ登記に必要な情報が記録される。

さらに、登記官がここまでの処理がきちんと行われたかどうか再度チェックして完了だ。手続き完了後、登記識別情報を受け取る。（司法書士に依頼した場合はその事務所から送付される。）次に何らかの登記をする際に必要となる重要な書類なので、大切に保管する。

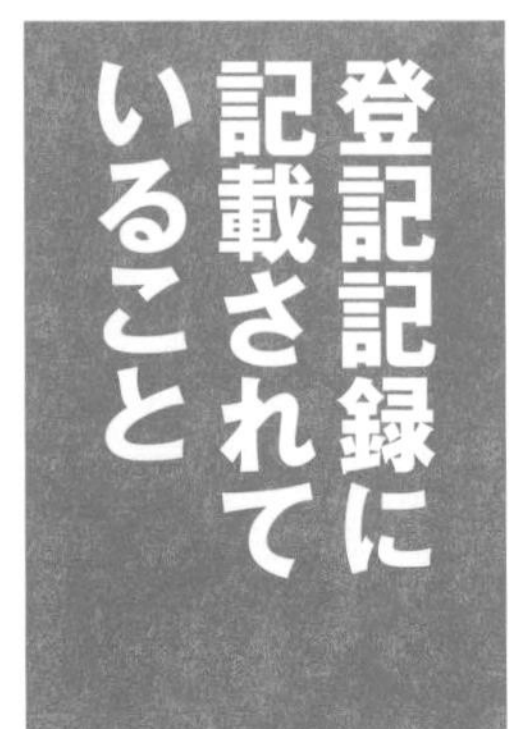

046 登記記録に記載されていること

登記記録は表題部と権利部（甲区、乙区）に区分されており、土地と建物それぞれについて作成される。

表題部は「不動産の表示に関する登記」と呼ばれ、その土地・建物の物理的な現状を表示する。

権利部にはその不動産についての権利に関する内容が表示される。甲区には過去から現在までの所有権移転の原因が順番に記載され、乙区には所有権以外の権利（地上権、賃借権、抵当権など）が記載される。

建物の登記事項証明書の例

建物の敷地の所在・地番が記載される。

地番区域ごとに建物敷地の地番と同じ番号がつけられる。

○○県○○市○○区○○丁目○○－○○－○

全部事項証明書　　（建物）

【表題部】（主たる建物の表示）			調製　令和○○年○○月○○日	所在図番号　余白
【所在】	○○区○○丁目○○○番地		余白	
【家屋番号】	○○番○○の○		余白	
【①種類】	【②構造】	【③床面積】㎡	【原因及びその日付】	【登記の日付】
居宅	軽量鉄骨造スレート葺2階建	1階 66 82 2階 66 82	令和○○年○○月○○日新築	余白
余白	余白	余白	余白	令和○○年○○月○○日

【権利部（甲区）】（所有権に関する事項）				
【順位番号】	【登記の目的】	【受付年月日・受付番号】	【原因】	【権利者その他の事項】
1	所有権保存	令和○○年○○月○○日 第○○○○○号	余白	所有者　○○区○○丁目○番○○○号
	余白	余白	余白	令和○○年○○月○○日

【権利部（乙区）】（所有権以外の権利に関する事項）				
【順位番号】	【登記の目的】	【受付年月日・番号】	【原因】	【権利者その他の事項】
1	抵当権設定	令和○○年○○月○○日 第○○○○○号	令和○○年○○月○○日設定	債権者 利息 損害金 債務者 抵当権者
	余白	余白	余白	令和○○年○○月○○日

建物の主用途で、居宅のほか店舗、寄宿舎、共同住宅、事務所、旅館、料理店、工場、倉庫、車庫、発電所、変電所に区分され、該当しないものはこれらに準じて適当に定められる。主たる用途が複数なら「居宅・店舗」のように表示される。

①建物の主たる構成材料、②屋根の種類、③階数（階層）の3つで表示される。なお、地階、屋階などで天井高さ1.5m未満のものは階数に算入されない。

各階ごとに、壁その他の区画の中心線で囲まれた部分の水平投影面積を平方メートル単位で、100分の1未満の端数切り捨てで表示される。

抵当権、賃借権、地上権などの権利が付着しているかがわかる。

登記記録の全部または一部をコピーしたものを「登記事項証明書」という（以前の閲覧に代わるもので現在の権利のみを記載したものは「登記事項要約書」）。登記所へ手数料を添えて請求すれば、誰でも交付が受けられる。土地の登記完了後に、この登記事項証明書を取り寄せて、記載事項の確認を行う必要がある。上は住宅の新築後に必要となる建物の登記事項証明書の例。ほかに、増築の際には建物の表示変更登記、建て替えの際には建物の滅失登記も必要になる。

第3章
家づくりを依頼する

あいまいなイメージを
形にすることが大切です。
依頼先を選んで
要望を伝えましょう。

047

家に対する家族の要望を整理しよう

新しい家に対する家族全員の要望を整理して建築士や営業マンに伝えられれば、家づくりは成功へまた一歩近づく。

ここでは、新しい家への要望を整理してみよう。73頁からの要望シートを利用するとよい。現実的には敷地や予算の制限があるため、すべての要望をかなえるのは難しいかもしれないが、こちらの要望をきちんと担当者に伝えていれば、プロが専門知識を生かして最善のプランを提案してくれるはずだ。

家族の要望を整理する

ステップ1:現在の家族の生活を見直す

- **家族の生活スタイル**……普段の生活の様子を整理。食事や就寝時間のズレ、休日の過ごし方の違いがはっきりする。
- **家族の団らん・食事のスタイル**……家族の団らんや食事のスタイルを考えることで、リビングやダイニングなどの家族のコミュニケーションの場を検討する際に参考となる。
- **接客について**……過去１年間を振り返り、どれくらい来客があったか、どこで接客したかをまとめる。
- **ペットについて**
- **車について**

↓

ステップ2:住まいの不満を整理する

- **現在への住まいへの不満**……部屋ごとに改善したい点を洗い出す。

↓

ステップ3:新しい住まいへの要望をまとめる

- **家づくりの計画概要**……予算や入居日などを決めておく。
- **住まい全体に対する要望**……外観やインテリアのイメージの希望など。住宅雑誌などの資料があれば用意しておく。
- **部屋別の要望**……部屋ごとに要望事項をまとめる。優先順位もつけるとよい。
- **屋外の希望事項**……車庫や庭についての要望をまとめる。
- **新しい住まいで使う家具**……現在の住まいから持ち込む家具と、新たに購入する家具、新しい住まいで使用する家具とそのサイズを整理する。

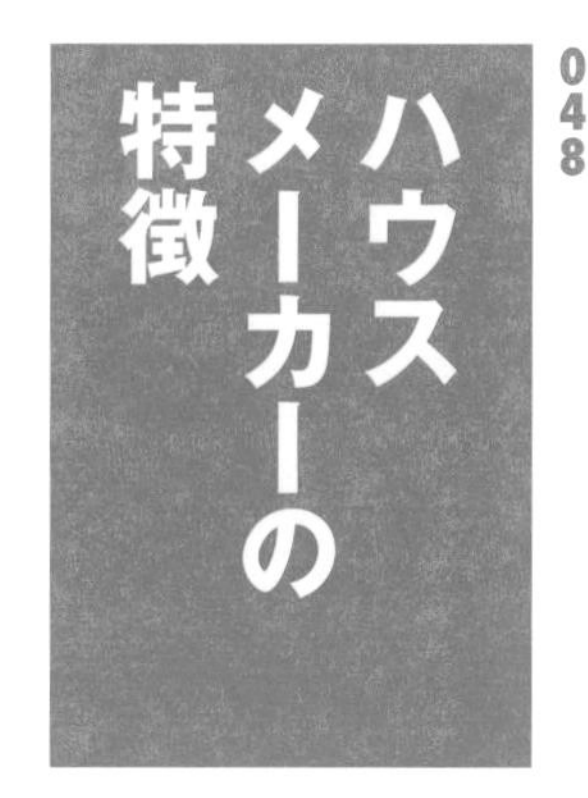

ハウスメーカーとは、大手の住宅建築会社のこと。部材の生産から施工に至るまで、工場生産比率を高め住宅を商品化している。比較的品質が安定しており、現場の工事が少ないぶん工期が短くて済む。

家づくりを始めようとしたとき、全国各地の住宅展示場に行く人も多いはず。まずはモデルハウスを見て、希望のイメージや予算、条件を具体的に詰めていこう。住宅展示場では各種カタログが用意され、担当の営業マンが質問や相談に応じてくれる。

ハウスメーカー選びの情報源

住宅雑誌

商品情報や施工事例をチェック。間取り図と床面積などの基礎データを見て、自分の家づくりの参考にしよう。

カタログ

商品の標準仕様とその場合の本体工事費をチェック。カタログの写真はモデルハウスが多く、標準以外の仕様・設備も加わっていることがあるのでしっかり確認しよう。

モデルハウス

実際の生活をイメージしながら空間や使い勝手を体感する。ただし、モデルハウスは広い敷地に最高のグレードで建てられているので、自分の予算や条件にあうか冷静に判断して。

ハウスメーカーのホームページ

会社情報、商品情報のほかに、家づくりのノウハウ紹介やQ&Aコーナーがある。現場見学会やオープンハウス（内覧会）、セミナー情報も掲載されているのでうまく活用しよう。

ハウスメーカーのメリット・デメリット

完成した家がイメージからずれることが少ない。土地探しや資金計画など家づくりの始めからアフターサービスまで、サービスが充実しているのも特徴。ただし、規格化された住宅なのでプランに多少の制約はある。また、現場の工事を担当するのは協力工務店や下請工事会社。これらの技術力が施工品質にかかわってくるので、ハウスメーカーの工事現場監理体制がきちんと整っていることが望ましい。そして何より、家づくりの成功は担当営業マンの能力と相性によるところが大きい。

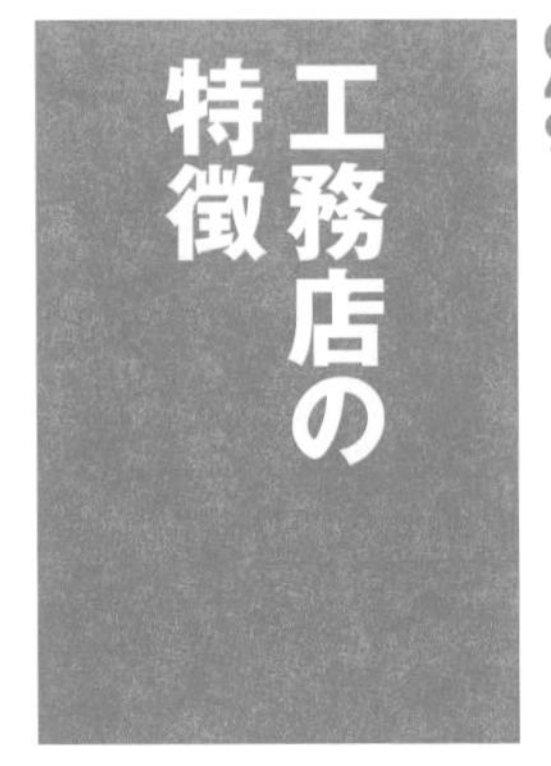

049 工務店の特徴

工務店とは、営業網が比較的狭い地域密着型の建築会社をいう。社長が大工を兼ねるところから、従業員が数百名にも及ぶところまで、その規模はさまざまであるが、大半は小規模経営で、小規模ならではの機動力が特徴だ。

最近は、多様化する建て主のニーズに応えるため、新技術を導入して性能の向上を図ったり設計に力を入れたりしている。木造の在来軸組構法を得意とするところが多い。

工務店選びの情報源

地元の評判

その地域で長年営業して実績があればひとまず信頼できる。近所で実際に建てられた家を見てみて、住人の方に話を聞いてみたり、仕上げは丁寧かなどをチェックしよう。

会社案内パンフレット

業務経歴や保障体制などを確認しよう。パンフレット以外にも、各都道府県の建築指導担当部署では建築業者の登録台帳を閲覧でき、業務経歴や資本金がわかる。

工務店や現場の雰囲気

近くにあれば、実際に店や工事途中の現場を訪ねてみよう。ごみの始末や資材の置き方、雰囲気などから、その工務店の家づくりに対する姿勢が見えてくる。

工務店のホームページ

工事現場の様子などをマメに更新していることがある。業務や社員の様子を知ることができる。

工務店のメリット・デメリット

設計から施工まで一貫して依頼できる。何か困ったことがあったときはすばやく対応してくれるし、入居後のメンテナンスについても気軽に相談しやすい。ただし、工事現場監理も工務店の担当者が行うので、都合のよいチェックにならないよう注意したい。また、基本的に自由設計ではあるが、デザインより施工のしやすさが優先されることも。デザインに希望があるなら、具体的に伝えなければならない。工務店の場合、家づくりの成功のカギを握るのはやはり施工の技術力。下請けの職人を統率する大工棟梁としての力量も重要だ。

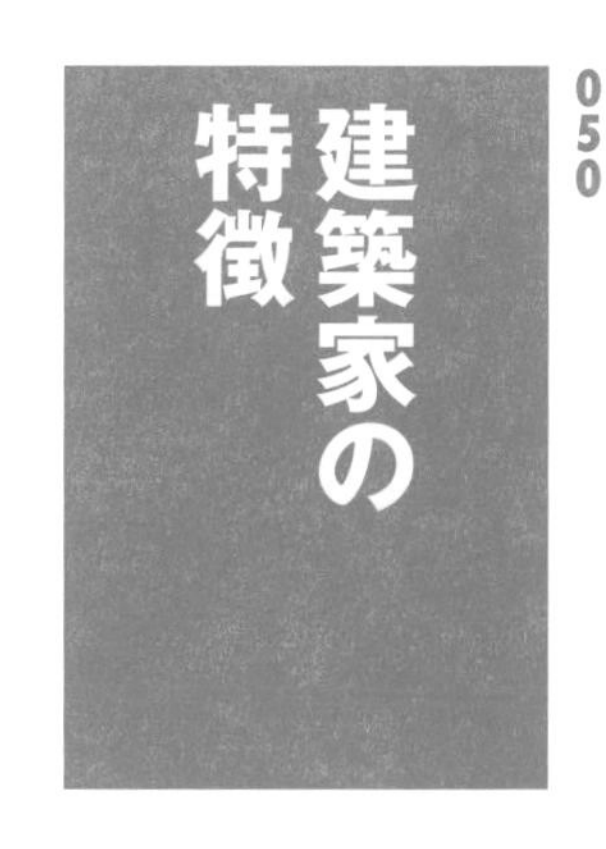

設計事務所とは、一級建築士、または二級建築士、木造建築士の有資格者が運営する事務所のこと。設計事務所に家づくりを依頼する場合、設計は設計事務所と、施工は工務店と別々に契約する。工務店は建て主が直接手配してもよいが、多くは設計事務所が技量やコストを検討したうえで手配してくれる。設計事務所に工事監理を委託することも可能。そうすれば、第三者の立場で工事をチェックしてくれるので心強い。工期は少なくとも1年はみておこう。

設計事務所選びのポイント

住宅雑誌、住宅・建築専門誌

写真や記事を見て、気になる家や建築士を探す。見つかったら気軽に事務所に連絡してみよう。会って話したり過去の作品を見せてもらったりすると、自分の希望のイメージが具体的になってくる。

その他

地元の設計事務所を探したいときは、各地の建築家協会や各県の建築士会に問い合わせる方法がある。

設計事務所のホームページ

過去の作品や、家づくりに対する考え方を掲載していることが多い。得意分野や作風もわかる。現場見学会やオープンハウス（内覧会）の情報があれば、積極的に参加しよう。その他、設計事務所と建て主を仲介しているホームページもある。

設計事務所のメリット・デメリット

設計事務所は、敷地や法規制、予算など多様な条件にも柔軟に対応してくれる。ただし、技術力や経験は建築士によってかなりの幅があるので、その能力を見極めることが大切だ。設計事務所で家づくりを成功させるカギは、デザインや家づくりの考え方の相性と、設計・工事現場監理能力。工事が始まってから、どれくらいの頻度で現場を監理するのかを確認しておくとよい。

051

プレゼンテーションと契約

ハウスメーカー、工務店、建築家で気になるところが見つかったら、数社にプラン作成を依頼する。依頼先は、まず敷地調査を行い、新しい家への要望などをヒアリングしてくる。ここで自分や家族の要望をきちんと伝えられるようにしよう。

その後、プレゼンテーションで提出されたプラン図と概算見積書を検討して（一般的に、どこの住宅会社もここまでは無料で行ってくれる）、信頼関係を築いていけそうなところと設計監理契約を結ぶ。

依頼先決定までの流れ

住宅会社を見つける

住宅雑誌やインターネット、モデルハウス見学などで情報を集め、家づくりのパートナーを決める。

プラン作成の依頼

敷地調査
- 敷地の大きさや形、高低差などを測定
- 電気、ガス、上下水道の引き込み状況の確認
- 周辺の写真撮影
- 用途地域などの法的規制の確認　など

ヒアリング
- 同居する家族人数
- 必要な部屋数
- 部屋の広さの希望
- ライフスタイル　など

建築家に依頼する場合は、この基本プランに対して着手金を支払う。

プラン提出

プラン図と概算見積書の検討。

設計業務監理委託契約

プランや見積もりが要望にあっていて、信頼関係を築いていけそうなら、仮契約（設計申し込み）を結ぶ。この後、新しい家への要望や法的規制をさらに詳細に検討し、基本設計に入っていく。

住まいの要望シート

ステップ1：現在の家族の生活を見直してみよう

1 家族の生活スタイル ※記入欄が足りない場合はコピーしてお使い下さい。家族全員が記入するようにしましょう。

名前・年齢										
続柄										
職業・学校										
生活パターン 起床時間	平日	休日	平日	休日	平日	休日	平日	休日	平日	休日
朝食の時間										
夕食の時間										
入浴の時間										
就寝時間										
平日の夕食後の過ごし方（どこで、何をしますか）										
休日の過ごし方（どこで、何をしますか）										
趣味・習いごと										
新しい家への夢や希望										
備考（将来の独立の予定など）										

2 家族の団らん・食事のスタイル

家族団らん	家族団らんの時間	週（　　　　　　）日ぐらい （時間帯：　　　　　　　　）
	家族団らんの過ごし方（どこで、何をしますか）	
食事	家族一緒の食事の頻度	週（　　　　　　）日ぐらい 具体的には：□朝食　□昼食　□夕食　□休日

3 接客について

来客の頻度	月（　　　　　　）回ぐらい
接客の場所はどこですか？	□客間 □居間 □その他（　　　　）
専用の客間は必要ですか？	□必要 □必要ではない □その他（　　）

4 ペットについて

ペット	□有（種類：　　　　　）□無
ペットの居住環境（どこで、どのように飼っていますか）	

5 車について

車種	所有台数

ステップ2：現在の住まいの不満を整理してみよう

6 現在の住まいの不満 ※記入欄が足りない場合はコピーしてお使い下さい。家族全員が記入するようにしましょう。

<table>
<tr><td rowspan="2">玄関</td><td colspan="2">現在の広さ（　　　　　　畳）</td></tr>
<tr><td>不満点・改善したい点</td><td>□広さは十分ですか？
□下駄箱などの収納スペースは不足していませんか？</td></tr>
<tr><td rowspan="2">リビング</td><td colspan="2">現在の広さ（　　　　　　畳）</td></tr>
<tr><td>不満点・改善したい点</td><td>□空間(面積、高さ)にゆとりがあり、くつろげるスペースになっていますか？
□日当たりや風通し、眺望など、居住性に不満はありませんか？</td></tr>
<tr><td rowspan="2">ダイニング</td><td colspan="2">現在の広さ（　　　　　　畳）</td></tr>
<tr><td>不満点・改善したい点</td><td>□広さは十分ですか？食卓まわりのスペースに余裕はありますか？
□リビングやキッチンとのつながりに不満はありませんか？</td></tr>
<tr><td rowspan="2">キッチン</td><td colspan="2">現在の広さ（　　　　　　畳）</td></tr>
<tr><td>不満点・改善したい点</td><td>□キッチンの使い勝手に不満はありませんか？
□ダイニングとのつながりに不満はありませんか？
□収納スペースは十分ですか？
□コンセントの数や位置に不満はありませんか？</td></tr>
</table>

寝室	現在の広さ　(　　　　　　畳)	
	不満点・改善したい点	□広さは十分ですか？ □睡眠を妨げるような問題点はありませんか？ □収納スペースは十分ですか？ □コンセントや照明スイッチの数や位置に不満はありませんか？
子供室	現在の広さ　(　　　　　　畳)	
	不満点・改善したい点	□広さは十分ですか？ □日当たりや風通しなど、居住性に不満はありませんか？ □収納スペースは十分ですか？
浴室	現在の広さ　(　　　　　　畳)	
	不満点・改善したい点	□広さは十分ですか？ □位置に不満はありませんか？ □設備機能に不満はありませんか？
洗面・脱衣所	現在の広さ　(　　　　　　畳)	
	不満点・改善したい点	□広さは十分ですか？ □位置に不満はありませんか？ □設備機能に不満はありませんか？ □収納スペースは十分ですか？
トイレ	現在の広さ　(　　　　　　畳)	
	不満点・改善したい点	□広さは十分ですか？ □位置に不満はありませんか？ □設備機能に不満はありませんか？

ステップ3：新しい住まいへの要望をまとめよう ❶

7 家づくりの計画概要

希望依頼先	
建築予算	建築予算(　　　　　　　　)万円
入居希望日	入居希望日　(　　　　)年(　　　　)月(　　　　)日頃 その理由：

8 全体に関する要望

希望の外観イメージ	外観イメージ (参考資料がある場合は、誌名、号、ページなどを記入しましょう)
	庭やアプローチのイメージ (参考資料がある場合は、誌名、号、ページなどを記入しましょう)
希望の内観イメージ	内観イメージ (参考資料がある場合は、誌名、号、ページなどを記入しましょう)
住まいで重視するポイント	(A＝かなり重要、B＝やや重要、C＝それほどでもない、D＝わからない　を記入してください) (　　)外観　(　　)インテリア　(　　)設備・機器　(　　)省エネ性能　(　　)健康・自然素材 (　　)バリアフリー　(　　)耐久性　(　　)家相　(　　)コスト (　　)その他(具体的に：　　　　　　　　)

9 部屋別の要望 ※記入欄が足りない場合はコピーしてお使い下さい。家族全員が記入するようにしましょう。

玄関	広さ　(　　　　　　)畳	
	要望事項	
リビング	広さ　(　　　　　　)畳	
	要望事項	
ダイニング	広さ　(　　　　　　)畳	
	リビングとのつながり方	□一体型(L D)　□独立型(L・D)
	要望事項	

キッチン	広さ（　　　　）畳	
	ダイニングとのつながり方	□一体型(ＤＫ) □独立型(Ｄ・Ｋ)
	要望事項	
	欲しい設備・機器	
寝室	広さ（　　　　）畳	
	付属する部屋の希望	□書斎 □ウォークインクロゼット □納戸 □その他(　　　　　　)
	要望事項	
子供室 名前：	広さ（　　　）畳 □個室 □共用(　　人)	
	要望事項	
	子供の独立後など、将来の予定	
子供室 名前：	広さ（　　　）畳 □個室 □共用(　　人)	
	要望事項	
	子供の独立後など、将来の予定	
(　　　)	広さ（　　　　）畳 □洋室 □和室	
	要望事項	
(　　　)	広さ（　　　　）畳 □洋室 □和室	
	要望事項	
(　　　)	広さ（　　　　）畳 □洋室 □和室	
	要望事項	

ステップ3：新しい住まいへの要望をまとめよう ❷

浴室	広さ（　　　　　）	
	要望事項	
	欲しい設備・機器	
洗面・脱衣所	広さ（　　　　　）	
	要望事項	
	欲しい設備・機器	
トイレ	広さ（　　　　　）	
	要望事項	
	欲しい設備・機器	□和式　□洋式　□暖房便座　□温水洗浄便座 □その他(　　　　　　　)

10 屋外の要望事項

車庫	台数	
	要望事項	
外構・エクステリア	植えたい花や樹	
	欲しい庭の設備	□物干し　□物置　□屋外照明　□自転車置き場 □その他(　　　　　　　)
	要望事項	
その他、ペットへの配慮など		

11 その他、新しい住まいに対する夢、希望することを自由に記入してください

12 新しい住まいで使う家具 ※記入欄が足りない場合はコピーしてお使い下さい。家族全員が記入するようにしましょう。

	名称	サイズ（幅×奥行×高さ）	備考（色、設置場所など）
リビング			
ダイニング			
キッチン			
寝室			
子供室 名前：			
子供室 名前：			
（　　）			
（　　）			

記入例

子供室 （長男）	学習机、イス	1000×675×1200（mm）	
	洋服ダンス	650×600×1200（mm）	●ダークブラウン ●下部に引き出し有り
	ベッド	約2000×1000×450（mm）	（新規購入）

新しく購入する家具も記入しておきましょう

収納家具については、扉の開け方や引き出しの有無も記入しましょう

第4章
居心地よい間取りを考える

必要な面積を確保したら、
快適な住まいの間取りを
考えましょう。
収納計画も忘れずに。

052

暮らしに必要な広さはどれくらい？

間取り係数を使って家の広さを考えてみよう。計算式は、「基本の部屋の面積（坪）」×「間取り係数」＝「延床面積（坪）」。延床面積は動かせない状況で、ゆとりがほしい場合、間取り係数を1・8くらいにして計算する。これで基本の部屋の面積が出るので、それを目安に部屋の数や広さを調整する。間取り係数は、1・5～2・0の範囲で決める。1・5を下回ると、間取りとして成り立たないので注意。逆に2・0を上回ったら、面積を減らすことを考えて。

間取り係数の算出方法

敷地・条件・予算から目標とする延床面積を割り出す → 希望する「基本の部屋」の大きさ（畳数）を挙げる →

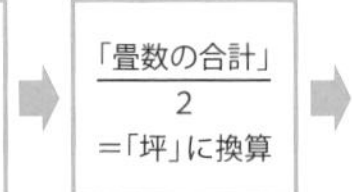

→ 延床面積（坪）／基本の部屋の大きさ（坪） → 1.5以下なら間取りは不可能 2.0以上なら延床面積を縮小

部屋数を重視したプラン

間取り係数 1.51

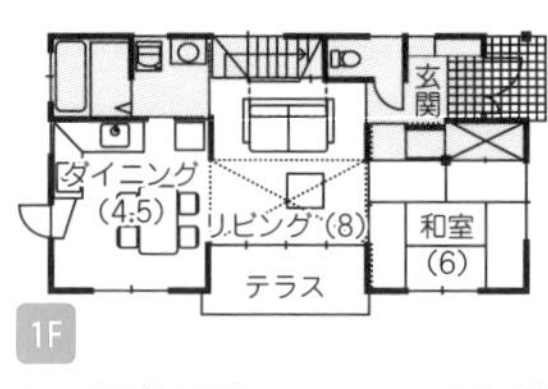

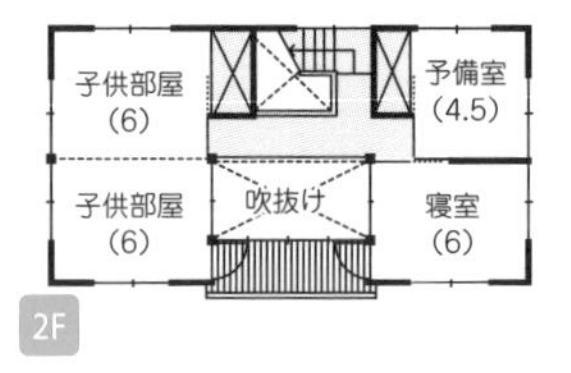

リビング	8畳
ダイニング	4.5畳
和室	6畳
寝室	6畳
子供部屋	6畳
子供部屋	6畳
予備室	4.5畳
合計	41畳（20.5坪）

7つの部屋数を優先しているため、家族が集まる場所をギリギリまで狭くしている。

納戸・勝手口ありプラン

間取り係数 1.72

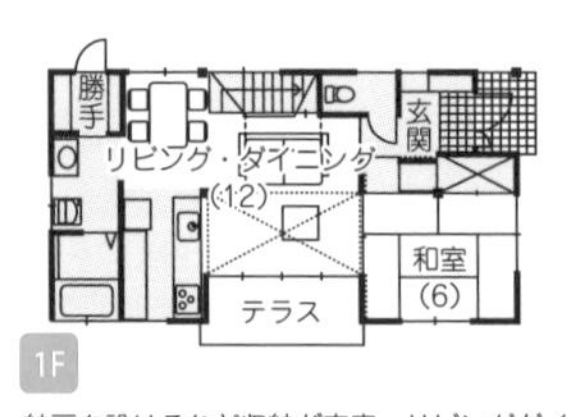

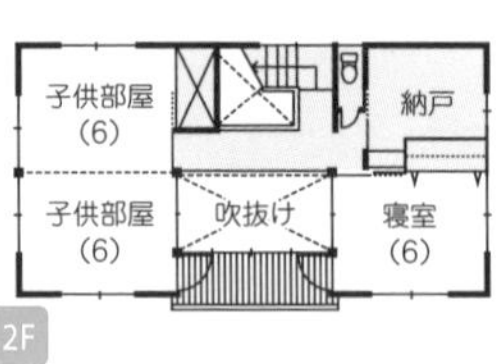

リビング・ダイニング	12畳
和室	6畳
寝室	6畳
子供部屋	6畳
子供部屋	6畳
合計	36畳（18坪）

納戸を設けるなど収納が充実。リビングダイニングや水まわりにもゆとりがある。

053

丈夫で安定した家の形

建物にかかる力は、柱や梁で受け止められ、下に流れていく。この上からと横からの力の流れがスムーズに伝わっていくような構造にすることが、丈夫で安定した家をつくることにつながる。そのためには、上階と下階の主な柱や梁が、規則正しく立体格子状になるようにしたい。

1階と2階の間取りを重ね合わせてみて、立体格子状にうまく一致していれば、構造的に安定したよい間取りだといえる。

不安定な間取り

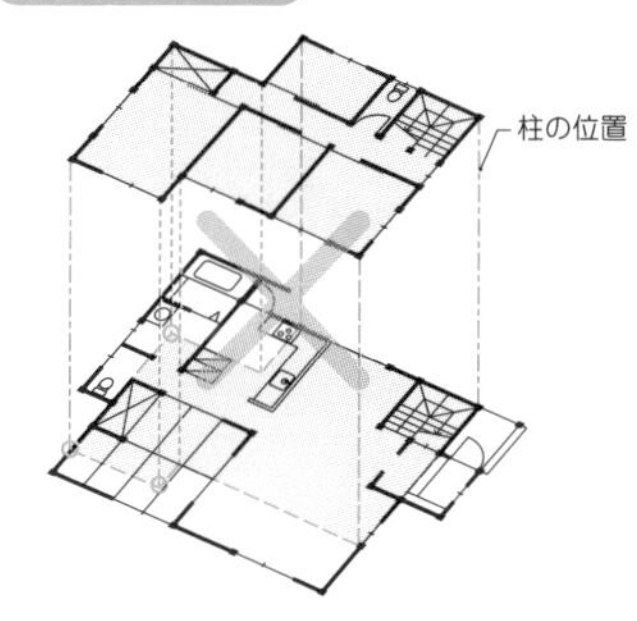

1階と2階で柱や梁の位置がずれていると構造的に不安定といえる。また、建物の外側には、建物全体を支える通し柱が必要だが、3カ所も不足している。通し柱がなければ、屋根に大きな力がかかったときに、建物全体で重さを支えられない。

安定した間取り

各部屋の並びや間仕切りの位置に1階と2階でずれがなく、梁や柱が一直線に配置されている。

安定した家の形状の考え方

2階の輪郭をベースにして、屋根のカタチを想定し、2階の輪郭をそのまま1階に下ろす。いわゆる箱形総2階のシンプルなつくりで、建設費用も抑えることができる。そのうえで1階の面積の不足部分は、下屋（げや）（*）にして追加する。このように、建物のカタチが単純でまとまりがよければ、耐震性に優れ、耐久性の面でも望ましい。

*母屋の外壁に接して設けられた片流れの屋根、またはその下にある空間。母屋に付属する小さな家

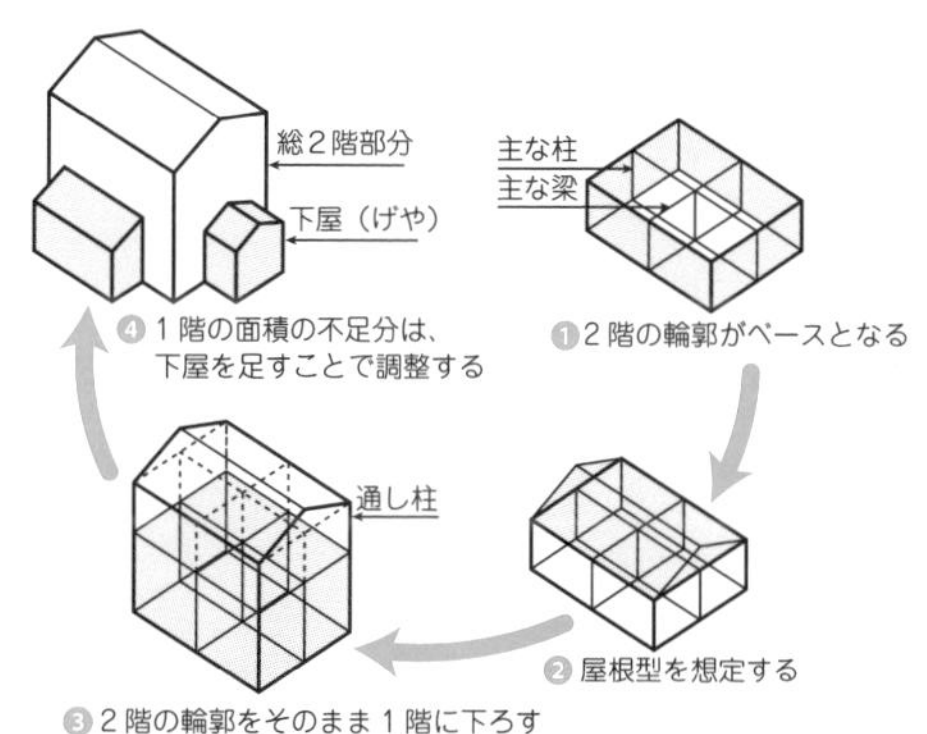

054

風が抜ける快適な空間をつくる

気持ちいい風が吹抜ける家をつくるポイントは、南北に吹く風の通り道をつくること。敷地に対して、どのように家を配置するかが重要になってくる。特に、密集した住宅地では風が滞りがちだが、敷地に少しゆとりを持たせるだけで風が通り抜けやすくなる。

　間取りで配慮したいのは、風の入口と出口の大きさをバランスよくつくること。また、入口と出口がストレートな位置関係になるよう南北に窓を配置する。

通風が遮られた間取り

× 南側に大きな窓があるが、北側に風が抜けない

北側に水まわりがずらりと並ぶため風が抜けない。

南側にリビングがあり、北側に水まわりが集中しているプランは少なくないが、せっかくリビングの窓から風を取り込んでも、抜ける道がない。

通風のよい間取り

右図は、襖(ふすま)やドアを開ければ南北の風が一直線上につながるプラン。このほか、吹抜けなどを利用して上下階に流れる風の道をつくることでも、快適度を高められる。風のないときや夜なども、室内の空気が緩やかに循環すると理想的。たとえば、よろい戸（※）式のドアにしたり、出入口の上部に欄間を設けたりすると、空気の流れが生まれる。

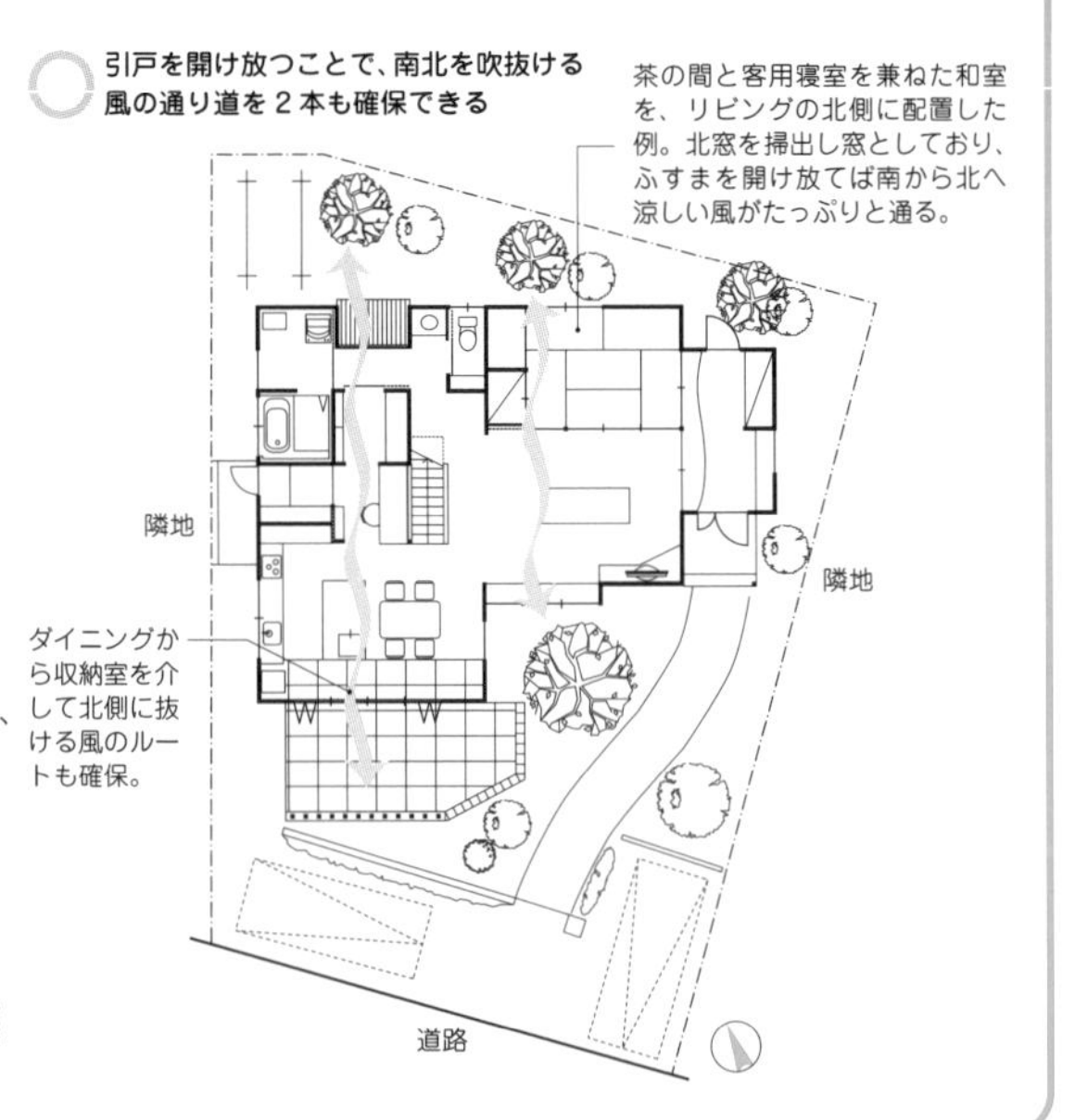

○ 引戸を開け放つことで、南北を吹抜ける風の通り道を2本も確保できる
茶の間と客用寝室を兼ねた和室を、リビングの北側に配置した例。北窓を掃出し窓としており、ふすまを開け放てば南から北へ涼しい風がたっぷりと通る。
隣地
隣地
ダイニングから収納室を介して北側に抜ける風のルートも確保。
道路

※幅の狭い羽板が斜めに取り付けられた、日差しを遮りながらも通風が可能な戸。「ルーバー戸」ともいう。

055

太陽の光を家の中に取り入れる

季節を通して敷地に落ちる影を知るため、冬至の時期に影の動きを観察してみるとよい。同じ敷地でも、建物の配置によって日照が変わることもある。朝どの部屋に日や西日を取り入れたいか考えると、間取りの手がかりとなる。

直射光が入らなくても、間接的に取り入れて反射・拡散させれば室内を明るくできる。また北側の部屋でも、窓を高い位置に設け、建具などに光を通す素材を使えば、奥まで光を通せる。

採光が不十分な間取り

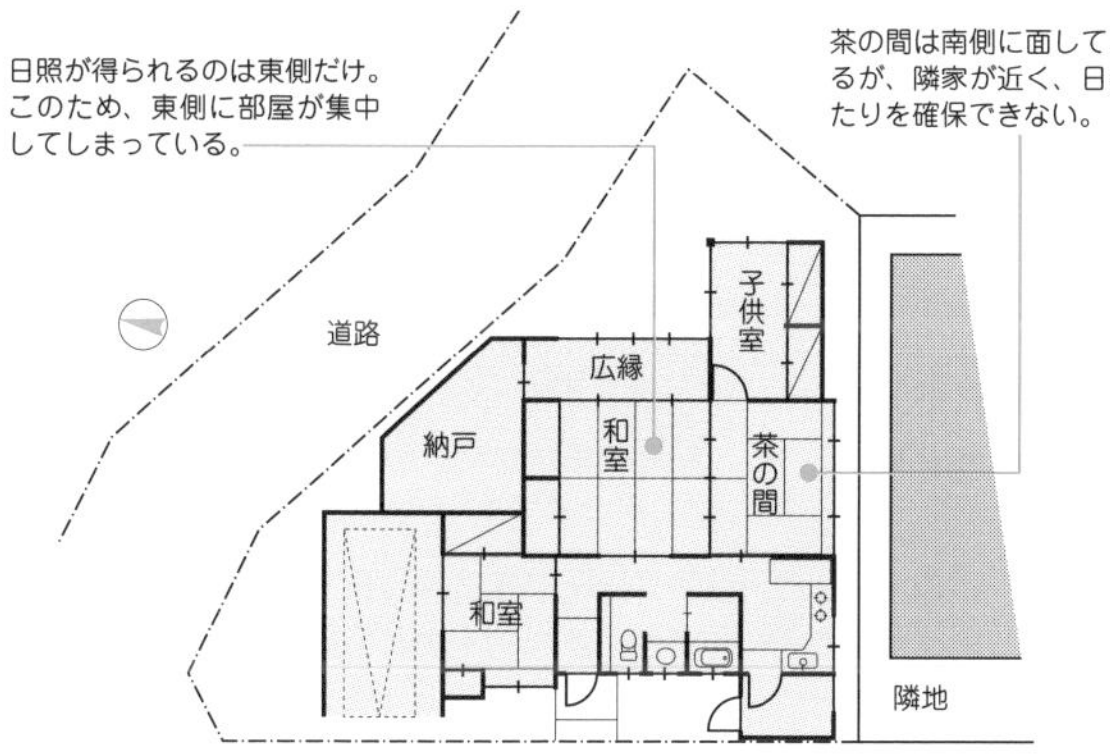

上の図と下の図は、いずれも南側に大きな建物がある場合。上の図では、朝日が期待できるのは、広縁と子供室だけ。夕方の日照が期待できる西側には水まわりが並び、十分に自然光を取り入れられない。

採光と建物配置のよい間取り

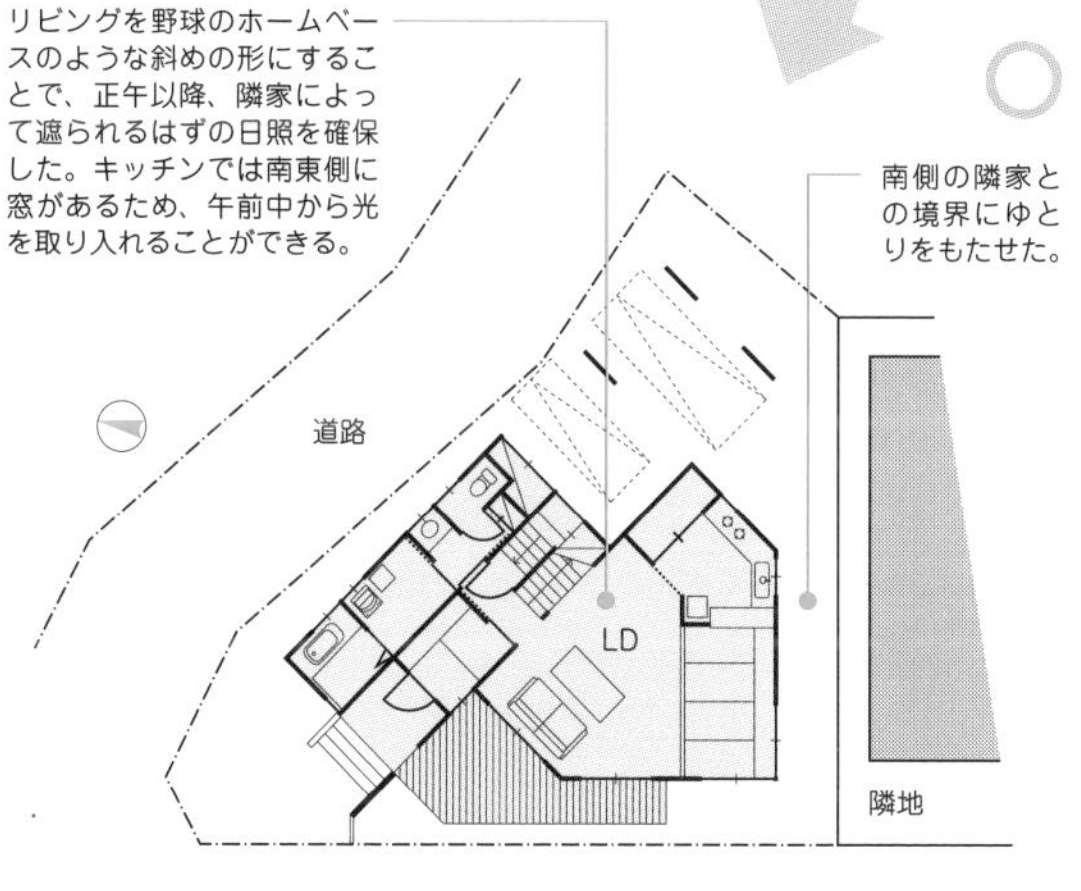

上の図の問題を解決するため、日照を得られる西側に各部屋を寄せた。ホームベースのようなかたちのプランにすることで、リビング以外のキッチンや和室にも光が入るようにしている。このように建物の配置やカタチ、間取り次第で、太陽光を室内に取り入れることができる。

056

光や風は断面図で確認する

住宅の設計図のうち、全体のつくりを理解するためには、平面図以外に断面図もあわせて見るとよい。断面図とは建物を垂直に切断した状態を表したもので、天井の高さや窓・手すりの高さなどの情報が書かれている。断面図では、上階と下階のつながりを見よう。部屋どうしが視覚的にも動線的にもつながると空間に広がりが生まれる。つなぎの役割をするのは、吹抜けや階段。これらを上手に活用したい。また、断面図で採光や通風も確認しよう。

採光のとり方例

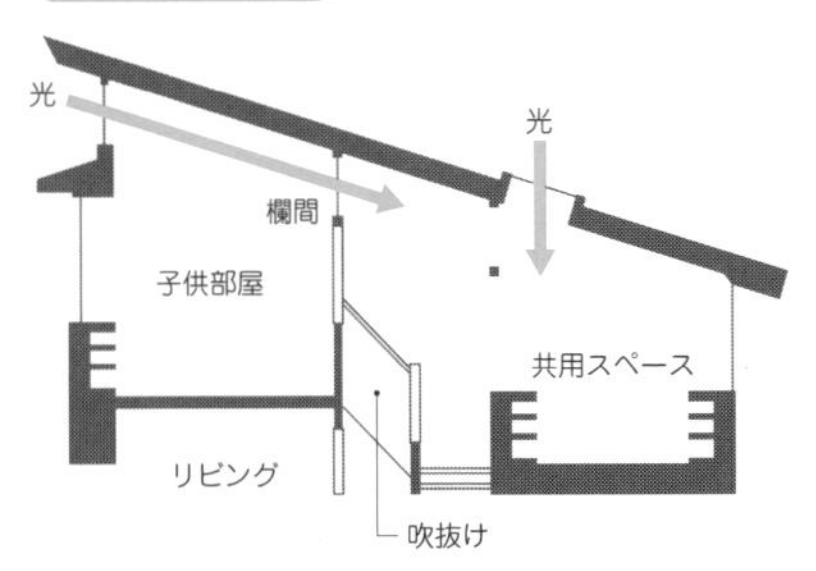

高窓のある子供部屋。

太陽の光や風は、縦の部屋の配置やつながりを工夫することで、直接光が届かない北側の部屋や、風が通りにくい個室にも、光や風を取り込むことができる。図は、天窓や高窓を設けて光を取り込んだ例。南側の子供部屋の高窓から差し込む光は、欄間を開け放すことで北側の共用スペースまで届く。さらには、1階リビングとのつながりも考慮されている。

通風のとり方例

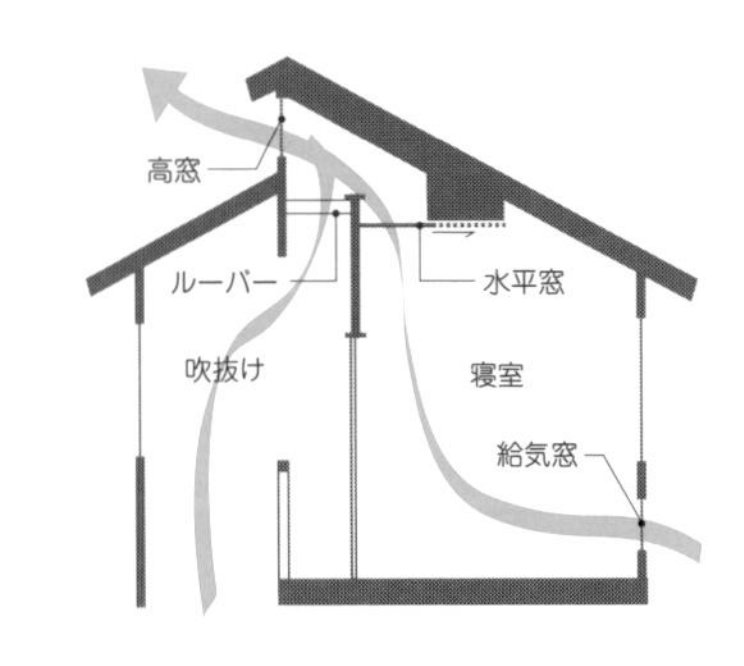

吹抜け上部に設けたルーバー。

下から上に流れる風の通り道をつくった例。吹抜け上部のルーバーと寝室の天井面に設けた水平窓が空気の流れを中継する。この窓は、棒を用いて簡単に開閉できるようになっている。部屋全体の換気にも効果的だ。

057

敷地に家をどう置くか

敷地に建物を配置すると余白が生まれる。この余白には、アプローチや駐車スペース、庭やサービスエリアなどをつくっていくため、必要な形や大きさを想像しながら、同時に家の輪郭も考えることが大切だ。また、道路が接する方角によっても家と庭の配置が異なる。太陽の光を家の中に最大限取り入れるため、太陽の動きと隣家の影の影響も把握しておきたい。

道路と余白

アプローチや庭のほかに、余白を使ってサービスエリアを設けたり、「溜め」をつくって道路から奥行きをもたせたりした例。

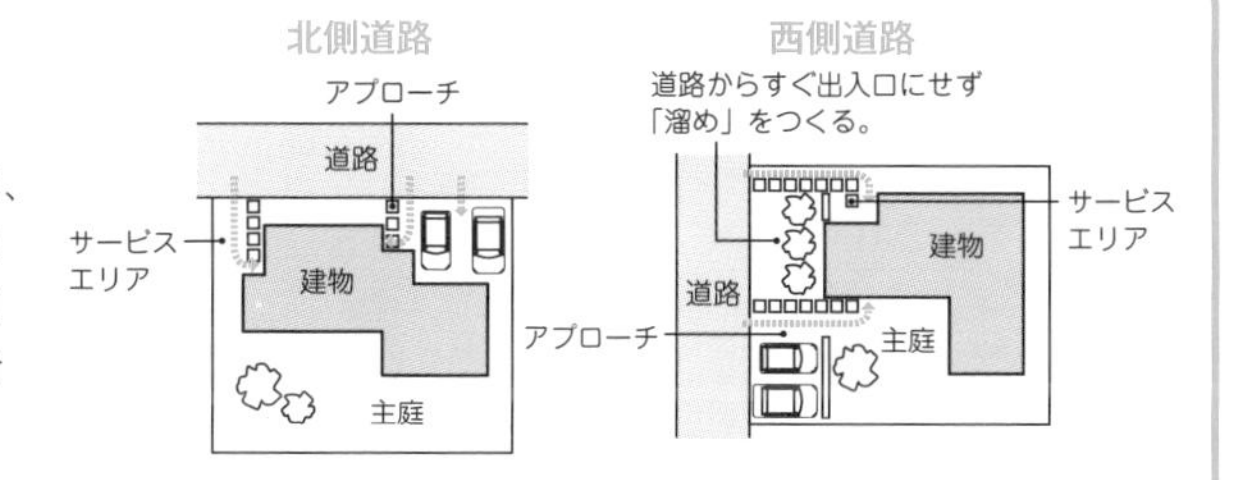

道路と建物の配置

各方向に道路がある場合の家の配置。このとき、①道路から家までの人のアプローチ、②駐車スペースへの車のアプローチ、③車から降りた後の家までのアプローチ、の3つを考えよう。

南側道路

建物は北に寄せ、駐車スペースは南の空地部分の東か西に寄せる。人と車のアプローチが離れる場合は、庭をこまぎれにしない位置に設ける。

東または西側道路

駐車スペースをピロティとし、上に2階を設ければ、その分建物は南側に広がらず、庭を広く取ることができる。

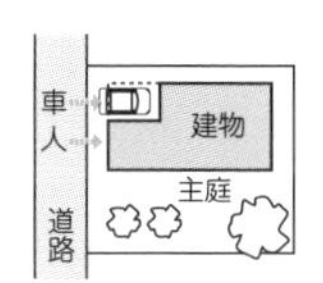

北側道路

建物を北に引き寄せ、東西どちらかに駐車スペースを。人と車のアプローチが離れる場合は勝手口を設ける。駐車スペースをピロティとするのもよい。

太陽の動きと建物のカタチ

太陽光を取り込むために敷地に落ちる隣家の影を把握する。図は南側に隣家がある場合に、その影の影響を回避するための工夫例。太陽の動きに合わせて家のカタチを導き出している。

横一文字に並べた間取り

冬至（12月22日頃）の正午の影の長さは建物高さの1.6倍。狭小敷地では南側隣地の影響を受けてしまう。すべての部屋を南側に並べた間取りはかえって日照条件が不利になる。

一部を後退させた間取り

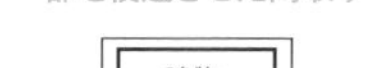
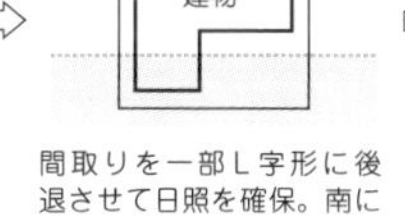

間取りを一部L字形に後退させて日照を確保。南に残った部分は、南からの日照はないものの、東西から午前と午後の日照を受けることができる。

太陽の動きに対応する多面的な間取り

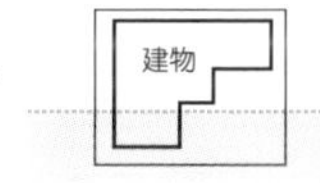

家を南東、南西のどちらかに向けるのではなく、どちらの面も多くもつ多面的な間取りで太陽の動きに合わせ、日照を得る。

058

インフラ環境を確認する

水道やガス、電気の引き込み位置は、家の配置に大きく影響する。間取り計画に入る前に、敷地周辺のインフラ環境を確認しよう。給水は止水栓の位置を、排水は敷地に接する道路にマンホール（下水道本管）があるかをチェック。雨水や浄化槽排水を流す側溝の有無も確認し、なければ浸透枡などを設置する。都市ガスを利用できる場合はガス本管からの引き込み位置をチェック。電気は、送電方式（架線・埋設線）と引き込み位置を確認する。

インフラ環境のチェックポイント

敷地境界線
計画敷地
私道
敷地境界線
既存建物
道路境界線
前面道路

❶制水弁蓋
下部に給水本管がある。

❷下水本管マンホール
下部に下水本管、雨水本管がある。

❸道路用集水枡
公設枡ではないので注意が必要。

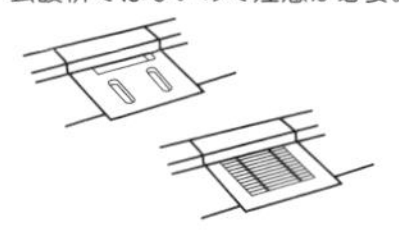

❹止水栓
下部に、水を宅内に引き込む管のバルブがある。給水本管はない。

❺施設下水マンホールの例
私道などに設置されている。公的機関のマークがなく、さまざまな形状のものがある。

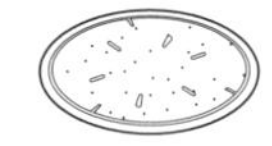

❻アンテナ
有線を確認し、近隣のテレビ受信状況を判断する。

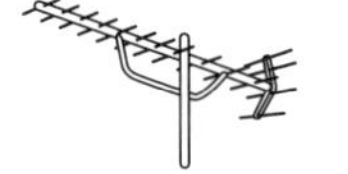

❼ガス遮断弁
ガス本管から敷地内への引き込み管の遮断用。

❽量水器
水道管の引き込み位置・引き込み管径の目安となるが、かならず局埋設管図と照らし合わせて確認する。

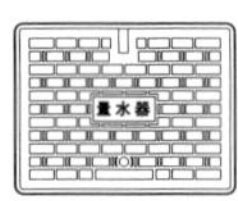

❾ガス会社の一例
現地にあれば、都市ガスの宅内引き込み位置が判断できる。さまざまな種類がある。

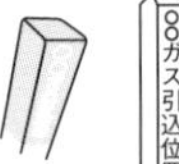
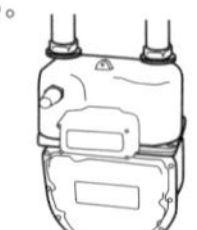

❿ガスメーター
現地にあれば、会社名を確認する。都市ガス供給地であることの目安となる。

⓫プロパンガスボンベ
都市ガス供給地域でない可能性を示唆する。

059

部屋を配置してみる

家の形や家族の暮らしの要望を整理できたら、部屋の配置を始めよう。最初は、玄関、リビング、ダイニング、キッチン、浴室など、必要な部屋を大小のだ円で並べてみる。次に、吹抜けや階段で空間をつなぎ、上下階のイメージも書き出す。敷地も含めてイメージしておきたい。

大体の輪郭がつかめたら、具体的な間取り図作成に入る。方眼紙1・8㎝角を1坪に見立てると、ちょうど縮尺100分の1になる。

間取り図

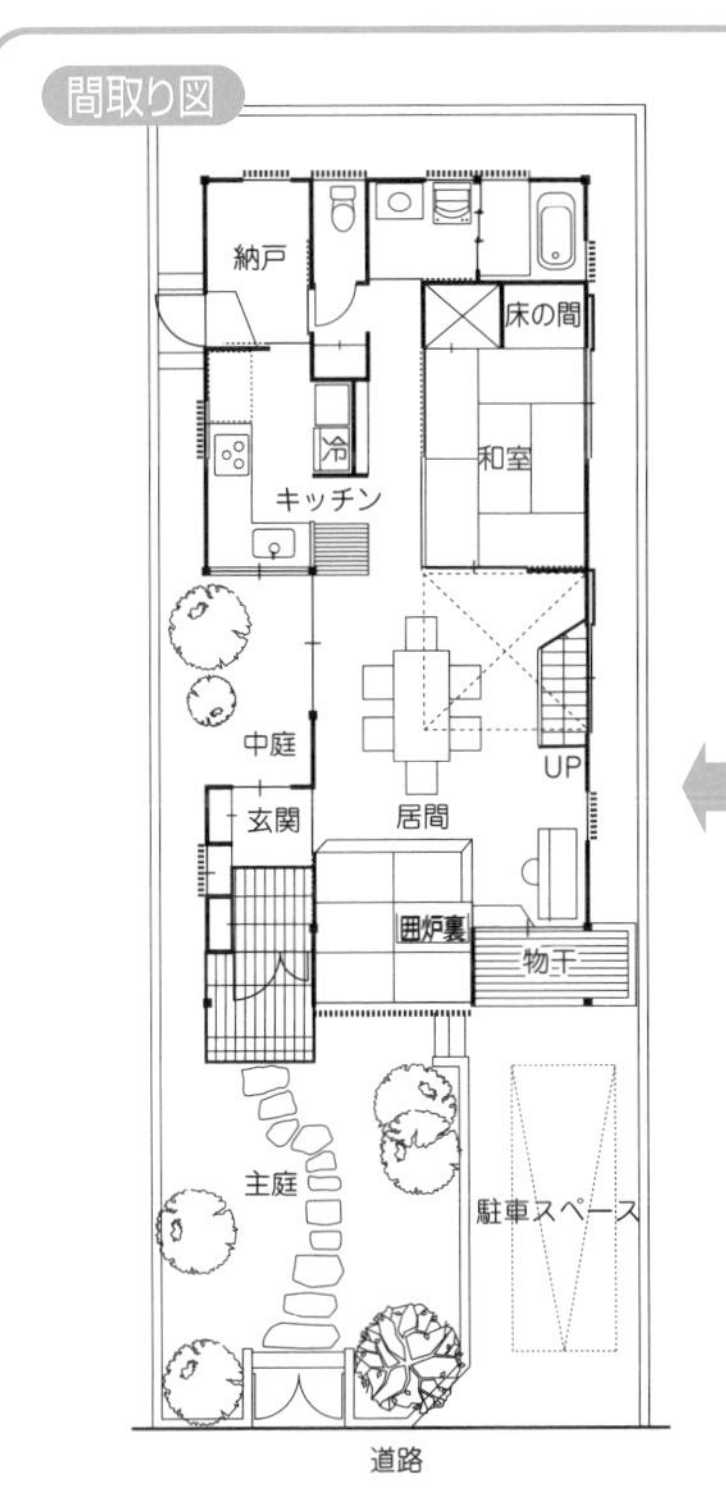

日照や通風の状況、隣家や道路との関係など、敷地に対してのイメージができて、家の輪郭がつかめたら、その中に部屋を配置していく。こうして書き出したイメージに沿って、具体的に各部屋の大きさを決めたり、柱や壁の位置を決めたりして間取り図をつくっていく。

イメージ図

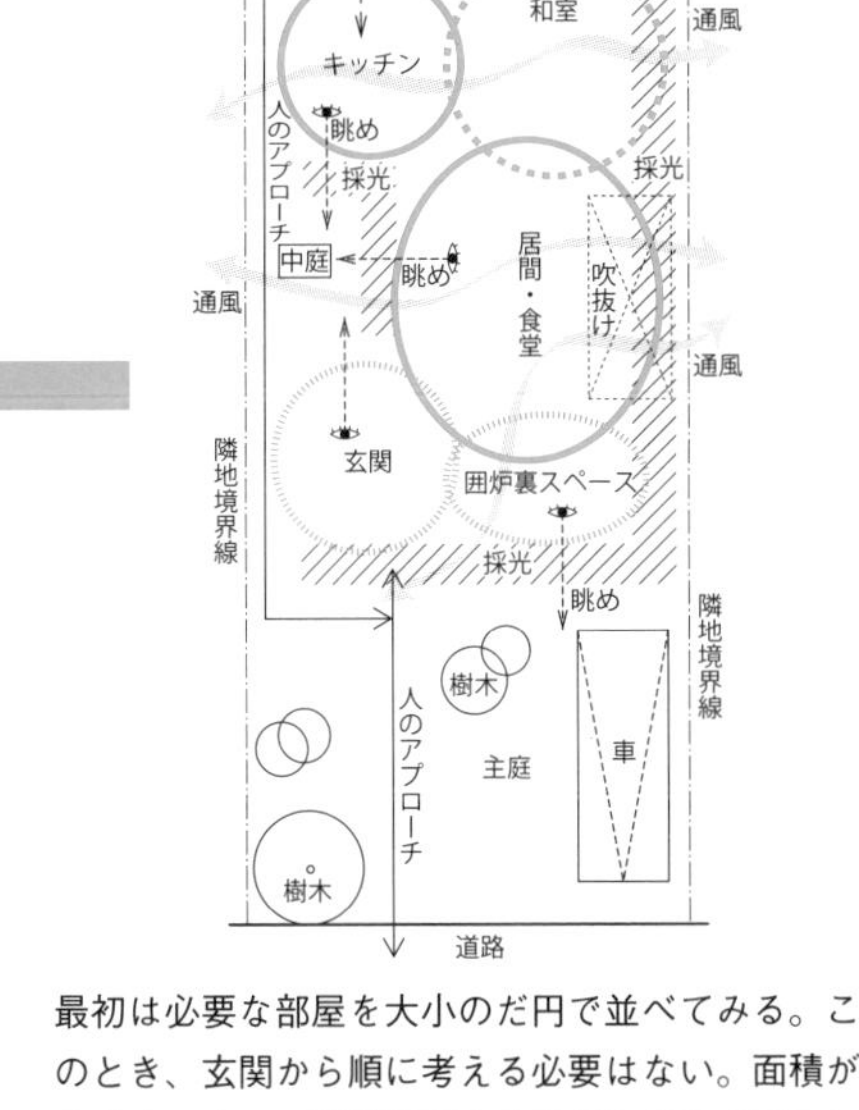

最初は必要な部屋を大小のだ円で並べてみる。このとき、玄関から順に考える必要はない。面積が大きく、かつ、家族が集まるリビングやダイニングなど「家族の居場所」を中心に考えよう。これらの部屋が庭や外部とどのように向き合うか、個室や玄関とどうつながるか、浴室やキッチンとの動線は家事がしやすくなっているかなど、いく通りもパターンを考えてみるとよい。図では中庭をコの字型に囲むように部屋を配置。

060 家族が集まるリビングは家の中心に

リビングは家族がくつろぐ場所なので、住まいでもっとも心地よい場所にしたいものだ。そこで、リビングは家の中心に置き、そこから各部屋につながる間取りをすすめたい。ただし、リビングが「通路化」すると落ち着けない場所になってしまうので気をつける。

窓からの眺望が得られるのなら、部屋の向きや窓の位置を工夫してはどうだろうか。また、面積だけでなく天井を高くしたりして、広がりを持たせることも大切だ。

リビングと各部屋のつながり

リビングは隣り合う和室やダイニングにとどまらず、階段や開口部を介して2階やデッキにもつながる位置とする。また、外出先から帰ったときも、朝起きたときもリビングを通るようにすることで、常に家族の気配が感じられるようにしたい。

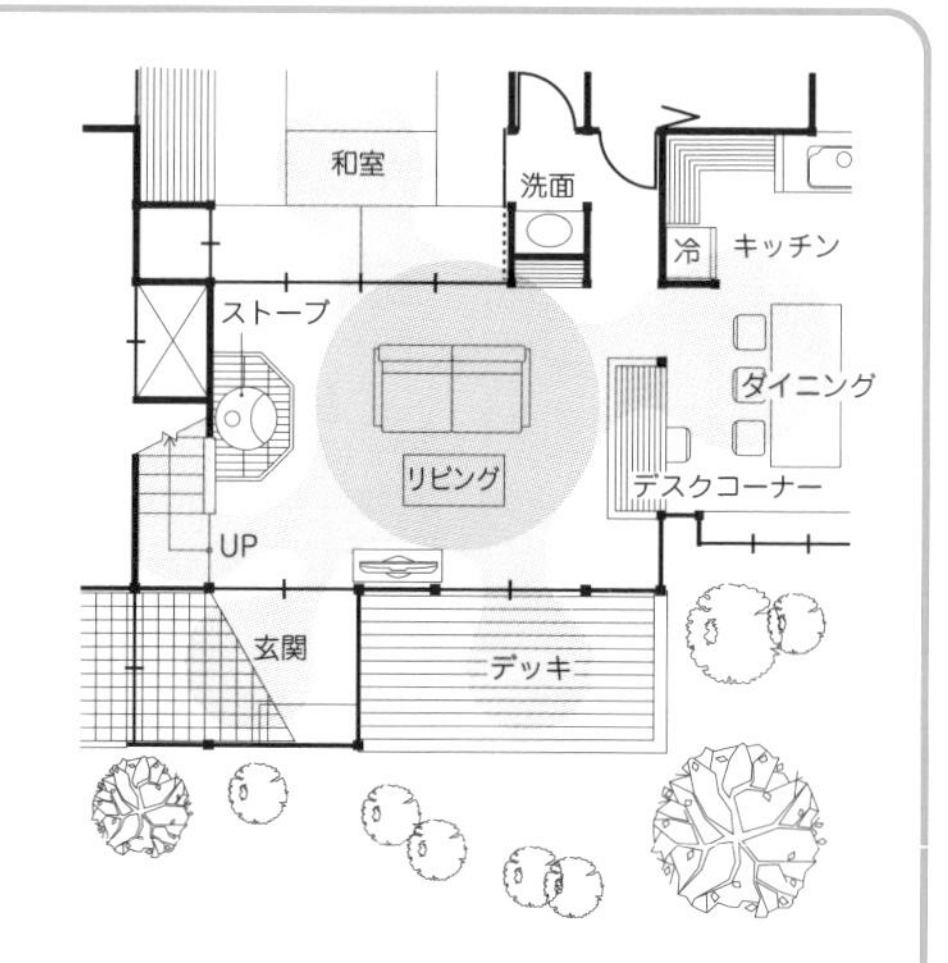

リビングの広がり

リビングでは家族が思い思いのことをして空間を共有する。そのためには、「ほどよい距離＝広さ」が必要だ。面積だけでなく、吹抜けを設けたり、屋根勾配を利用して天井高にしたりするなどして、広がりを持たせるようにする。図は、16畳大のリビング・ダイニング。畳、ソファ、デスクなど、いくつかのコーナーがある。

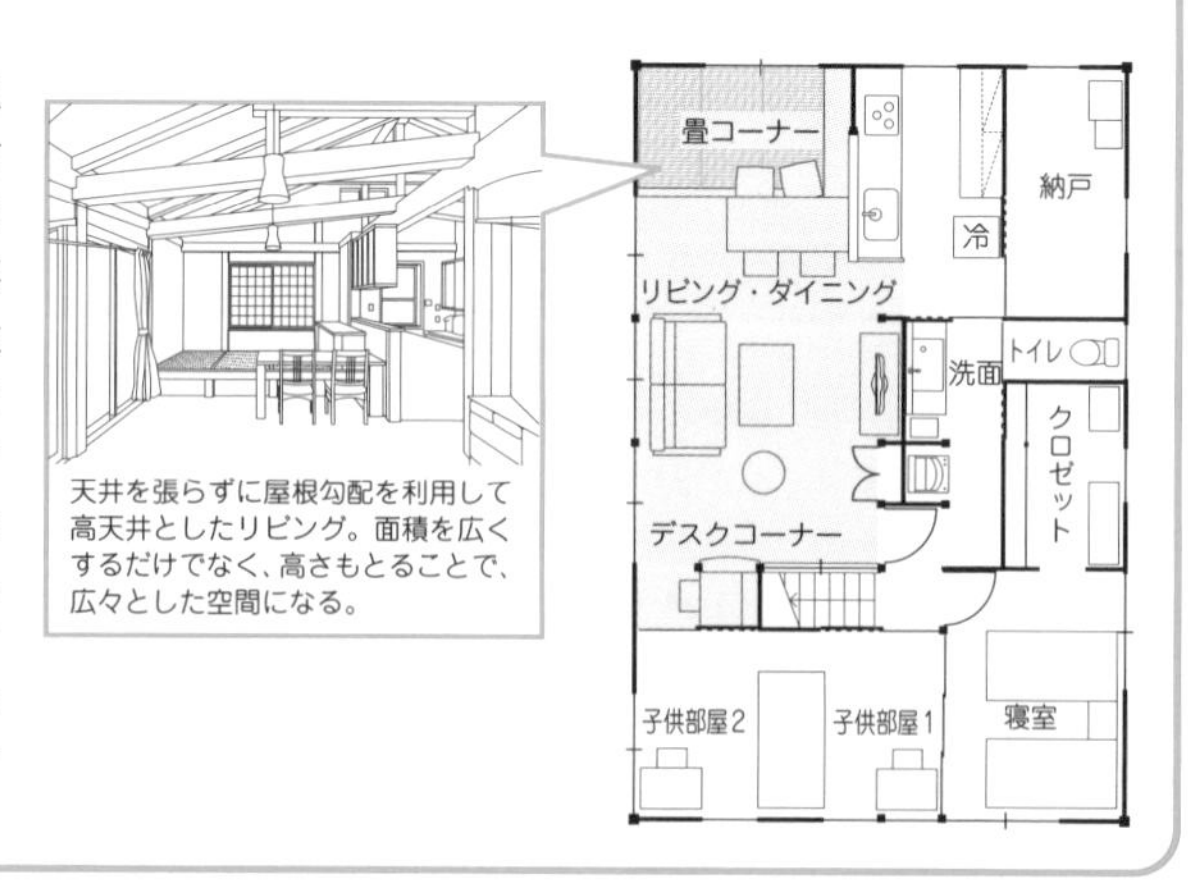

天井を張らずに屋根勾配を利用して高天井としたリビング。面積を広くするだけでなく、高さもとることで、広々とした空間になる。

061

テレビの置き場所とデスクコーナー

リビングで意外と難しいのがテレビの配置。大型化しているので、間取りを考える際に最初から検討しておきたいものの1つになっている。家族がテレビをどのようなときに見るかを考えたうえで置き場所を決めよう。

また、リビングにはデスクコーナーも検討したい。書斎までは必要なくても、パソコン作業や、家計簿、礼状などの書きものを机に向かい、イスに座って行いたいと思うことは多々あるだろう。

テレビの置き場所例

食事をする場所とテレビを見る場所を分ける

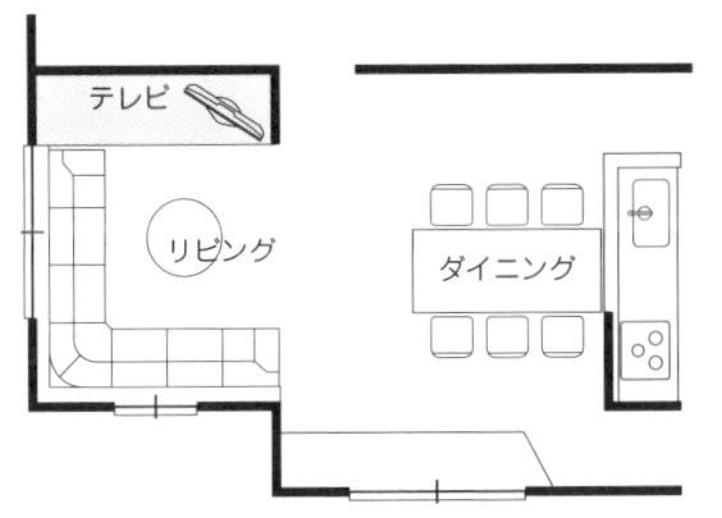

食後、家族がリビングに集まることを想定している。この場合、キッチンやダイニングからテレビは見られない。

テレビを置くための壁をつくる

テレビを見る位置は近すぎても遠すぎてもよくないし、画面に直射日光が当たるのも困る。こちらの例は、ソファの配置を想定し、テレビを設置する壁を確保。その両脇に縦長の窓を設えている。

デスクコーナーの配置例

階段下のスペースを利用

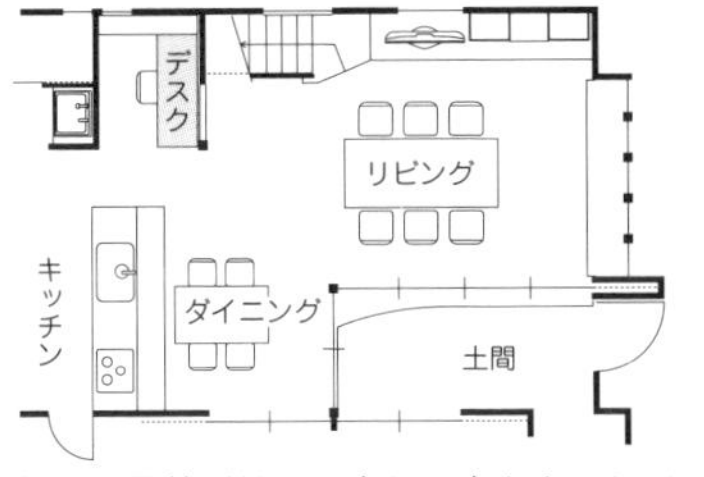

親子や兄弟が並んで座れる大きさにしている。雑務などだけでなく、コミュニケーションをとる場としても利用できる。

広い視野を得られるように

文房具や辞書、電話、ファックス、パソコン周辺機器などをあわせると、デスクには相当なスペースが必要だ。配線もあらかじめ考えておきたい。

062

自由な発想で和室をつくろう

畳敷きの和室は、今も昔も日本人にとってなじみ深い部屋である。

近年、和室を設ける場合は、リビングに隣接させて襖（ふすま）で仕切るスタイルが主流。開け放てばリビングと一体化して広い空間になる。床の間や押入れといった定番のつくりにとらわれず、自由な発想で畳を取り入れよう。板敷きのリビングの数畳を畳敷きにしたり、小上がりを設けて畳敷きにしておくと、ちょっと横になったり洗濯物を畳んだりするときに活躍する。

和室の取り入れ方

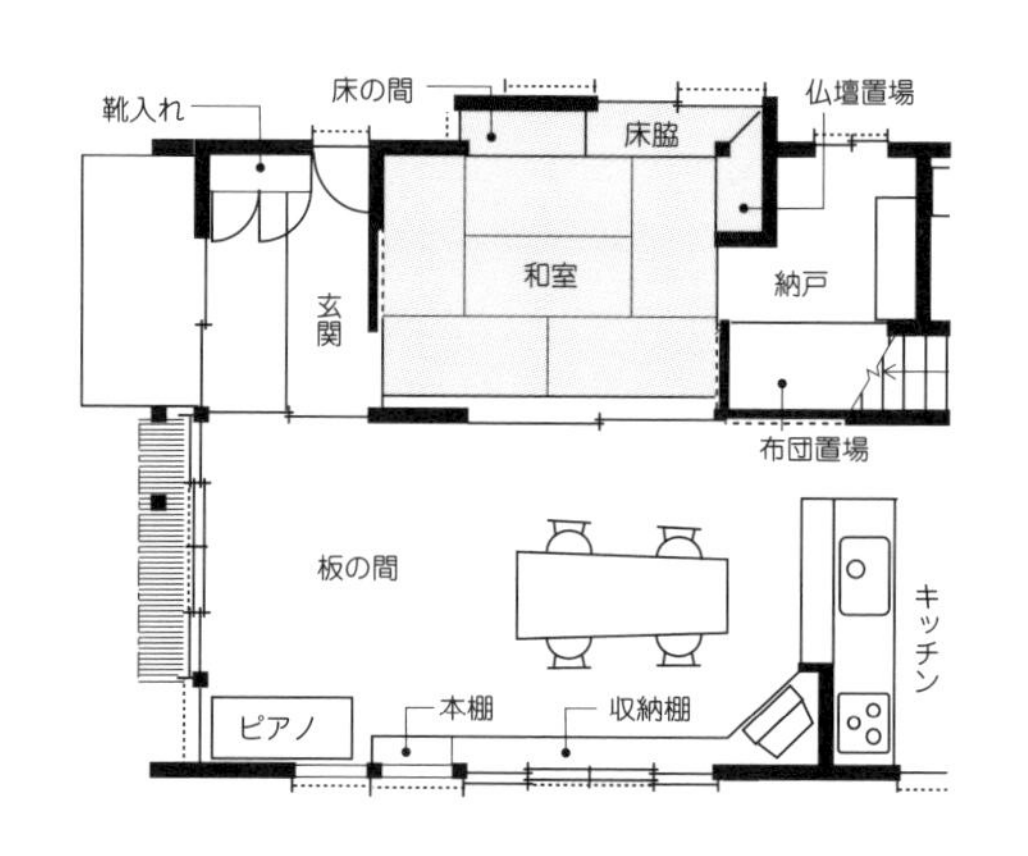

普段襖を開け放して茶の間として使っている和室。玄関から直接入れ、応接の間としても機能する。襖を閉めてしまえば客の寝室にもなるつくり。

畳敷きのリビング

12畳大の2階のリビングのうち9畳を畳敷きにした例。椅子のリビングに比べて、たくさんの人が集まっても対応しやすく、ごろりと横になれる楽しみもある。

大きなベンチスタイルの畳コーナー

食卓を畳コーナーと板敷き部分にまたがらせて使うアイデア。大きなベンチのように使える。畳コーナー下は引き出し収納にできる。

063

格式高い座敷のつくり

日本の伝統を受け継ぐ意味で、格式ある和室＝座敷を住まいに求める声も少なくない。

座敷は、柱や長押（なげし）をあらわにした真壁（しんかべ）づくりが基本だ。広さは最低6畳だが、8畳あるとバランスのよいしつらえができる。床の間は必須で、幅は1間（1820㎜）とするが、6畳間なら0・75間、10畳なら1・25間もある。天井板は床の間に対して平行に張る、畳も同じ向きに敷くなど、床の間を中心に物事が決まる。

伝統的な構えの座敷

押入　仏壇　物入

床脇（とこわき）

座敷10畳

次の間 4畳

床の間（とこのま）

付書院（つけしょいん）

広縁

床の間は、入口から離して配置するのが通常。床の間と並べて押入れを設ける場合もあるが、面積に余裕があれば、押入れは別にする。

伝統的な和室

座敷のしつらえは、書院造にあるような格式高い「真」のものから、風雅に崩した「草」、その中間の「行」といった分類がなされる。材の選び方から壁面の構成まで、さまざまな様式があり、とても奥が深い。床脇の飾り棚や書院のしつらえができれば、より本格的になる。

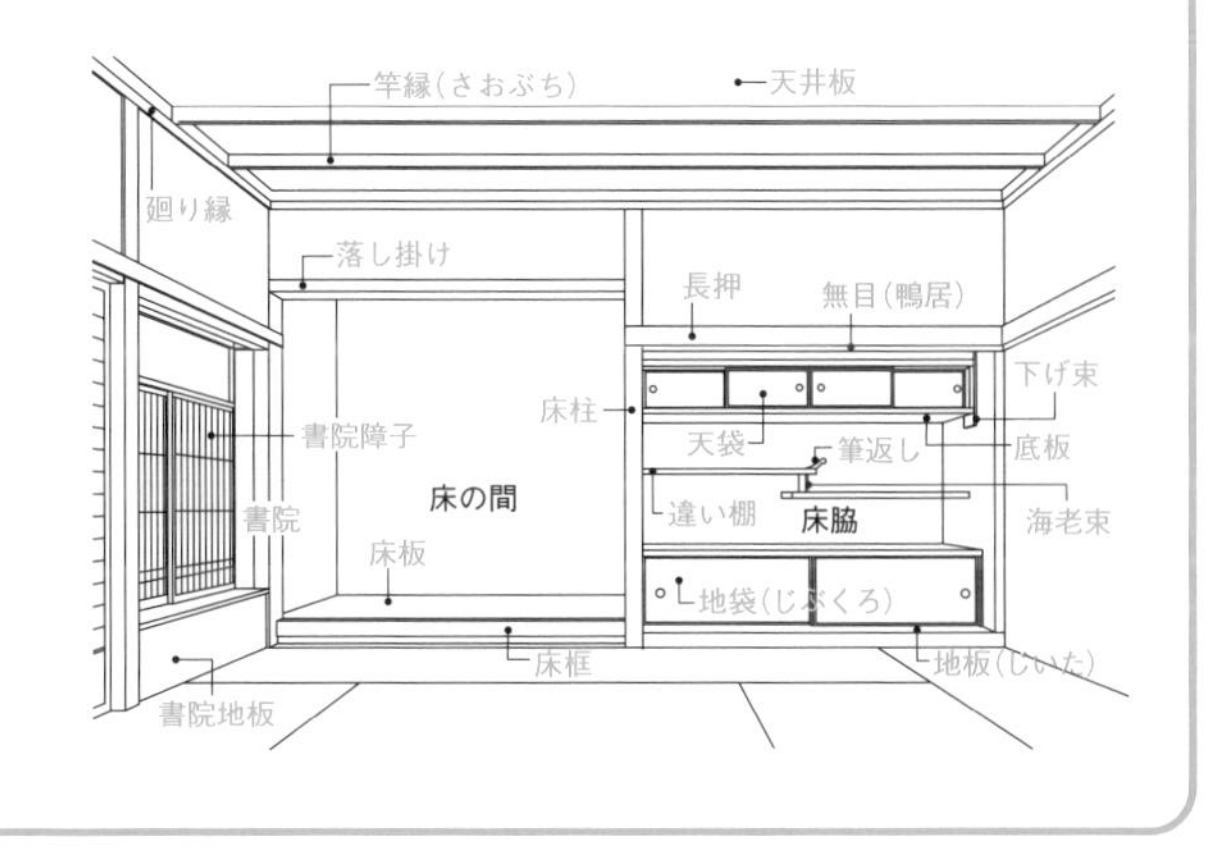

064 使いやすいキッチンの形と広さ

キッチンにはI型、L型などさまざまな形がある。自分や家族の調理の流れにあわせて、シンクとコンロをどのように配置するか決めよう。システムキッチンもよいが、キッチン製作会社や家具屋さんなどに頼めば好みのサイズやデザインにできる。

キッチンの広さについては、シンク・コンロ側と作業台・収納棚側のあいだは少なくとも80㎝はとったほうがよい。2人以上が同時に作業するなら110㎝あるとよいが、それ以上は逆に使いづらくなる。

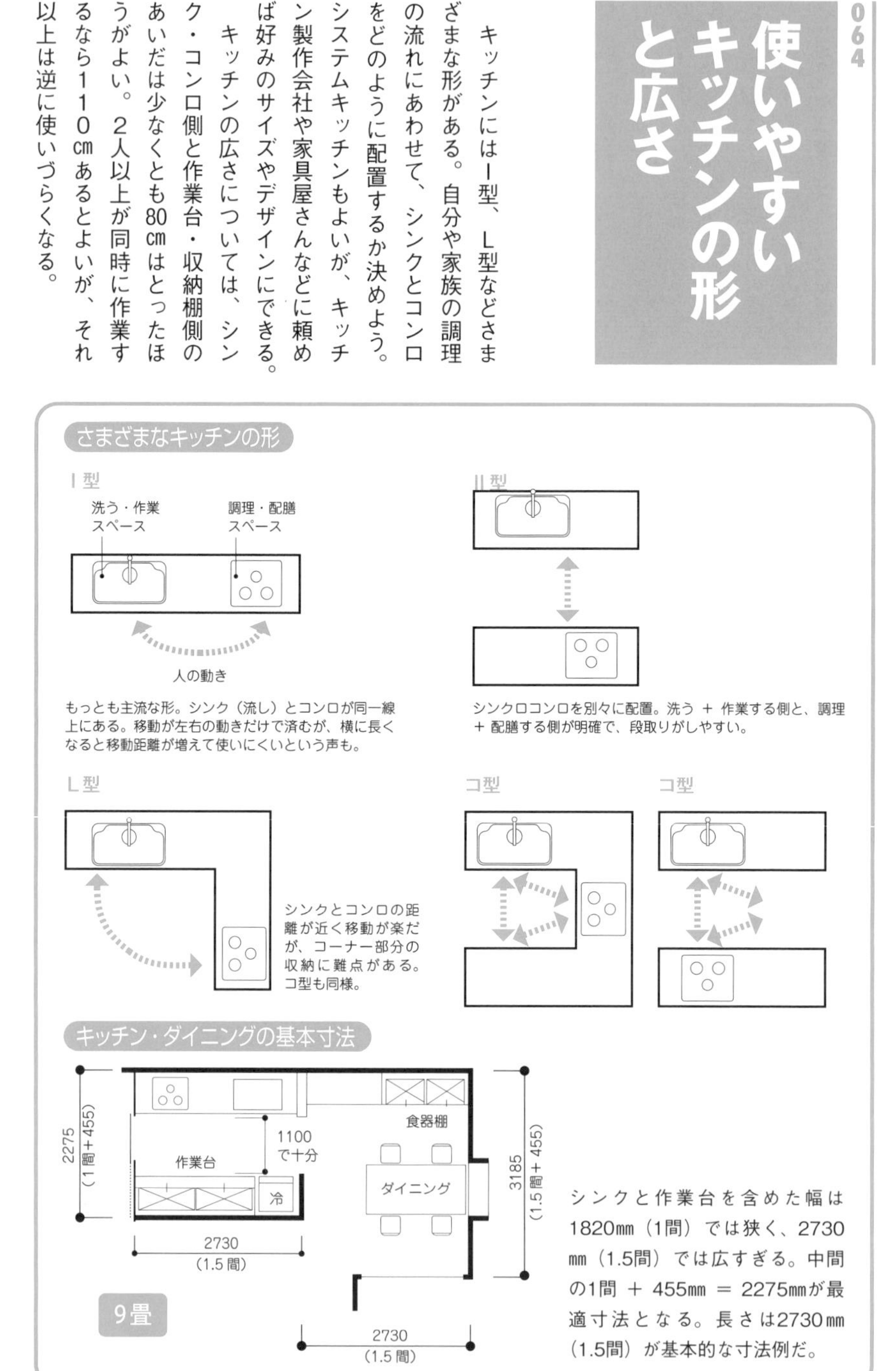

065

効率のよい家事動線にする

ひと昔前までキッチンは裏方であり、家の北側に配置されることが当たり前だった。最近ではそのような感覚が薄れ、リビングやダイニングとつながった開放的なキッチンが増えている。家族の会話はキッチンやダイニングが中心ということも少なくない。配膳の動線や、キッチン・ダイニングそれぞれからの見え方にも配慮して間取りを考えよう。

ダイニングだけでなく、他の場所とも効率よく家事を行える位置関係にしたい。

キッチンからの動線が充実した例

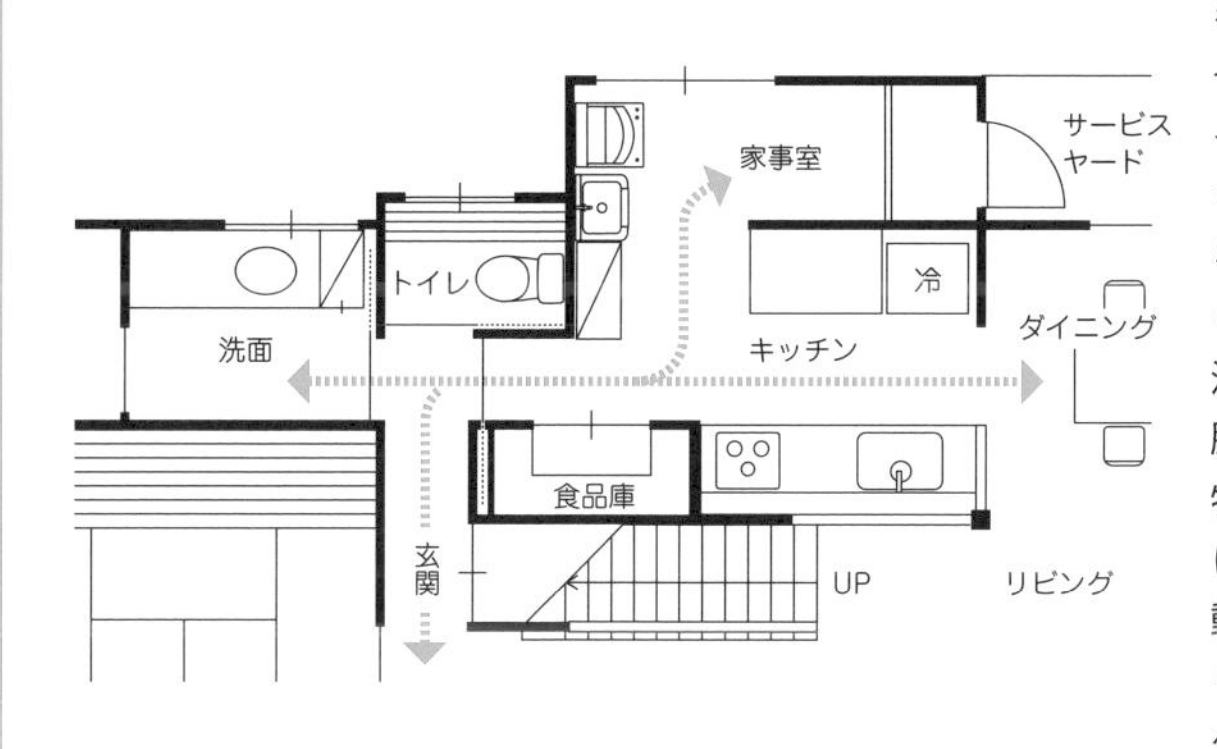

キッチンを行き止まりにせず、廊下やほかのスペースに通り抜けできるようにしておくのも手である。一般にキッチンの近くにあると便利なのは、洗面室、脱衣室、浴室、勝手口、サービスヤード、物干し場、玄関など。図はキッチンからの裏回り動線が充実した間取り。リビングを通らずに玄関へ行くこともできる。

キッチンから他の家事に移行しやすい例

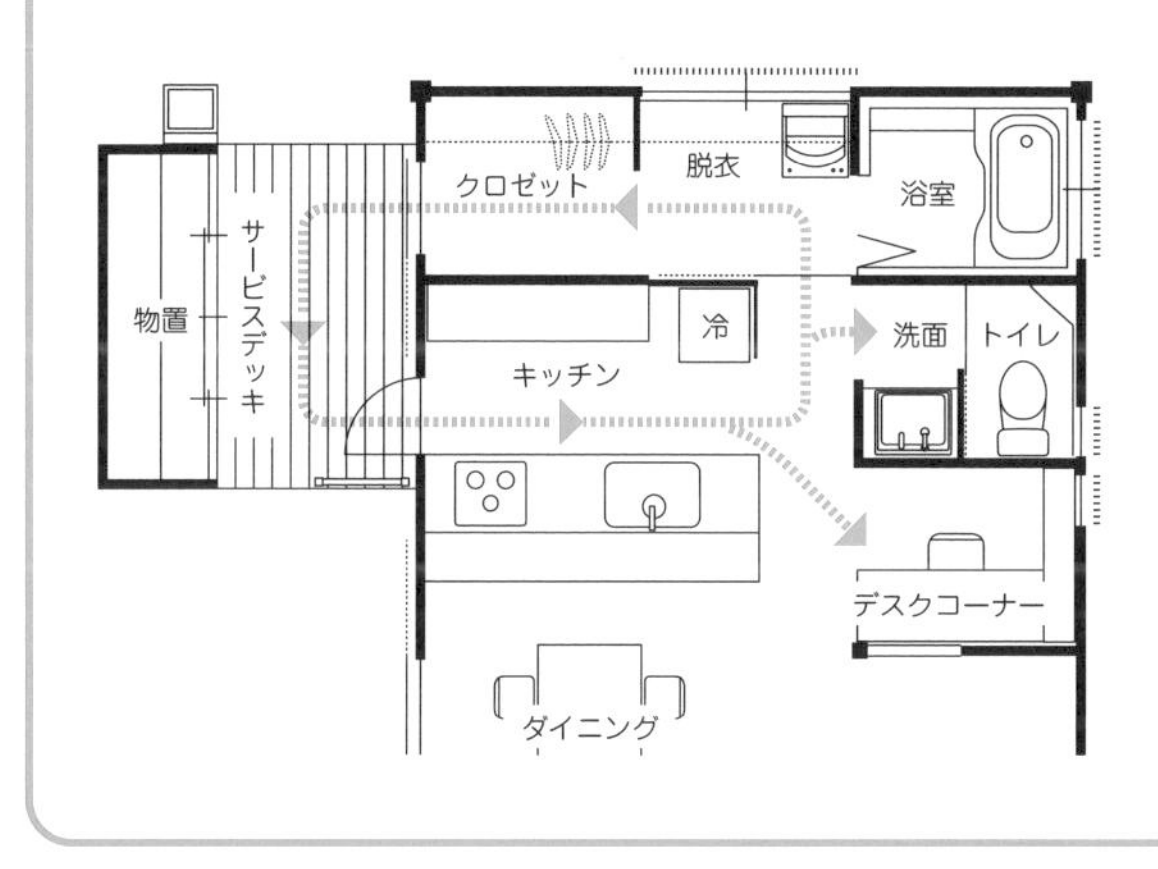

配膳や後片づけが楽な動線やつくりになっているか、シンクや手元の汚れ物などが丸見えになることがないか、キッチンでの作業と平行して、ほかの家事が行えるかなどを、イメージしながら間取りを考えたい。右の図は、キッチンでの作業と平行し、諸々の家事がしやすい間取り。サービスデッキの物置は、食品庫も兼ねる。

066

キッチンとダイニングのつなげ方

暮らしのなかで、「食」がどのような位置を占めるかを考えることで、おのずとキッチンとダイニングの位置や広さ、リビングとの関係が見えてくる。食事に時間をかけ、家族の会話や団らんが主に食卓で行われるなら、リビングよりもキッチン・ダイニングに面積を割こう。

いくつかの例を紹介しよう。わざとダイニングから独立させたキッチンもあるし、反対に家族みんなでクッキングに参加できるキッチンも重宝される。

対面型キッチンとダイニング

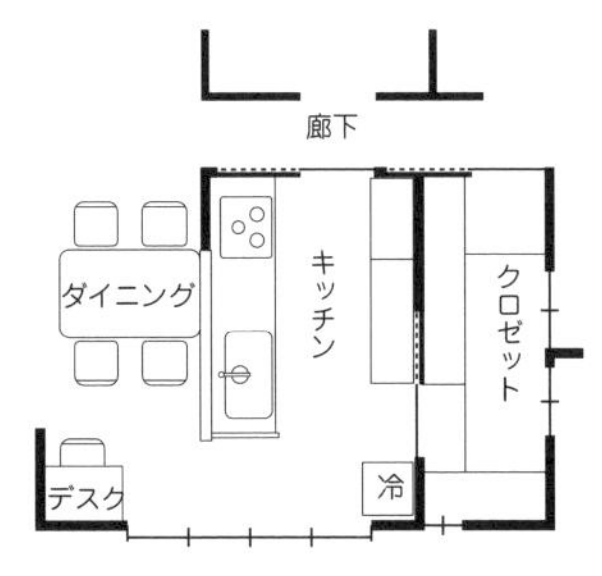

つくる人が孤立せず、家族への目配りができ、手元の汚れものなどを隠せるのが利点。通り抜け可能にしておくと、さらに便利。

独立型キッチンとダイニング

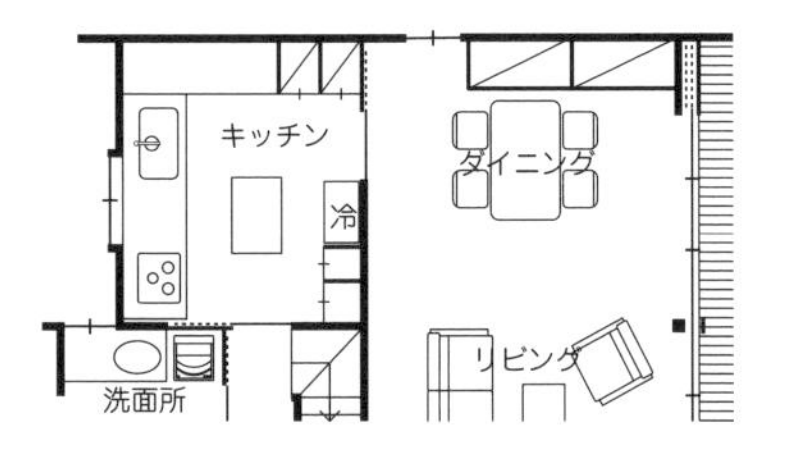

キッチンには生ゴミ、油、煙、水はね、においがつきもの。調理や後片づけの場とは一線を画して、落ち着いた食事場を確保した例。

アイランドキッチン型

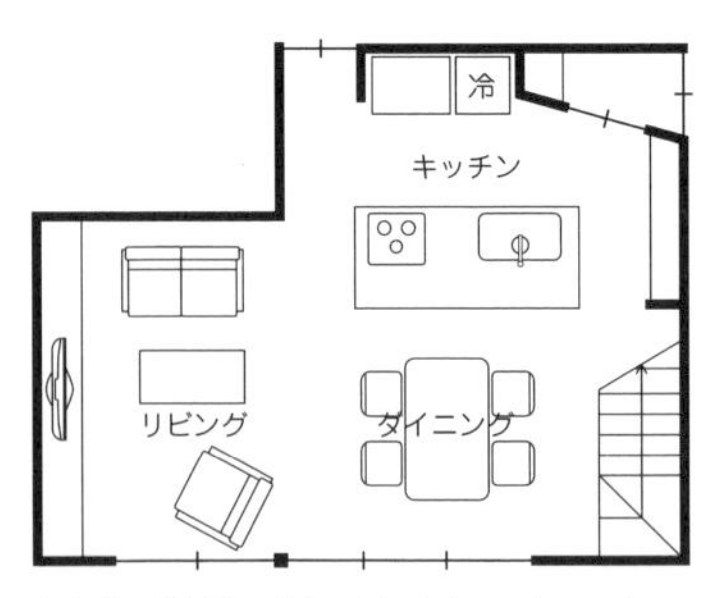

みんなで料理に参加できるキッチン。キャビネットの奥行きは1mほど、幅は2.5mからで、まわりを取り囲めるように配置する。

並列型キッチンとダイニング

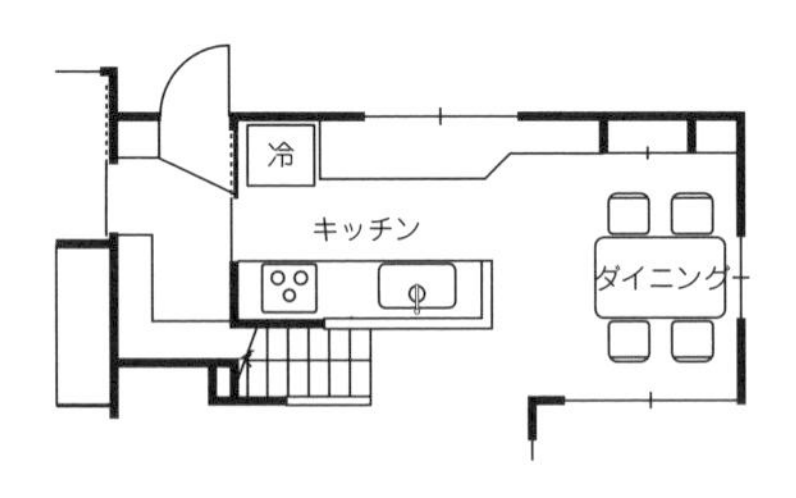

リビングに対面し、ダイニングとは横に並ぶキッチン。配膳や後片づけが楽。食卓にいるだれもが入りやすく、手伝いしやすい。

067

パントリーと勝手口を設ける

キッチンの周辺にある小さな倉庫が「パントリー」。乾物や缶詰、イモやタマネギなどの根菜類、漬物などを置く。食品以外も、大きくかさばるものや一時期しか使わない物などの置き場所にも適している。

これまではキッチンから直接出入りした勝手口も、パントリーの床を一部土間にして設けると、買い物やゴミ出しの中継点にもなり便利だ。キッチンからは扉一枚を隔てたつくりとすることで、冬の暖房にも影響されにくい冷暗所となる。

3つの出入りルートをもつパントリー

キッチン→パントリー→サービスヤードに加えて、パントリー→クロゼット→玄関のルートがあることで、さらに生きた動線になる。サービスヤードから外の冷たい空気が入ってきても、冷暗所にしたいパントリーなら問題はなく、室内に冷気が入ることも防いでくれる。

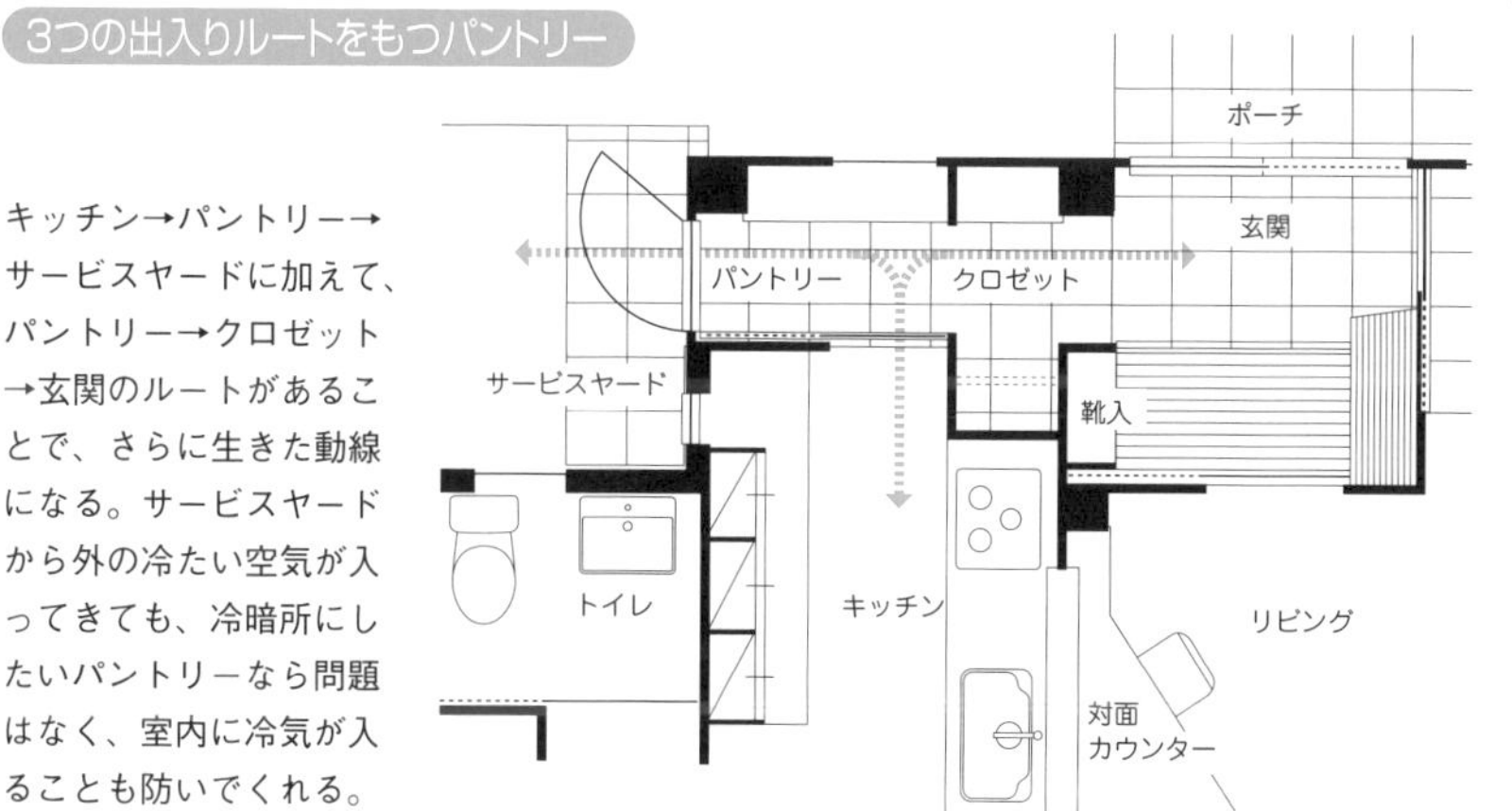

キッチンから他の家事に移行しやすい例

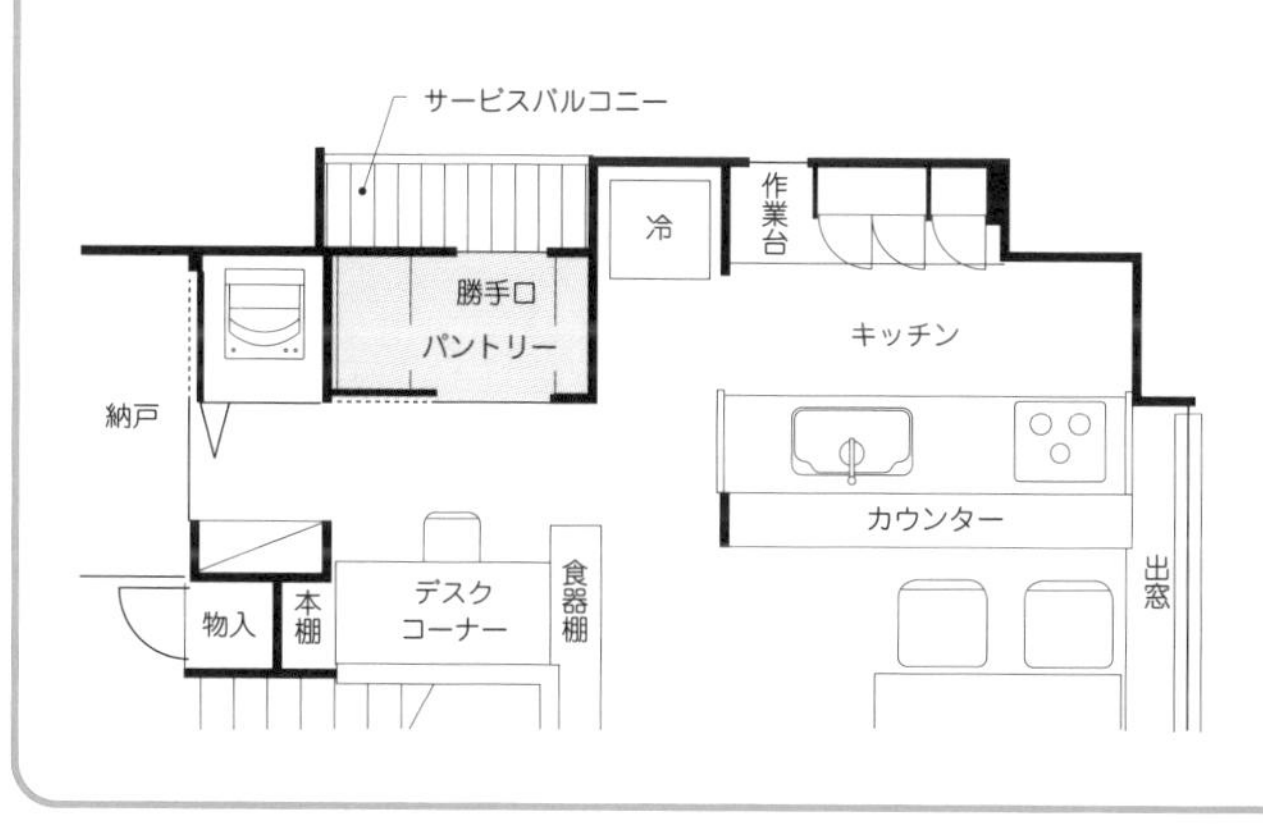

ゴミや保存野菜の置き場所がない2階キッチンにあると便利なサービスバルコニー。パントリーを併設することで、内外2段構えの収納ができ、風除室（*）の役目も果たす。

*風除室　外気の進入を防ぐために、外部と内部の間に設ける空間

068

ユニットバスのちょうどいいサイズ

短時間で施工できるため施工者からの支持も高く、近年多くの住宅で使われているがユニットバス。メリットは、水漏れが起こりにくい、柱や土台などを傷める心配がない、断熱・機密性が高い、掃除がしやすいなどが挙げられる。

窓の形やサイズ、壁や天井の色や素材は限られてしまうが、浴槽と洗い場のみがユニットになっているハーフユニットバスを活用すれば、天井と壁は自由にデザインできる。

0.75坪(1216)タイプ

ユニットバスのサイズは建物にうまく納まるような寸法で規格されている。「0.75坪タイプ」はコンパクトサイズ。右下の「1坪タイプ」と比べて洗い場や浴槽の幅に差はないが、長さが短くなるため浴槽には、ひざを曲げて入らなければならない。

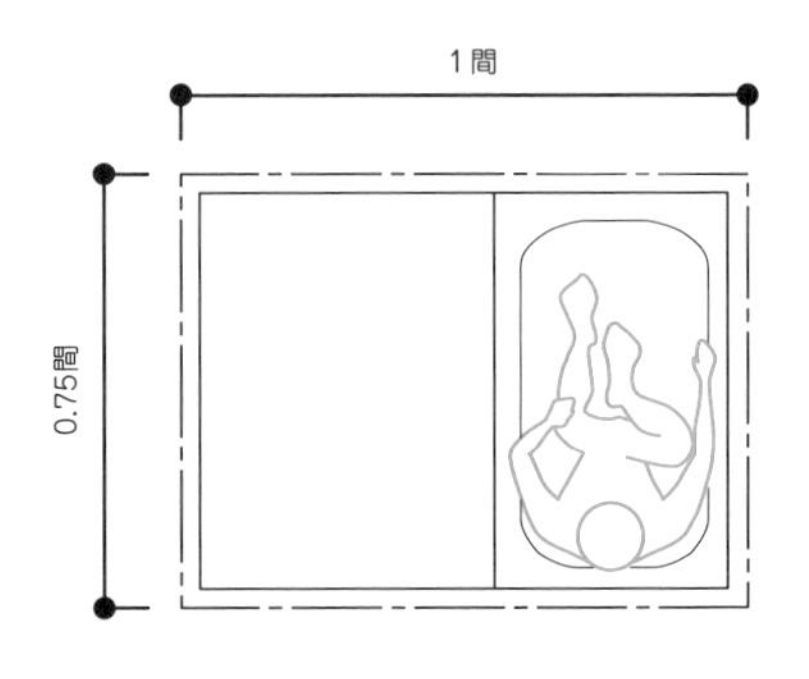

1.25坪(1620)タイプ

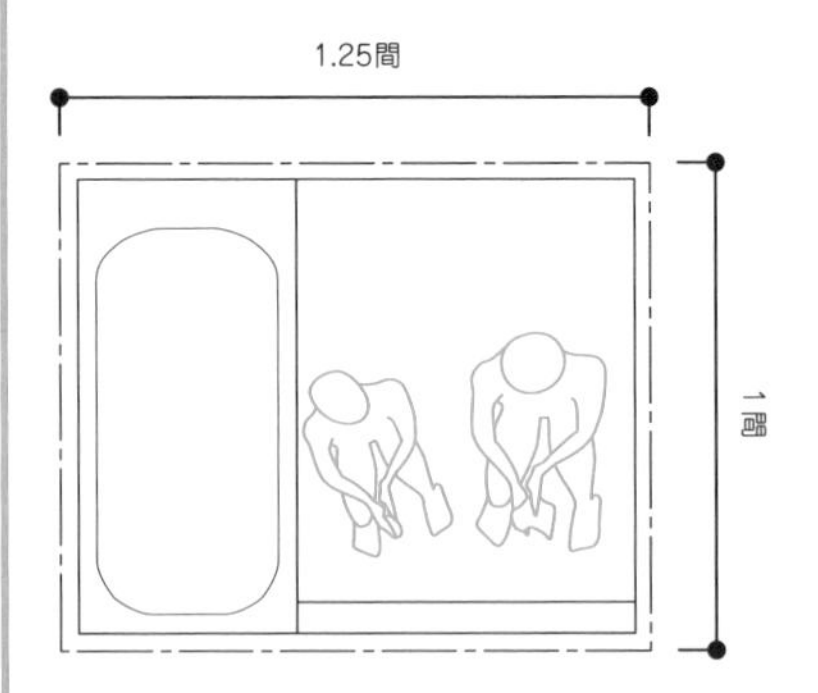

浴槽の大きさは「1坪タイプ」と同じだが、洗い場がゆったりとしており、2人並んで洗える幅がある。これら3タイプ以外にも、マンション用や浴槽・洗面・トイレが一緒になったホテル用などがある。

1坪(1616)タイプ

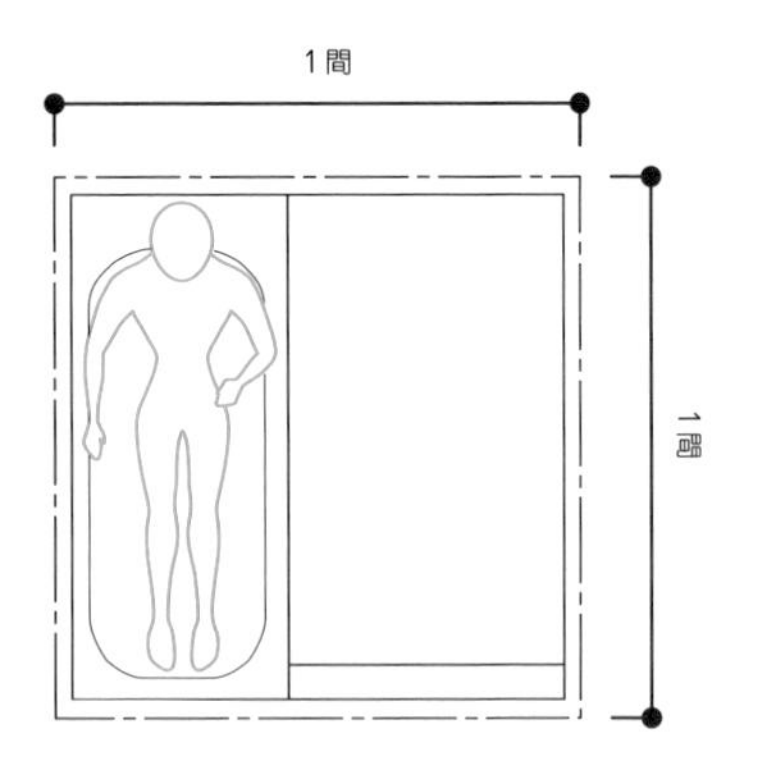

もっとも一般的なサイズ。浴槽に膝を伸ばして入ることができる。子供と一緒に浴槽につかっても窮屈さを感じさせない。

069

疲れがとれる心地よい浴室

お風呂を心地よい空間にするために、自由に配置を考えよう。最近では、浴室を2階につくることも多い。寝室のそばにあると、入浴後、すぐに寝床につけるし、プライバシーが確保しやすく、風通しもよい。ただし、以下の点に注意。音が伝わりやすいのでリビングなどの上は避ける、水道の水圧が低い場合は容量が大きめの給湯器を選ぶ、防水については設計者や施工者に確認する。

また、屋外とのつながりを工夫することで、快適な空間となる。

庭を楽しむ浴室

浴槽につかりながら、庭の眺めを楽しめる浴室。1日の疲れをとる「癒しの場」として浴室を考えてみよう。浴室は、ユニットバスのほか、大工さんやタイル屋さんの手でつくる在来工法という選択肢もあり、自由なデザインで浴室をつくれる。ただし、テレビやミストサウナ、衣類乾燥などの機能を充実させたい場合は、ユニットバスのほうが適している。

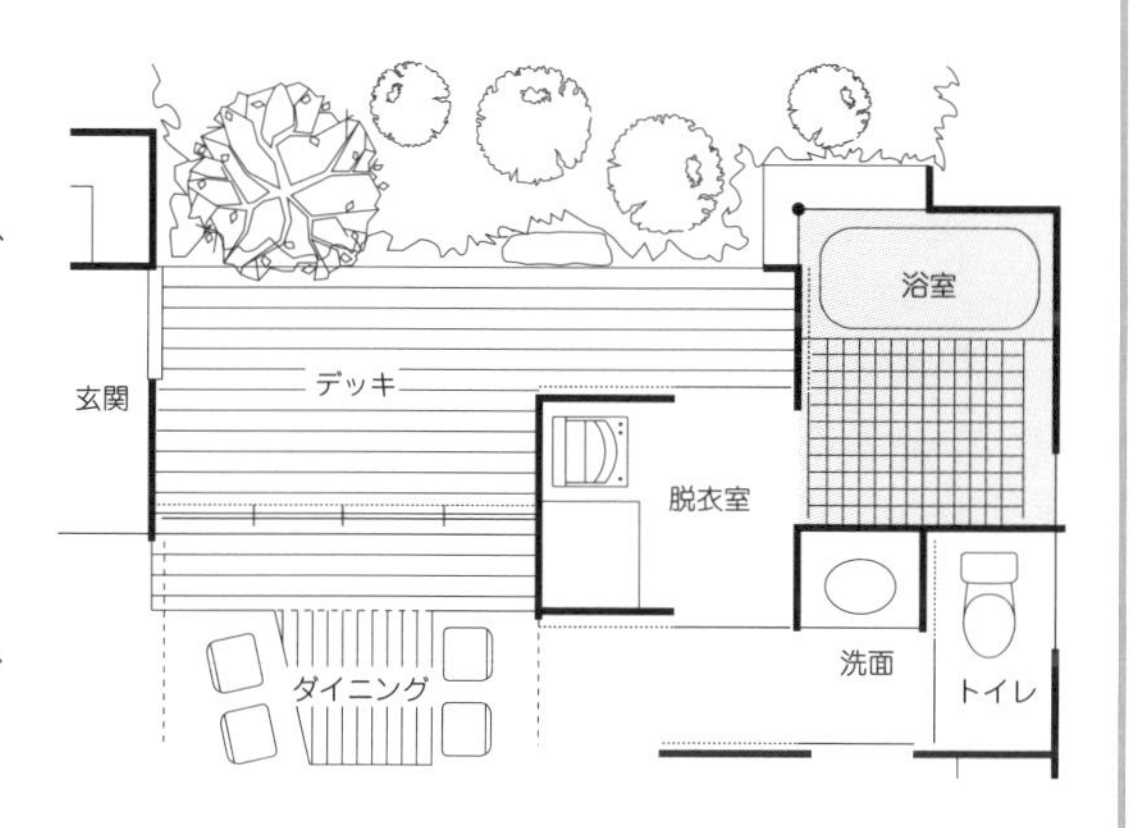

テラスから入る浴室

図は庭仕事や泥んこで帰った子供がテラスから洗面室を通って浴室へ入れるようなつくり。他にも屋外とのつながりを工夫することで、浴室をより便利で快適な空間にすることができる。そのような場合には、堀や植栽を用いて、近隣からの視線に注意を払うようにしたい。

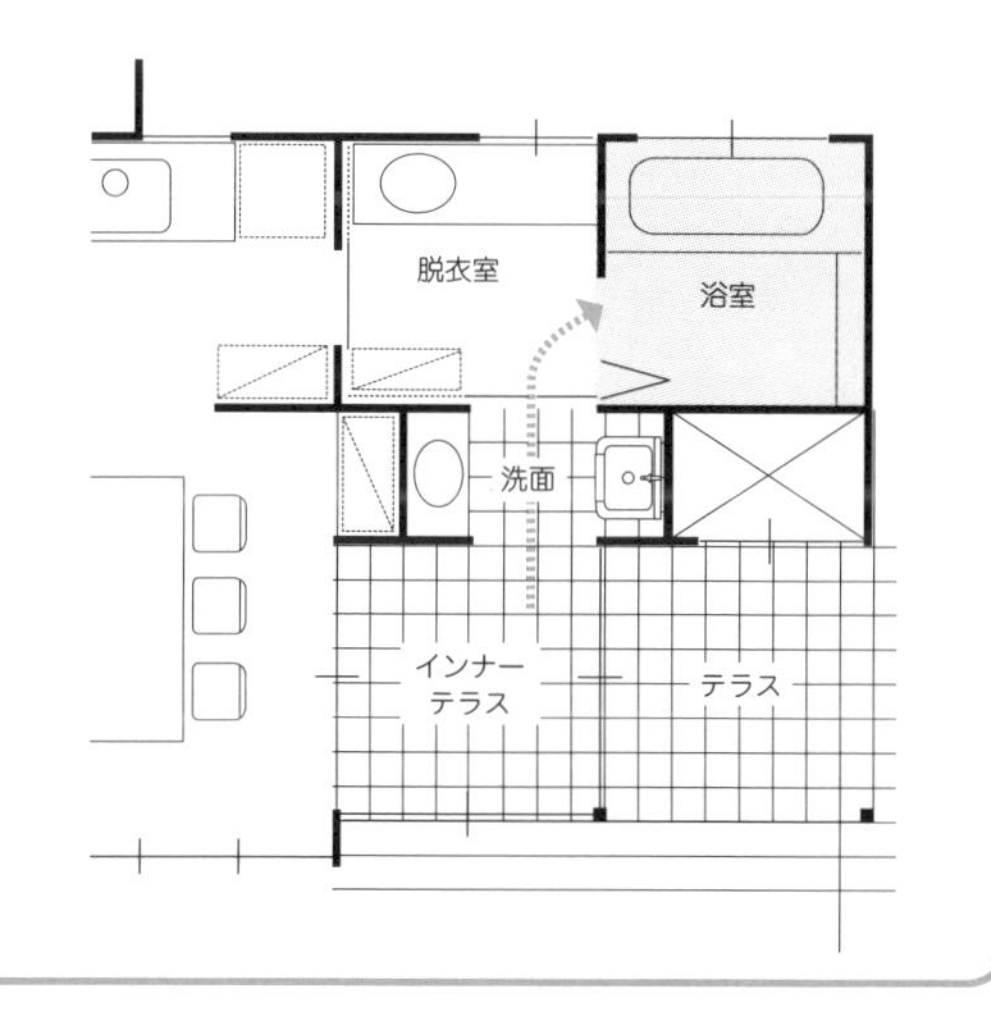

070

洗面所と脱衣所を分けてみる

一般的には、洗面所が脱衣所を兼ねていることが多い。しかし、脱いだ後の衣類や濡れたバスタオルなどがある脱衣所と、来客や子供の友達なども手洗いに使う洗面所は、近くにありながらも仕切られているほうが都合がよい。脱衣所は浴室に付属するもの、洗面所はよりパブリックな場所として分けて考えよう。

脱衣所や洗面所は、洗濯や掃除の家事動線にも影響してくる。キッチンを含めて、これらが近くにあると効率よく家事ができる。

洗面所から2方向へアクセスするプラン

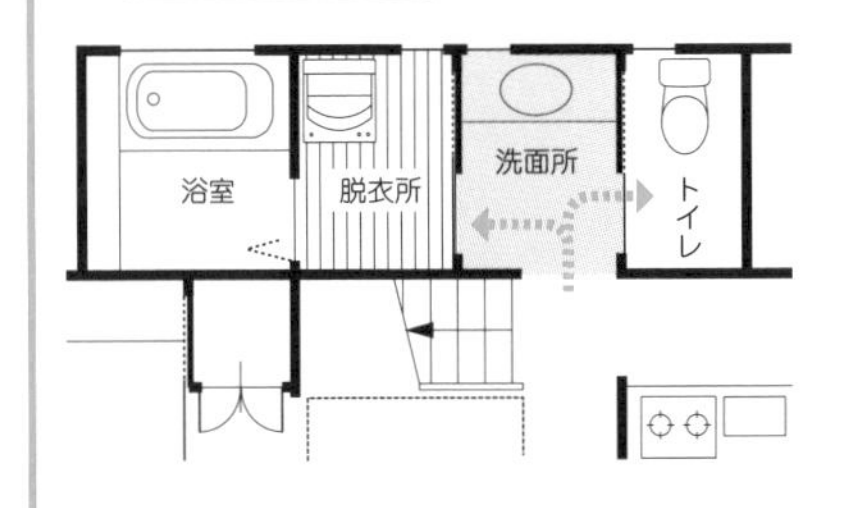

3畳大のスペースを2分割した洗面所と脱衣所。洗面所からトイレと脱衣所→浴室の2方向へアクセスできて便利。

家事動線に配慮した洗面・脱衣所

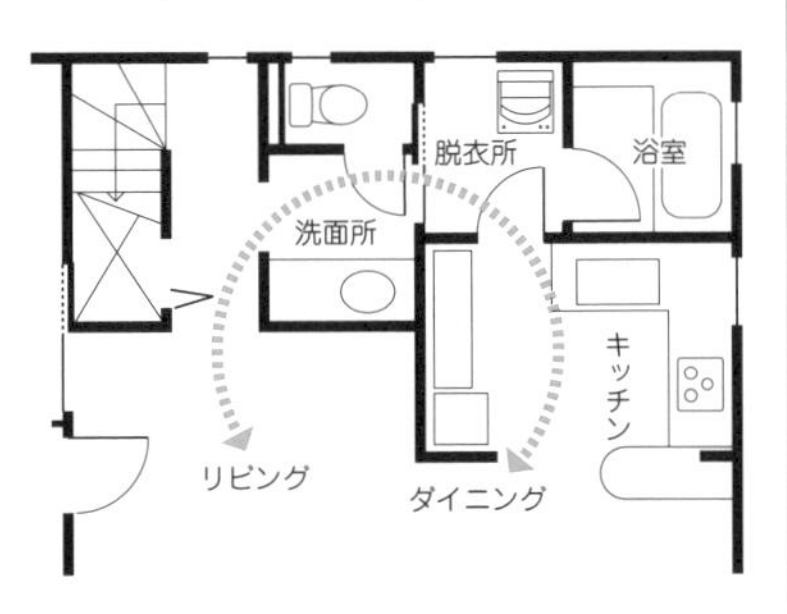

キッチンで作業しながら、洗濯や掃除ができる家事動線に配慮したプラン。

廊下とキッチンの両方からアクセスできる脱衣所

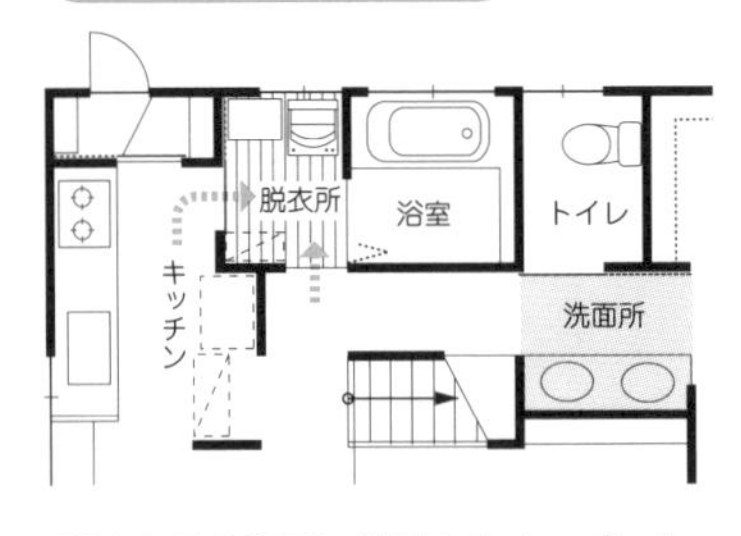

裏まわりの廊下に位置するオープンな洗面所。来客用としても利用できる。一方、脱衣所は、廊下とキッチンの両方からアクセスでき、家事がスムーズ。

脱衣所から一直線に物干し場へ

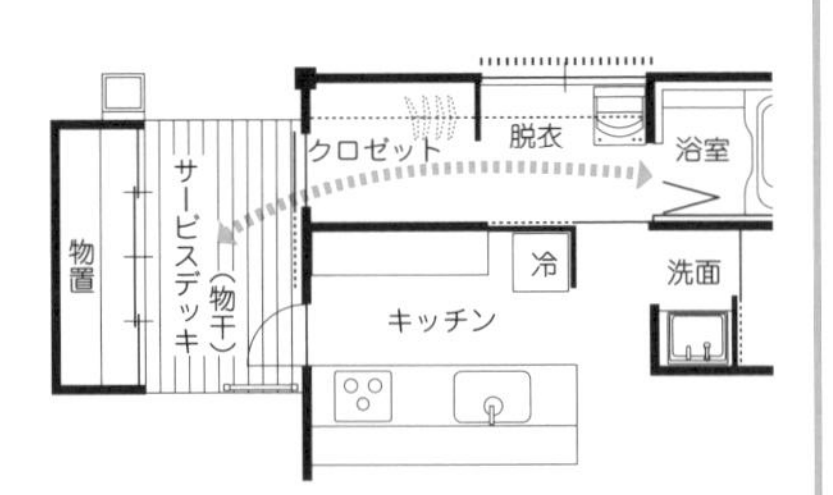

脱衣所、洗濯機、物干し、そして衣類収納までの動線に配慮したプラン。サービスデッキにかけられたガラス屋根が急な雨にも対応する。

071

洗面所を大容量収納にしてみる

洗面台まわりは細々としたものが多く、散らかりがちになる。整髪料や化粧品の瓶、歯ブラシに歯磨き粉…とそれらのストック品。これらは出しっぱなしにしておくと、雑然として見苦しく、ほこりで汚れるので、扉の中にしまいたい。

また、脱衣所であれば、脱衣カゴのほか、予備のシャンプーや石けんなどは浴室のドアの近くに、タオル類や家族の下着もおけると便利。風呂の掃除道具や洗剤などもあり、かなりの収納スペースを要する。

洗面脱衣所の収納

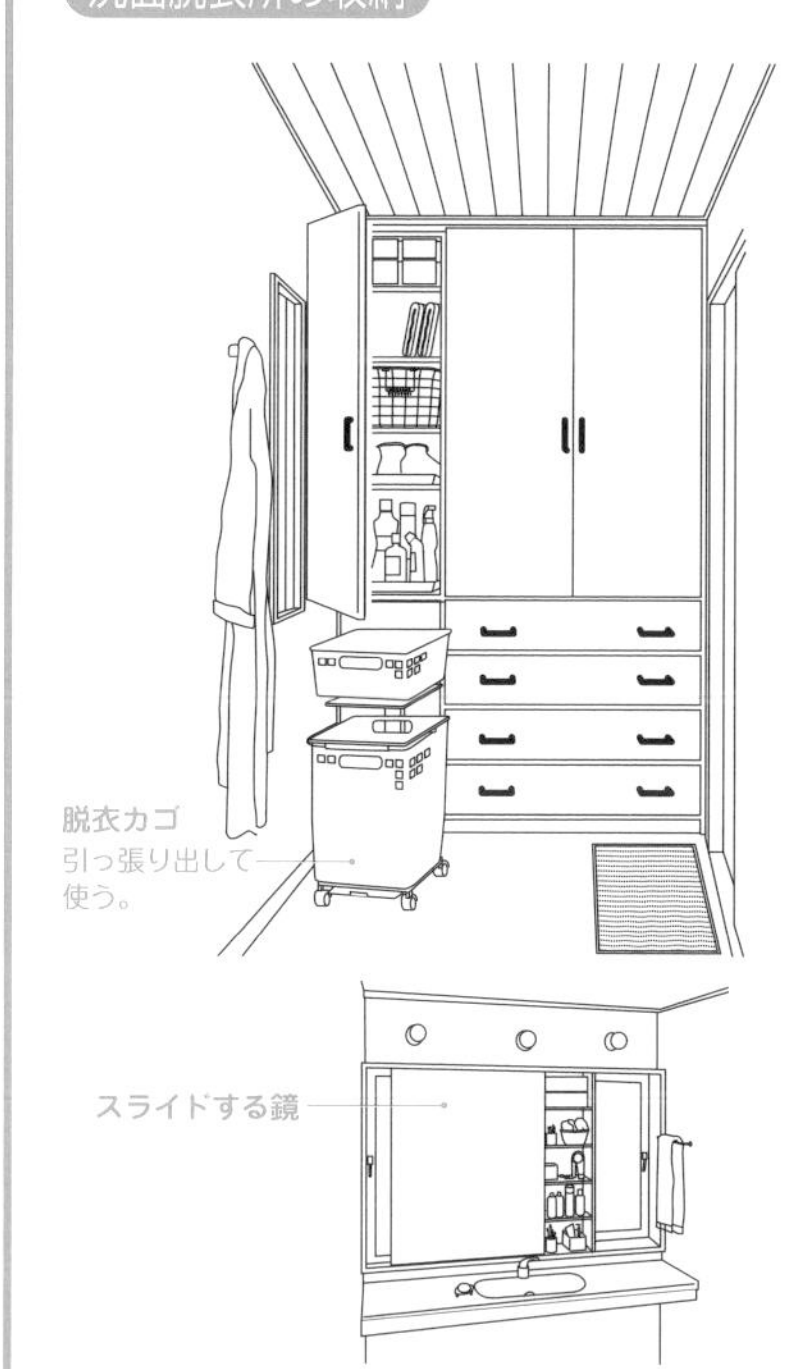

キャスター付きの脱衣カゴは、使わないときは棚の下に納まっている。引出しには家族それぞれの下着類、上の扉部分には、リネン類や石けん類の予備を収納（上図）。また、大きな鏡をスライド式にして、その後ろに収納部分をつくる（下図）。枠を少し手前に出し、壁厚＋αで14㎝の奥行きを確保。

洗面所にあると便利なもの

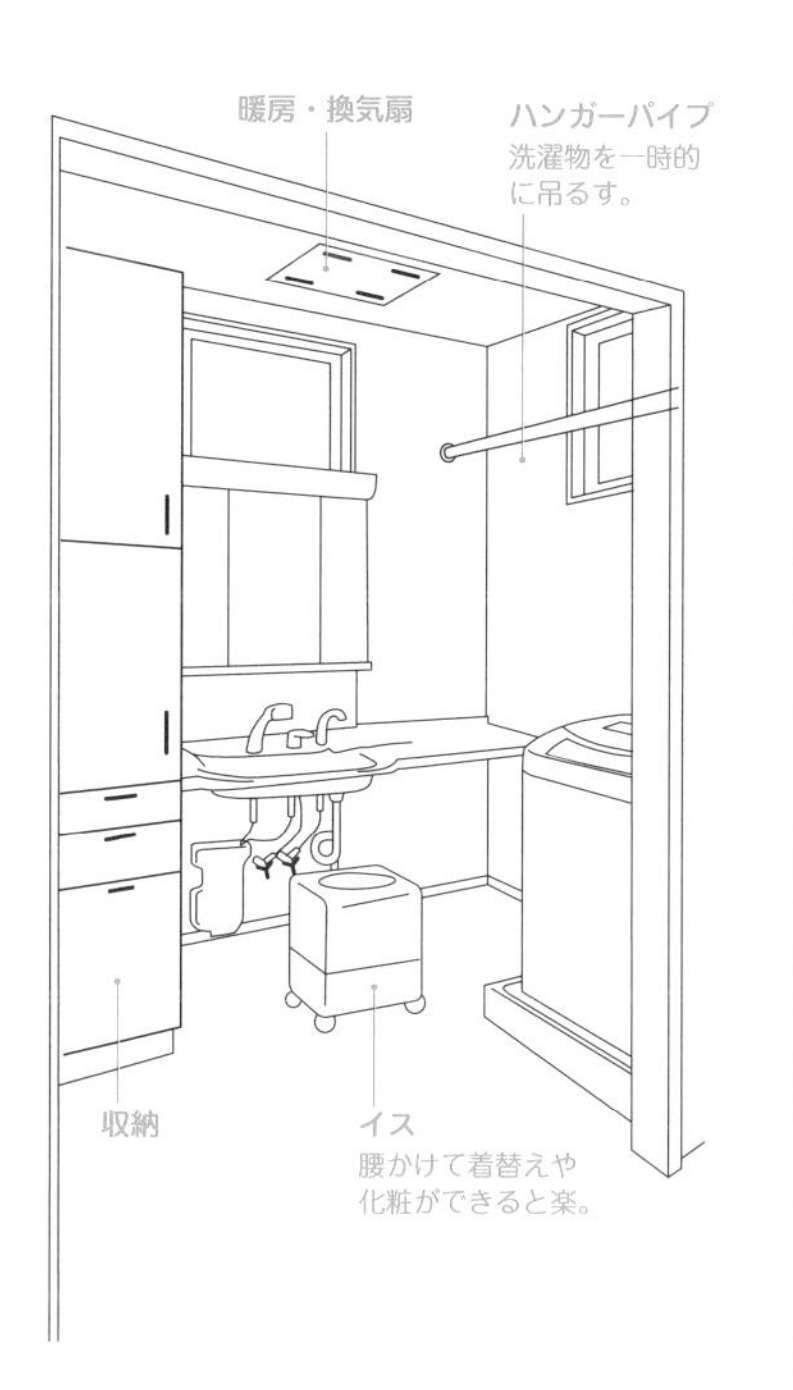

物干しハンガーや腰掛けられる椅子があると便利。暖房や換気扇も重宝する。また、洗面台に出しておくのは、石けんやコップ程度にして、細々としたものは、扉の中にすっきりしまうのがポイント。

072

トイレは手入れしやすく

トイレは、家族用と来客も使用の2カ所あると便利だ。1階のトイレは、来客にも気持ちよく使ってもらうことを考え、ストック品や掃除道具は隠し、飾り棚を設けると美しい。

清潔を保つ素材選びも重要だ。汚れやすい床は掃除のしやすさを優先する。ビニルシートやタイルなら目地の防汚性に気をつけよう。木製なら塗装されたものを選ぶ。壁も腰下は拭ける素材に、腰上にはにおいを吸着、分解するような壁材を使うのもよいだろう。

トイレのサイズ

高齢者がいる家に限らず、トイレはバリアフリーにしておきたい。将来、介助が必要になることも考えて広めにつくっておこう。手摺りをつけたり、新築時に設けなくても、後から取り付けられるように壁を補強しておくとよい。収納は手洗器とセットのキャビネットや、吊戸棚、壁に埋め込むタイプなど、コンパクトで効率よくしまえるものを選ぶ。

一般的なサイズ

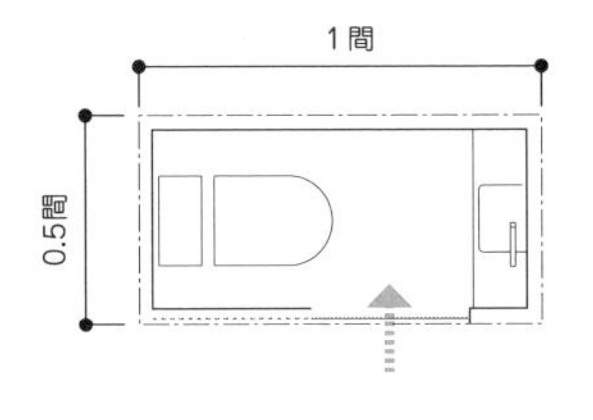

コンパクトなサイズ

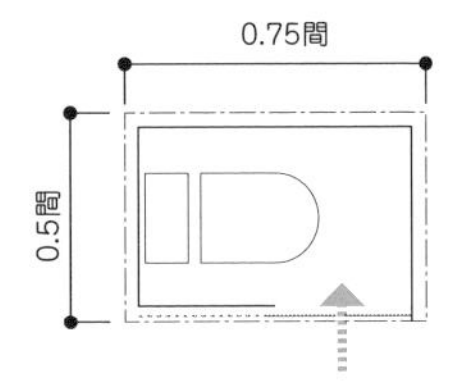

小便器ありサイズ

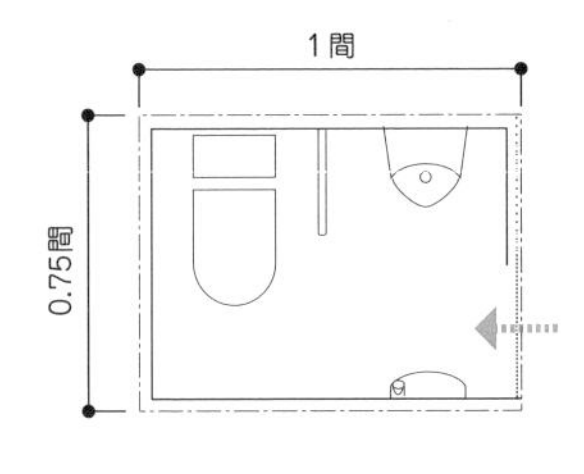

車椅子でも利用できるサイズ

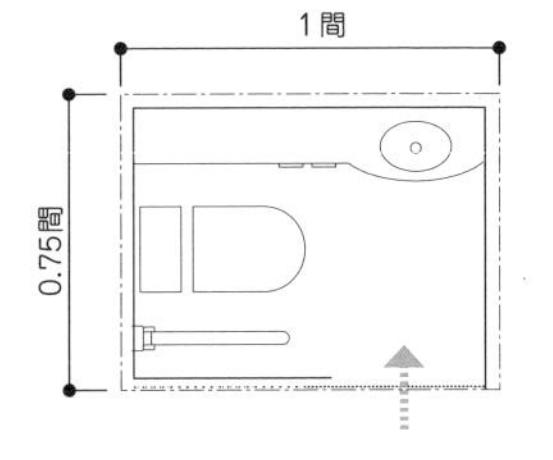

引込み戸

出入口は開閉や体の移動に無理のない引戸がよい。間取り上で引戸にするのが難しい場合は、「引込み戸」（図）なら、ドアの軌跡がコンパクトなため、体を大きく動かさずに開閉できる。

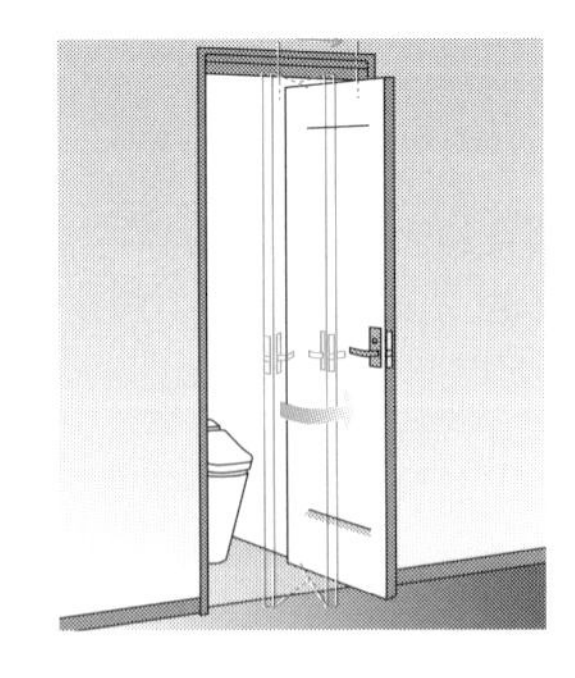

073

取り出しやすい収納

現代の生活では買い物の機会が多く、不要と分かっていながら、そのままになっているものも少なくない。収納の量を考える前に、まず自分が管理できる範囲の物だけをもつよう習慣づけたい。

使い勝手のよい収納の決め手は奥行きにある。前後に置かなくても済むように、しまう物に合わせて奥行きを決めるとよいだろう。家事や趣味を行う場所、生活の動きに合わせて、出し入れしやすい場所を計画するのが、使える収納のカギである。

収納場所

たくさんの物を効率よくしまうことは大切だが、それが収納の目的ではない。住まいにあるすべてのものは、しまうためにあるのではなく、使うためにある。収納とは、「使う物の、使わないときの定位置」ととらえ、使う際に取り出しやすく、簡単にしまえることを考えよう。合わせて「どこにしまうか」にも気を配る。家事や趣味を行う場所、生活の動きに合わせて、出し入れしやすい場所を計画するのが、使える収納にする鍵である。

■ 収納を示す

使う時に使いやすいようしまうことが、収納を考えるうえで大切なポイント。量ばかりにとらわれず、何をしまうかをイメージしよう。

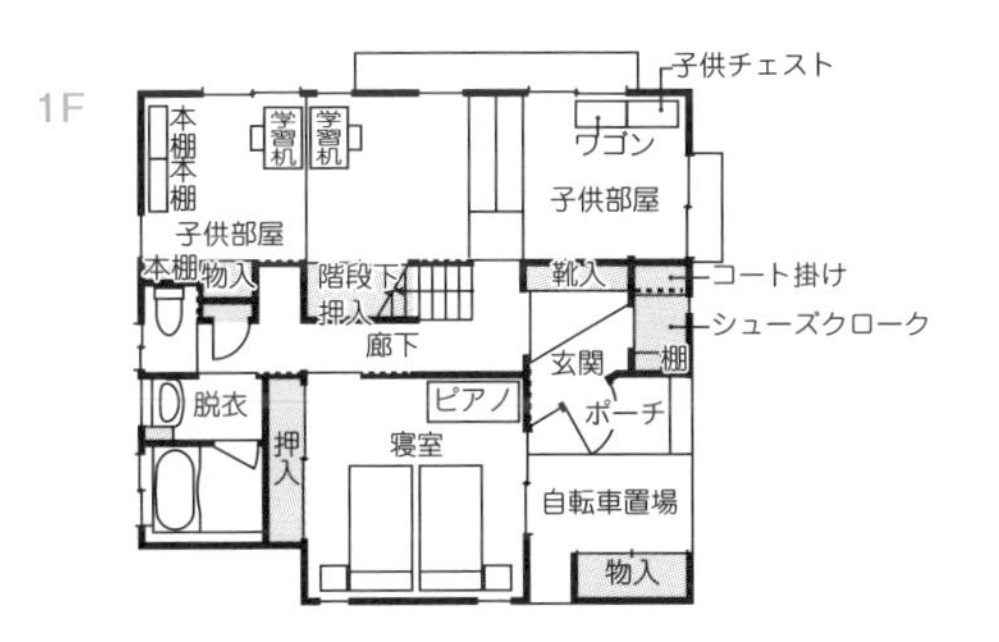

収納の棚の奥行き

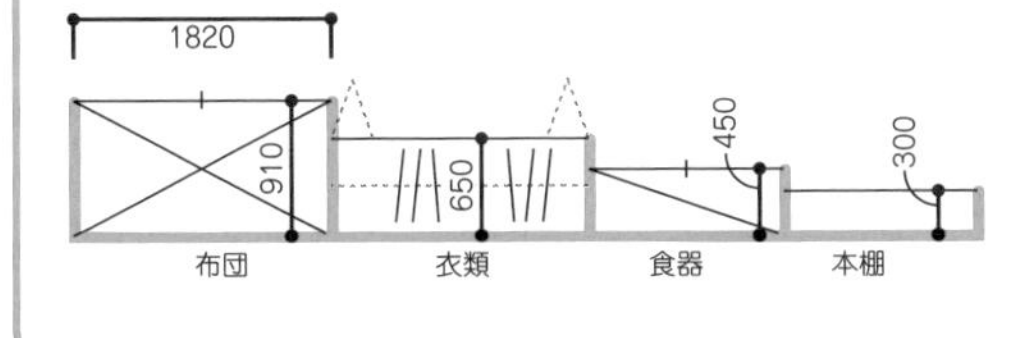

深い棚はたっぷり入って、一見有効そうだが、物を前後に並べてしまうので、奥の物が見えずに取り出しにくい。たとえば、押入れの天袋がその最たるものだろう。収納が物であふれる原因には、「見えない」→「存在を忘れる」→「ないも同然」という図式がある。

074

衣類の収納場所を考える

どこの家庭でも、増え続ける衣類の収納には頭を悩ませているのではないだろうか。これらは、各部屋のクロゼットやタンスに収納し、家族の1人ひとりが自分の衣類を管理することが前提だが、子供のいる家庭や少人数家族では、衣類収納室を設け、家族の衣類を1カ所にまとめる方法もある。家族の生活パターンに合わせた位置にあるとよりよさが生きる。着替えもできるように十分な広さを取り、姿見や暖房設備が備わればさらに使いやすい場所となる。

1カ所にまとめて収納

洗濯スペースそば

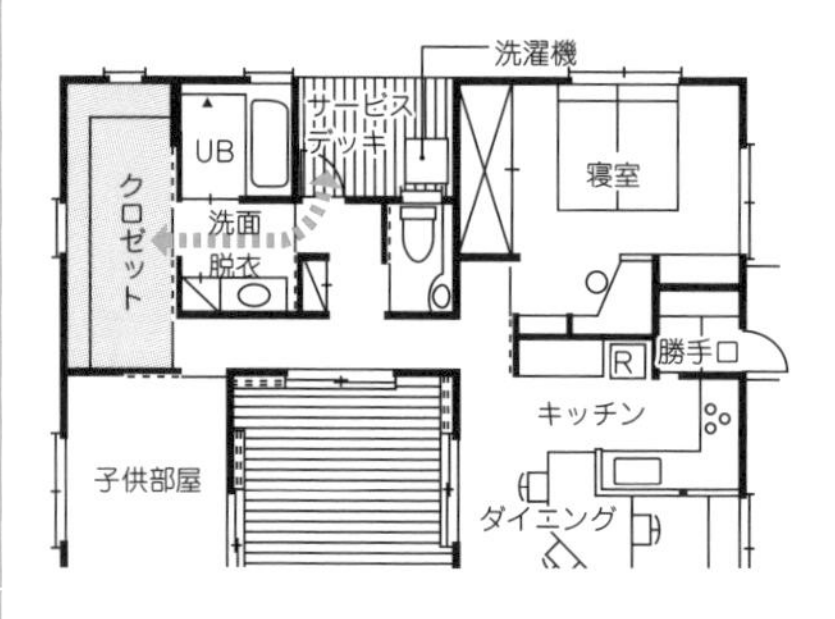

クロゼットから着替えをとる、脱いだ衣類を洗濯機に運ぶ、取り込んだ洗濯物をしまうという3つの作業を効率よく行える配置。子供部屋にも近いため、部屋で着替える際にも不便はない。

玄関そば

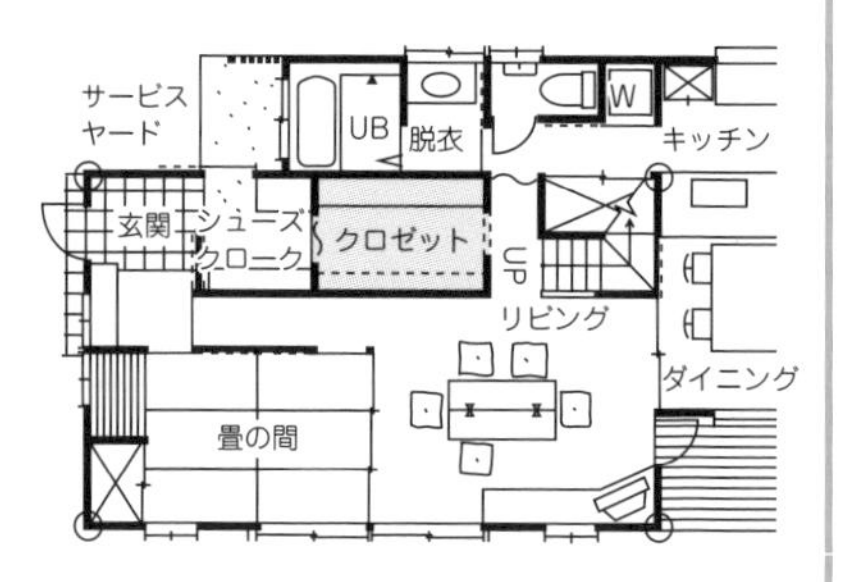

玄関そばにコート類や通勤・通学着などを入れておくクロゼットを設けた例。玄関からも直接出入りでき、帰宅後すぐに着替えたい父の通勤着や、子供の普段着なども収納する。脱衣所からも近いので、下着類の収納も可能だ。

ウォークインクロゼットのサイズ

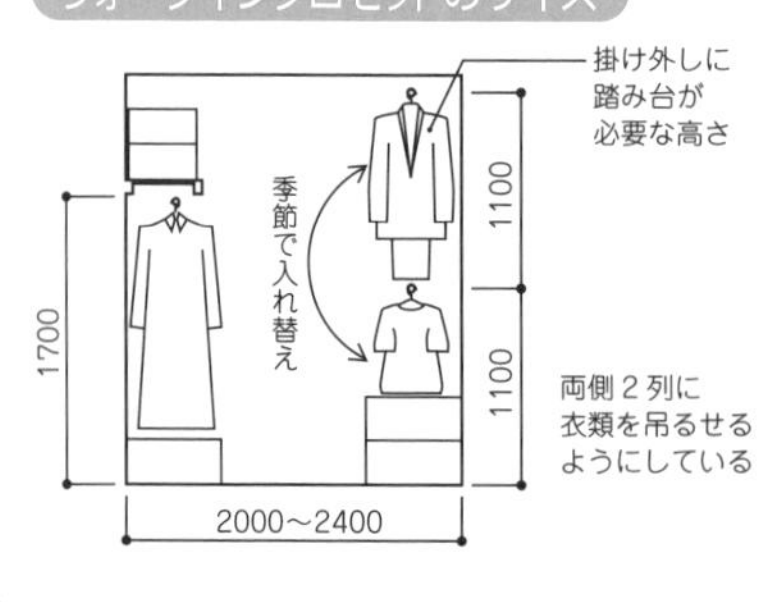

ウォークインクロゼットは、内部に引き出しや棚を細かく設けないほうがよい。物をつめすぎて取り出しにくくなるからだ。固定棚1枚とハンガーパイプ程度がよい。パイプの高さは持ち服を想定して決める。吊るさないものの収納は、手持ちの整理タンスを持ち込むか、市販の収納ケースを利用しよう。

075

雑貨類はどこに片づける？

リビングやダイニングなど家族で過ごす部屋に、収納が少ない家がよくある。リビングは、テレビを見たり、本や新聞を読んだり、編み物などの趣味が行われることも考えられる。ダイニングまわりにも小さな雑貨類が多い。これらの物に定位置がないと当然散らかり、片付けるのが面倒で、出しっぱなしになる…。

リビングや食卓まわりに収納を設け、すべての物に置き場所をつくり、「使ったら戻す」ことが簡単にできるような収納をつくろう。

小上がりの下を利用した収納

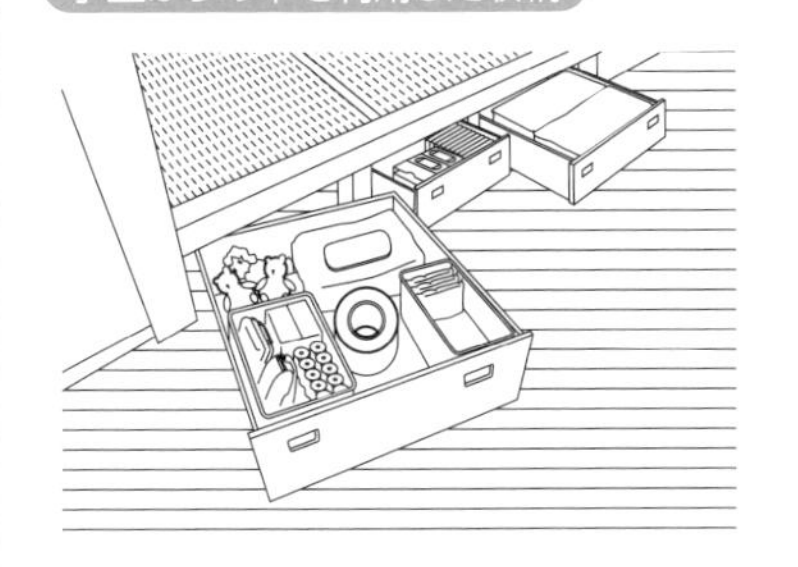

畳の小上がりの下を収納にし、「使ったら戻す」が簡単にできるようにする。この場合、引き出しをキャスター式にしておけば、ある程度大きなサイズでつくっても出し入れがしやすい。

リビングの収納

細々とした雑貨類が上手く収納されず、物でごちゃごちゃしがちなリビングは、壁面を利用して収納にするとよいだろう。この場合は、窓の位置を考えながら計画することに注意したい。

食卓まわりの収納

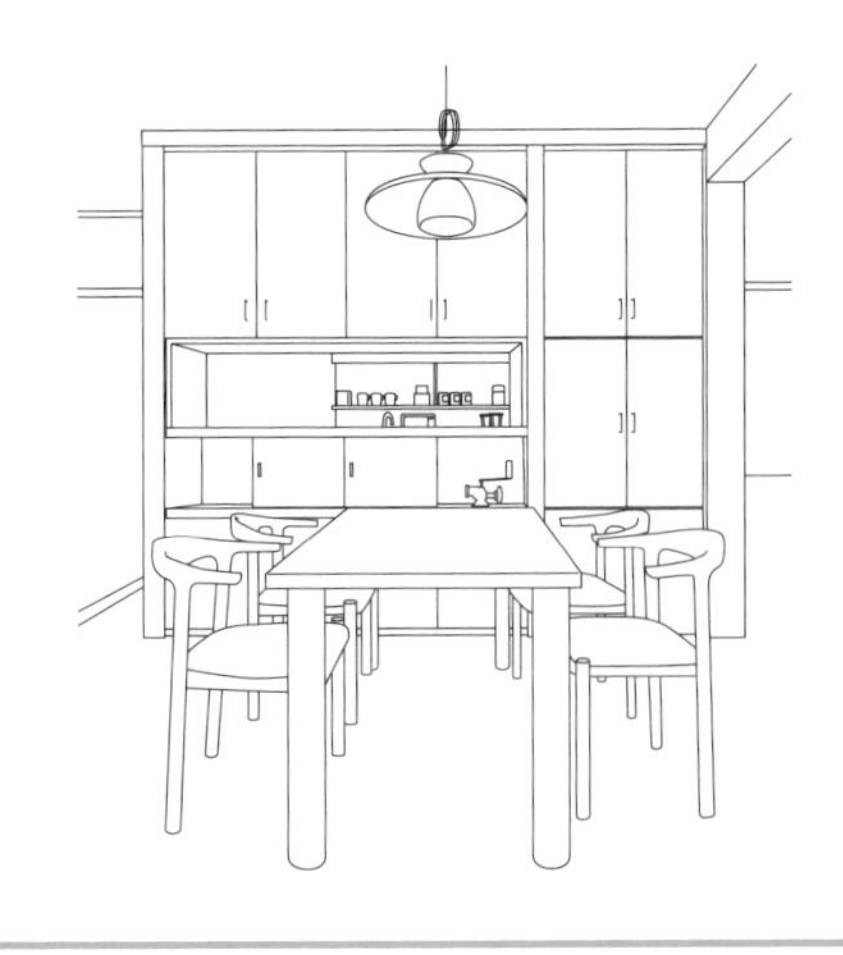

卓上調味料、箸立て、急須やお茶葉、ティッシュ、リモコンなど、食卓の上は物が溜まりがち。そこで、近くに取り出しやすい収納を設け、片付けやすくしよう。棚の戸は、テーブルや卓上のものとぶつからないように引戸にする。また、子供の宿題や家計簿つけなどを行うこともあるだろう。やりかけのものを一時的に移動させるスペースをつくっておくと便利だ。

076

たまに使うものは納戸へ

季節ごとに使い分ける冷暖房の機器や家具、スポーツ・レジャー用品、年中行事に使う品々、客用の布団・座布団など、どこの家にも実に多くの「たまに使う」物がある。これらは、保管場所＝納戸をつくってまとめておく。家族共有の物だから、廊下や共有スペースから出入りできる場所がよい。布団や暖房器具、雛人形などは、使う場所が決まっているし、階をまたいで運ぶのは大変であるから、1階と2階の両方に、小さめでよいので設けると有効に使える。

各階に置きたい物の例

1階納戸に置きたい物

①季節用品

扇風機、ストーブ、こたつ、すだれ、電気カーペット

②スポーツ・レジャー用品

ゴルフ、スキー、キャンプ、テニス、野球、スーツケース

③行事用の品

雛人形、クリスマス、こいのぼり、お盆用提灯

④いつか使おうと思っているいただき品

器、酒、タオル、油

2階納戸に置きたい物

①予備の寝具

来客用、座布団、冬夏用布団

②美術品

絵、掛け軸、壷

③記念品

アルバム、賞状、ランドセル

④玩具

ぬいぐるみ、人形、ゲーム機

⑤本

⑥着なくなった服

納戸の寸法

納戸は、高いところを無駄なく使うために吊り棚を取り付けるくらいにして、必要以上に棚を設ける必要はない。手持ちのタンスや本棚があれば十分である。また、湿気に弱いものも多いので、小窓や換気口も必要。物でふさがないよう、部屋の隅は避けよう。

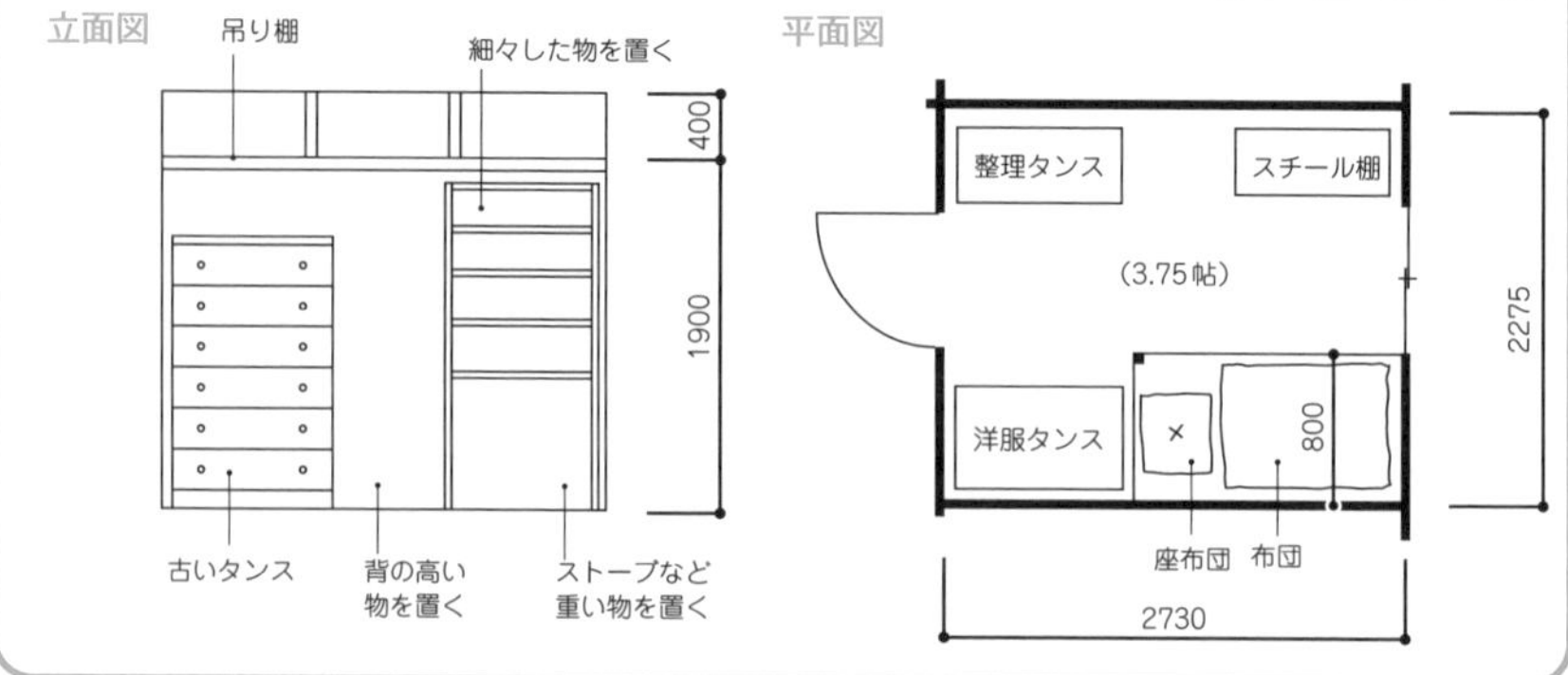

077 押入れと外物置があると便利

布団収納のためや間取り上、押入れを設ける場合がある。ただし、従来のような押入れのつくりでは、奥行きが深すぎるのと、天袋内が見えず、物の出し入れがしにくいうえに、死蔵品を生みやすい。内部を見渡せる工夫が必要だ。

一方、家の外には外物置を設置しておきたい。庭仕事の道具や車用品などを収納するのに便利である。ある程度大まかにつくっておいて、数年ごとに中身の見直しをすると、生きた使い方ができる。

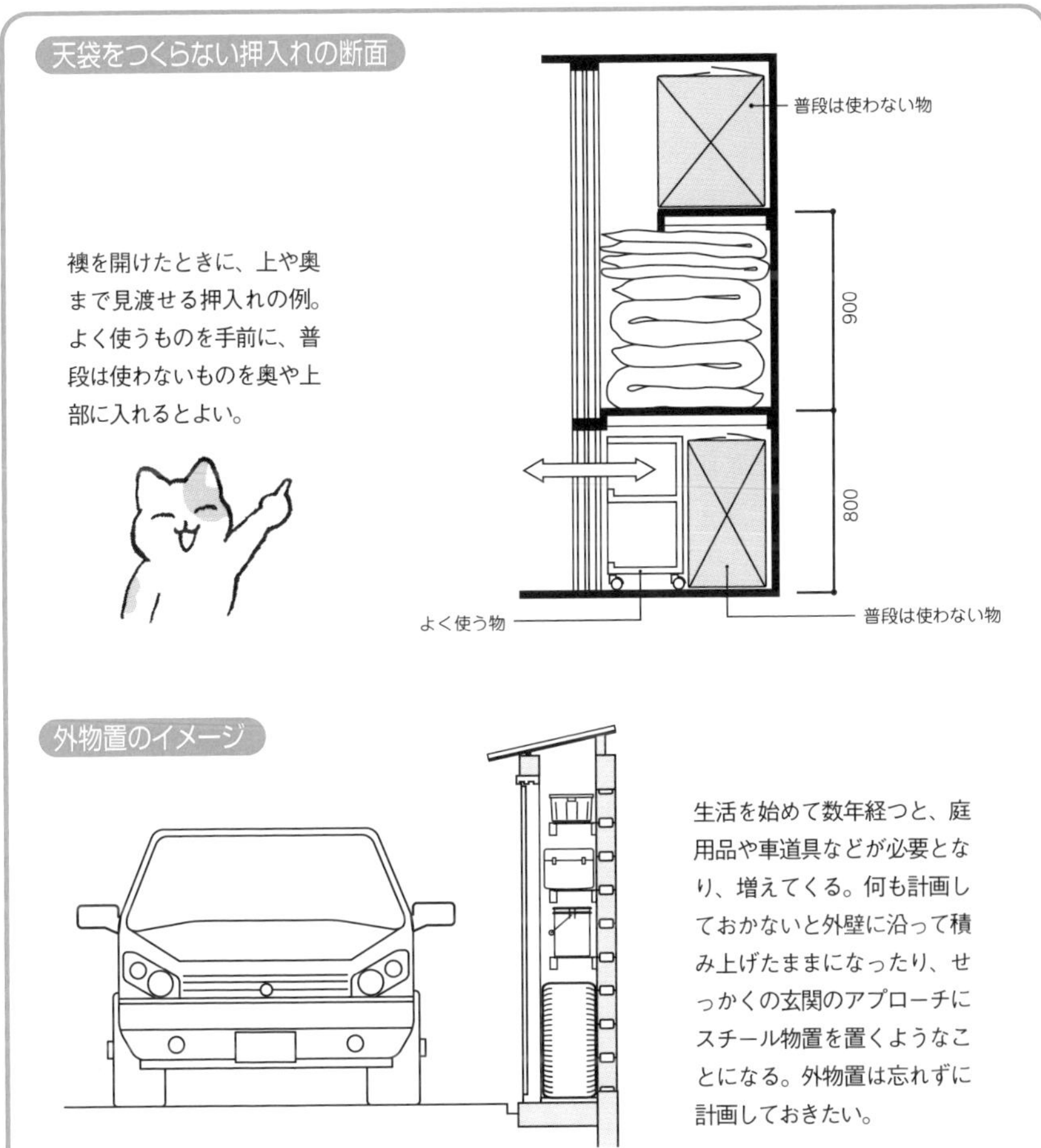

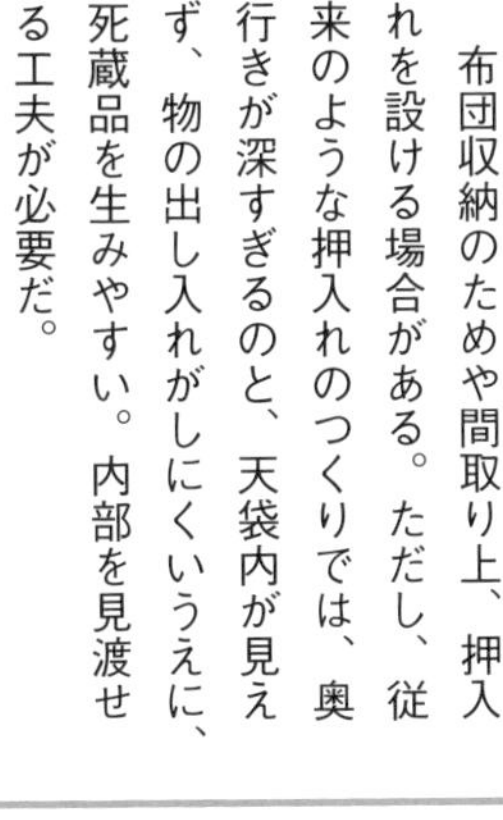

襖を開けたときに、上や奥まで見渡せる押入れの例。よく使うものを手前に、普段は使わないものを奥や上部に入れるとよい。

生活を始めて数年経つと、庭用品や車道具などが必要となり、増えてくる。何も計画しておかないと外壁に沿って積み上げたままになったり、せっかくの玄関のアプローチにスチール物置を置くようなことになる。外物置は忘れずに計画しておきたい。

078

寝室は何畳必要か？

近年寝室は、ベッドを部屋の中心に置く主寝室スタイルが主流。寝ること以外に、テレビを見てくつろぐ、パソコンをするなど、なにを行うかによって必要な広さや収納のボリュームが決まってくる。

下図に寝室の基本の広さを示した。洋室でつくる寝室の最低の大きさは7畳だが、ベッド2台を置くと、家具を置くスペースはなくなる。和室で布団敷きにする場合の標準的な広さは6畳。タンスを置くスペースを0・25間、設けるとよい。

寝室の基本的な広さ

7畳

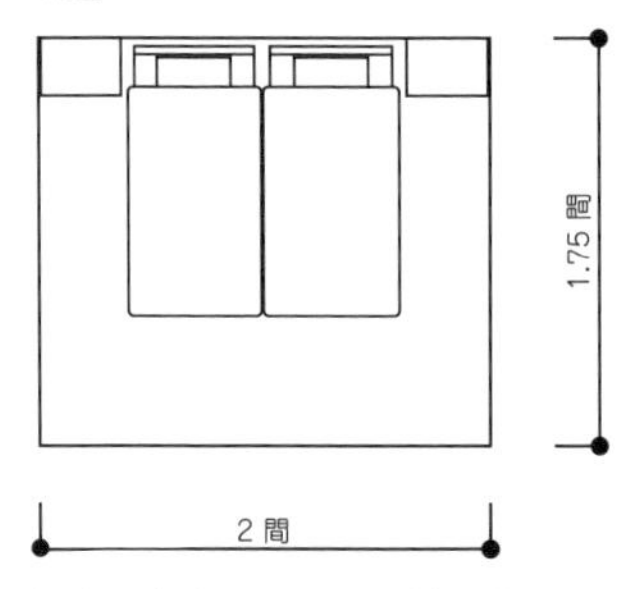

洋室の寝室としては最低の大きさ。ツインベッドではタンスは置けない。

7.5畳

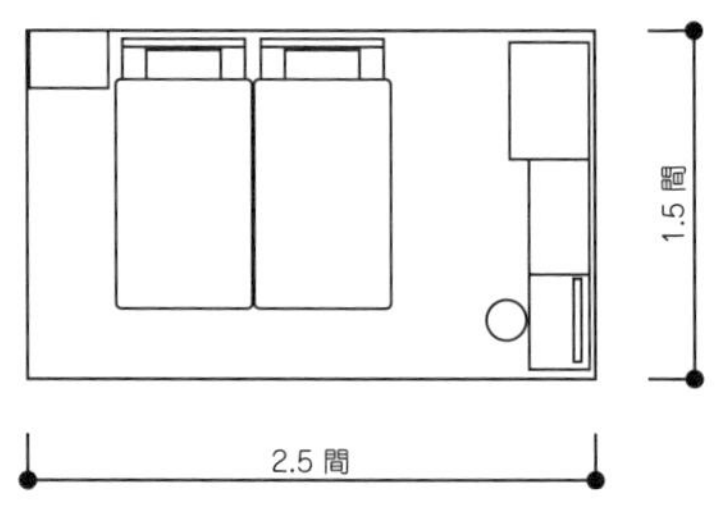

ベッド2台とタンスなどを置く、最小のスペース。ベッドの足元は1人がギリギリ通れる幅が確保できる。

8畳

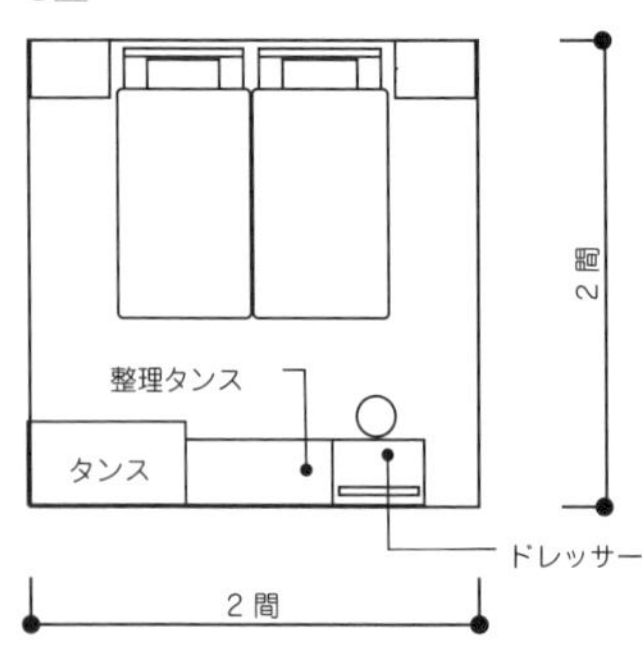

過不足のない大きさ。ベッドを並べて置く場合は、それぞれのベッドサイドに人が立てるようなレイアウトにすること。

和室7畳

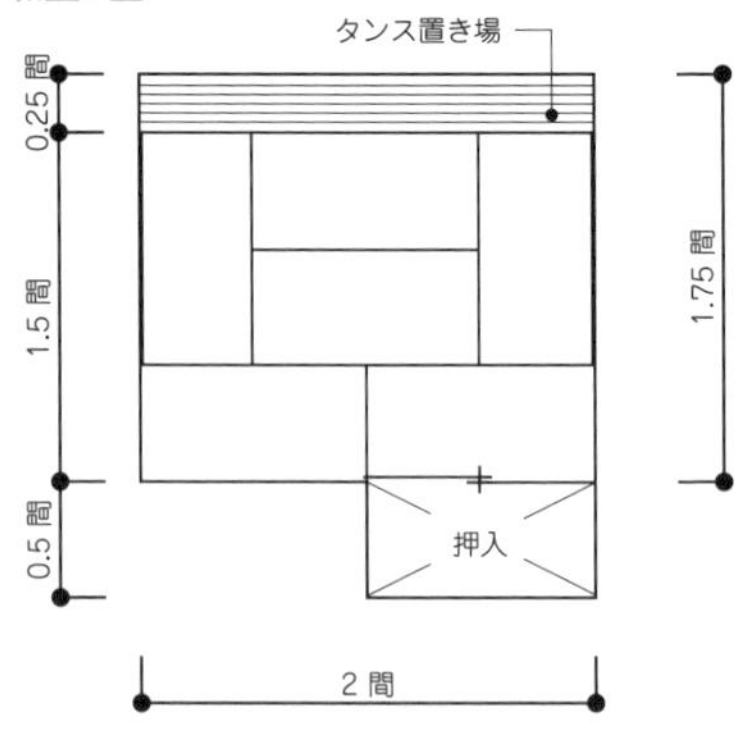

和室の寝室の標準的な大きさは6畳だが、タンス置き場を0.25間幅設けるだけで布団を敷いても十分な広さを確保できる。

079

気持ちよく眠れる寝室づくり

健康に暮らすために睡眠は食事と並んで重要な要素である。快適に眠るための寝室づくりを考えてみたい。
まずは、通風と換気。寝室は湿気が溜まりがちなので、南北または東西に風が抜けるような間取りが必要となる。次に大切なのが、採光・日当たり。窓から差し込む朝日は気持ちのよい目覚めを与えてくれる。東側に面しているなら、ぜひ窓を設けたい。さらに、家族であっても、寝室でのプライバシーには配慮したいところだ。

2階の奥に位置する寝室

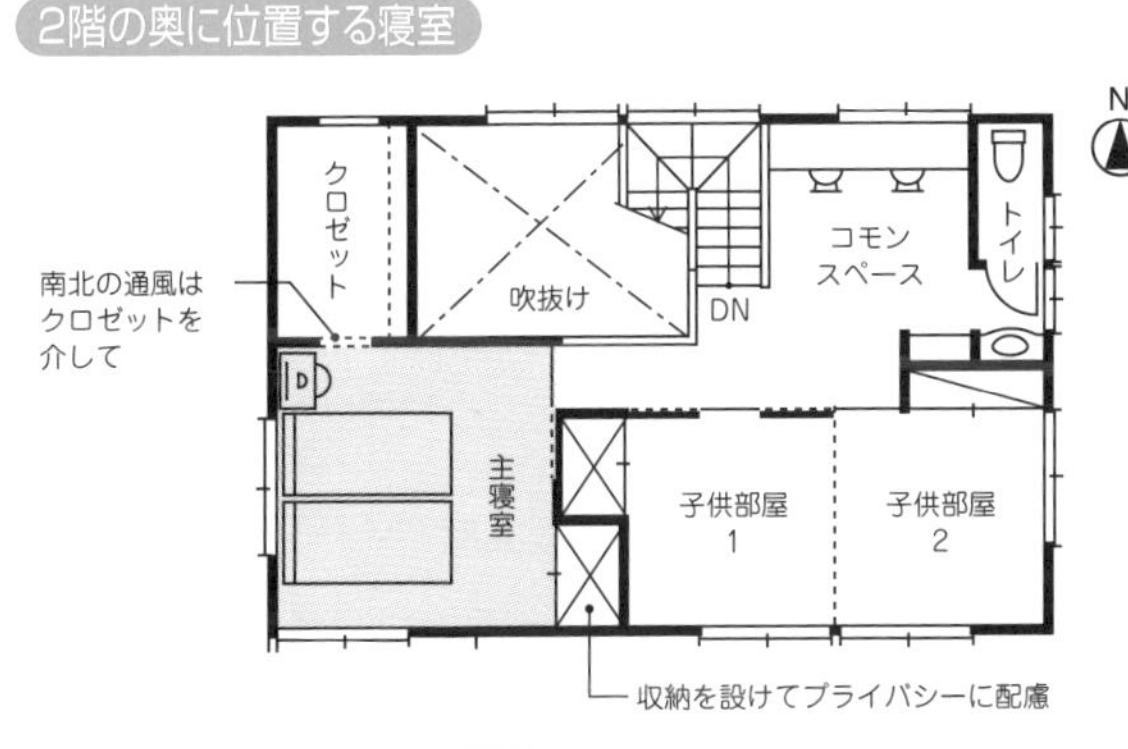

隣り合う子供室とは、間に物入れを設けて、プライバシーに配慮している。南北の通風はクロゼットを介してとることができる。

1階で茶の間と隣り合う寝室

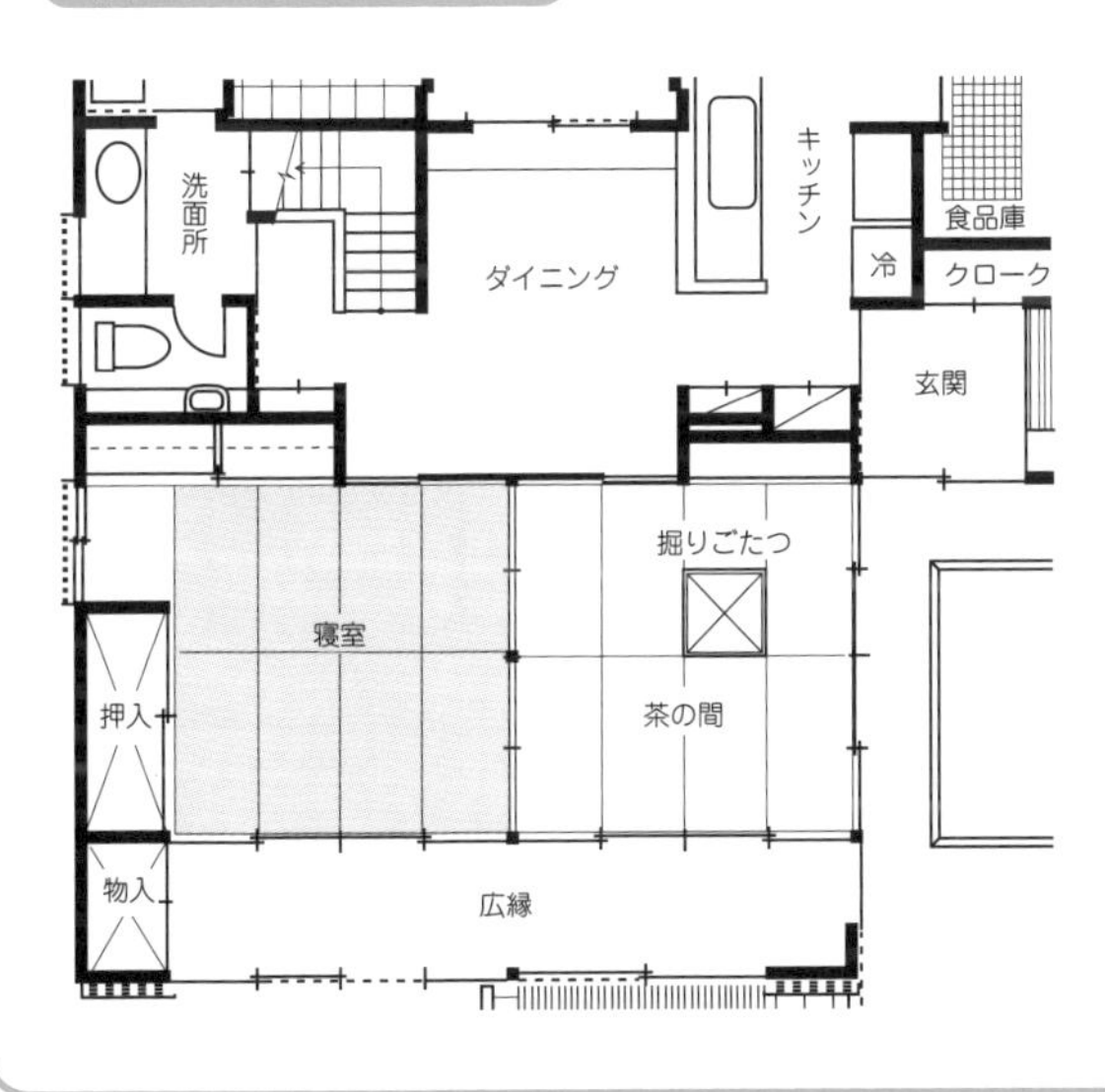

はめ込み式の襖戸を外すと、茶の間とつながり、2間続きの和室として仕える寝室。昔ながらの田の字プランに通じるつくりである。

080 寝室の機能性を高める

寝室は、寝るだけでなく、くつろぐ場所でもある。落ち着いた内装にしたり、照明の明るさを抑えたり、1日の終わりを過ごすのにふさわしい空間にしたい。また、寝室以外の機能をもたせ、より過ごしやすい部屋にすることもできる。

たとえば、寝る前に入浴するなら、浴室を隣接してはいかがだろうか。また、あると便利なのが、畳敷きの小間だ。夫婦別室は、完全に別室とするよりほどよい距離感を持たせておくといいだろう。

寝室と和室が隣接

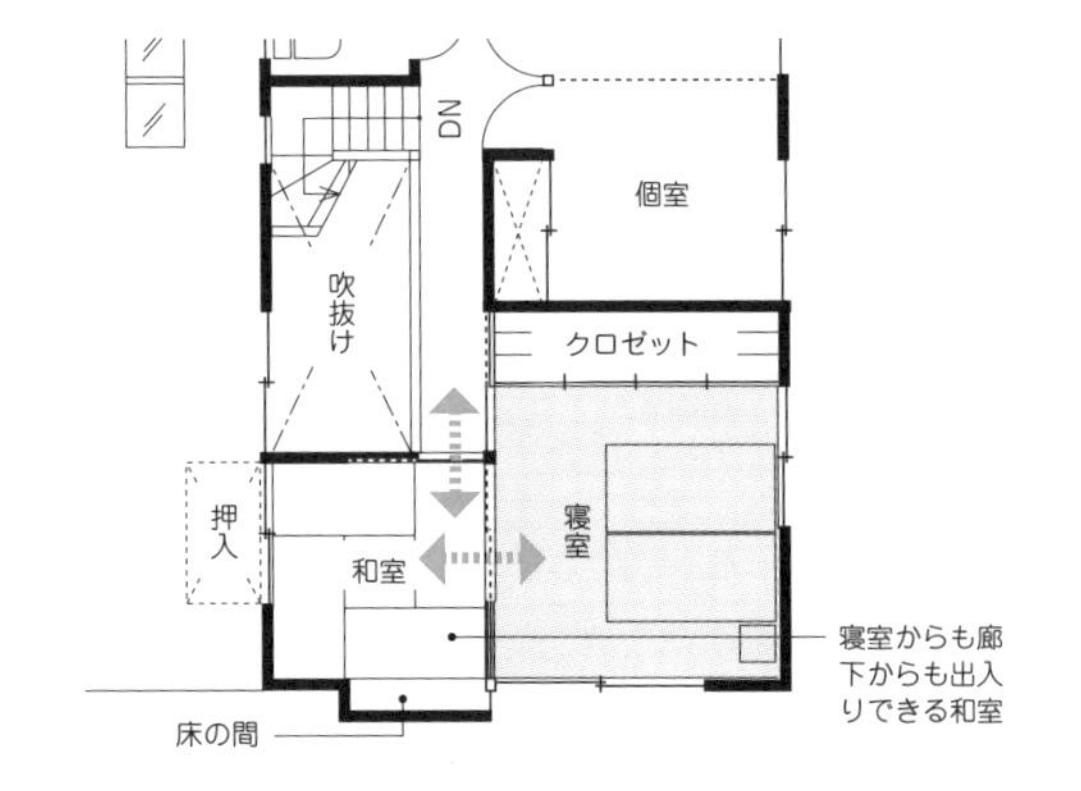

畳敷きの和室（小間）を茶の間にしたり、和服を着替えるスペースとして利用できる。夫婦どちらかが風邪を引いたときなどに、布団を敷いて別々に休むことも可能だ。

2室に分けられる寝室

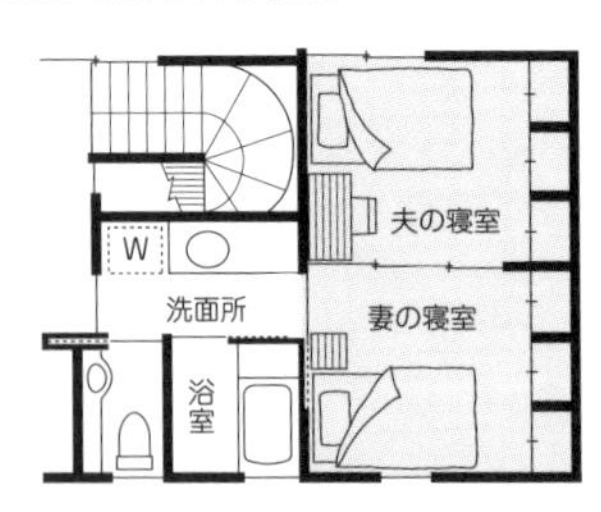

夫婦別室のポイントは、完全に切り離さずに、お互いの気配を感じられるほどよい距離感をもたせること。1部屋をクローゼットや家具などで仕切るだけでもよいし、隣接した2部屋を襖で区切り、必要なときだけ、部屋を分割できるようにしておくのもよいだろう。

寝室の近くに浴室

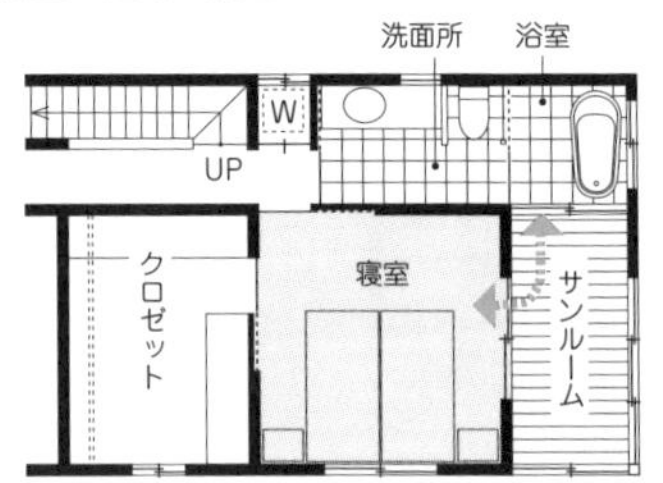

浴室からサンルームを介して、寝室へアプローチするプラン。入浴後にすぐにベッドで横になることができ、体が冷めにくいメリットもある。また、湯上りにリラックスできるスペースを設ければ、就寝前のひと時をゆったり過ごすことができる。

081 家族とつながる子供部屋

子供はある年齢になると1人になれる場所を必要とする。このとき大事な役目を果たすのが子供部屋だ。

独立性の高すぎる子供部屋は、幼い子はうまく活用できず、それ以降は親の目が届き難いのが問題となる。部屋を出ればすぐ家族に入っていけるような距離感を大事にしたい。2階なら、リビングやダイニングに階段を設け、上り下りのたびに顔をあわせる位置にしたり、子供部屋からリビングを見下ろせるよう、吹抜けに面してつくるのも一案だ。

共用・分室に対応する子供部屋

各室に勉強机を置かず、共用のデスクを使う方式。

机
クロゼット
コモンスペース
主寝室
子供部屋
5畳　5畳　5畳
ベランダ

オープンに使うと15畳の広間。仕切れば収納を含め各室5畳ずつに分けられる。

兄弟姉妹がいる場合は、複数部屋分のスペースを用意し、子供同士で同じ空間を「共有」することから始めるのがよい。上の子が下の子の面倒をみたり、兄弟同士で折り合いをつけてスペースを使うことを学んでいくようになる。最初から個室をつくる場合は、一方を共用の勉強部屋、もう一方を寝る部屋にする方法もある。

成長に合わせて変化する間取り

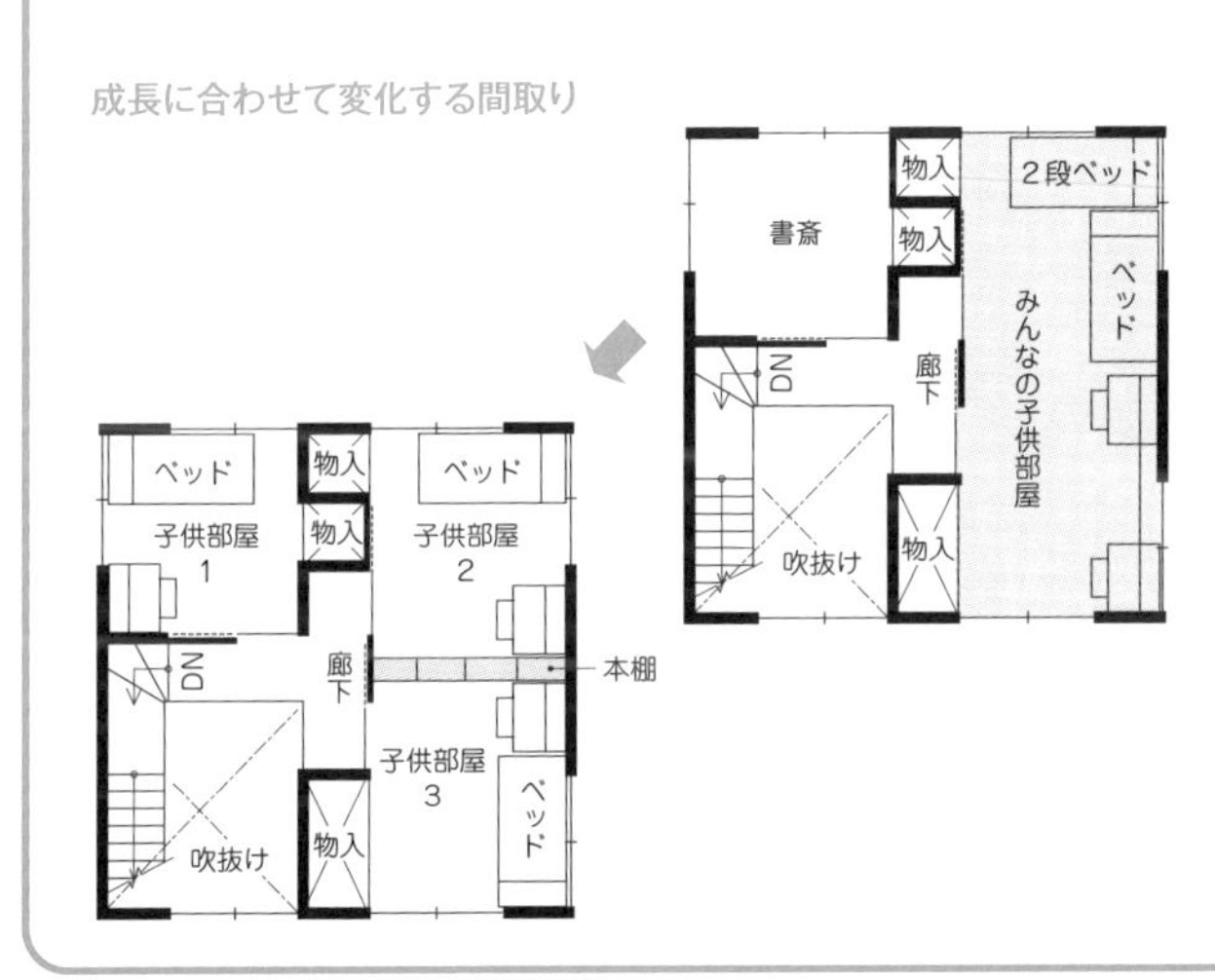

3人の子供がいる家庭の例。はじめは3人でワンルームを使っていたが、受験を控えた一番上の子どもは父の書斎を譲り受けた。下の2人は共有していた部屋を、本棚や洋服入れなどの家具で仕切り、2つに分けて使っている。将来的には、間仕切り壁や建具を設けて対応することも可能だ。

082

ロフトの上手なつくり方

屋根と天井のあいだに生まれる三角形の空間を利用したロフトや屋根裏収納。いずれも法的には区別がなく「小屋裏物置等」として扱われる。床面積や階数に算入されない空間だが、天井高や広さなどは一定の条件を満たす必要がある。

2階の屋根裏収納は取り外し可能なはしごを設置して使うのが一般的だが、荷物を片手で持ち、昇降そのものが不安定になる。日常的に使うものや重く大きな物の収納には向かないことを知っておこう。

1階吹抜け上を利用したロフト

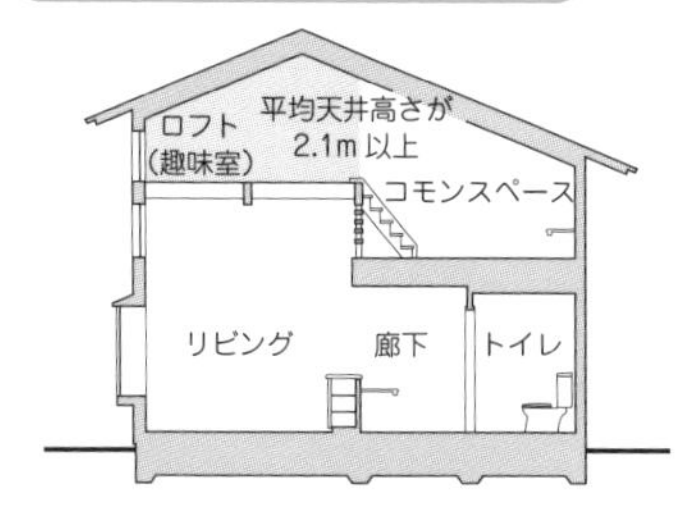

ロフトは、書斎や、子供部屋、趣味のスペースなどにも使える。この場合、使いやすくするために、ある程度の天井高と、上り下りしやすい階段やはしごが必要となる。さらに「小屋裏物置等」の扱いにはならないので、2階の床面積として算入することになる。

1階屋根裏利用の物置

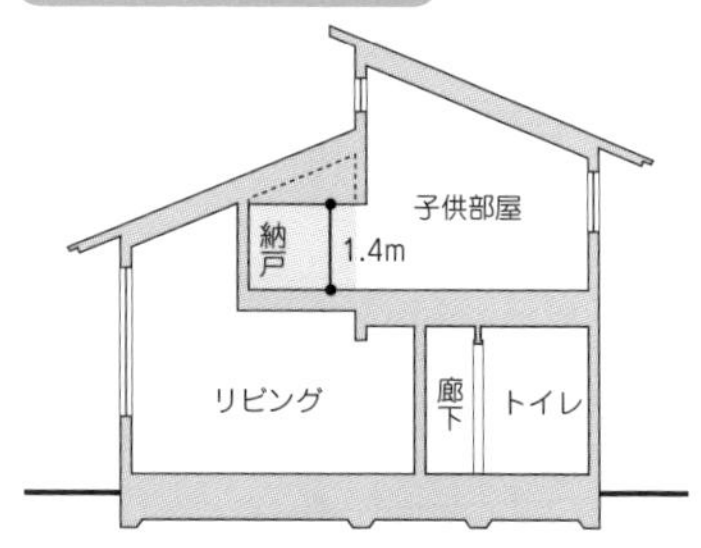

1階の天井裏に、2階の部屋から出入りできるような収納をつくると、はしごなどの上り下りをせずに荷物を出し入れできるので便利だ。ただし、天井高は1.4m以下になる。かがんで作業する点を頭に入れておきたい。

「小屋裏物置等」の定義

2階の屋根裏に設ける場合、2階の床面積の1/2未満で、天井の高さは1.4m未満が条件だ。使用用途は収納に限定される。この条件を超えると「小屋裏物置等」の扱いから外れ、建物全体が3階建てと見なされ、2階建てよりも厳しい法規制が課される。

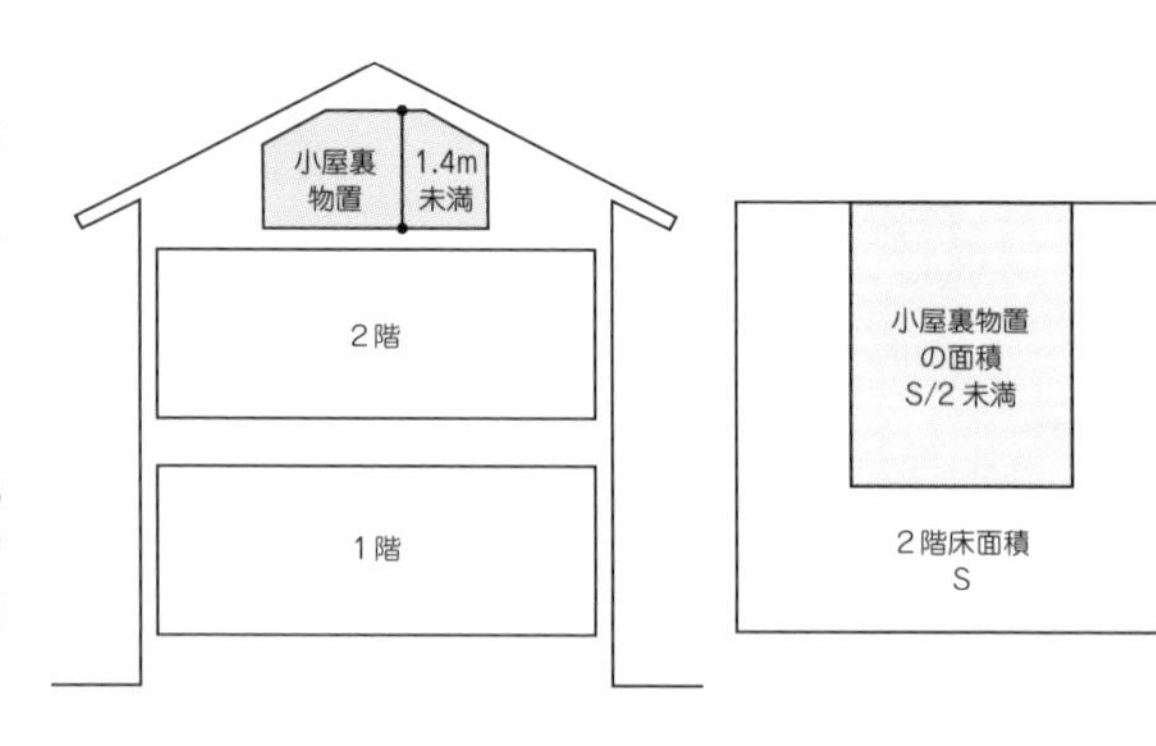

083

地下室で広さを確保する

地価の高い都市部では、地下室をつくることも少なくない。食品庫やワインセラーにしたり、防音性に優れているためシアタールームやピアノ室などに使われている。

地下室は建物の延床面積を制限する容積率の緩和を受けられるため、「延床面積の3分の1を上限に、容積率に加えなくてもよい」という利点がある。3階建て以上の建物が建てられない地域でも、地下室は対象にならない。居室として使用する場合は、採光や換気を確保したい。

地下室のある家

地下室を居室として使用するためには、コンクリート壁に防水・防湿性能をもたせて、採光・換気のためのドライエリア（からぼり）を設ける、排水をポンプアップするなどの措置が必要になる。また、完全に埋め込まず半地下にして、地上に出ている部分（1m以下）で採光や換気をするという手もある。居室の天井高と埋め込み深さ（天井高の3分の1以上）の規定をクリアすれば地下室扱いになる。

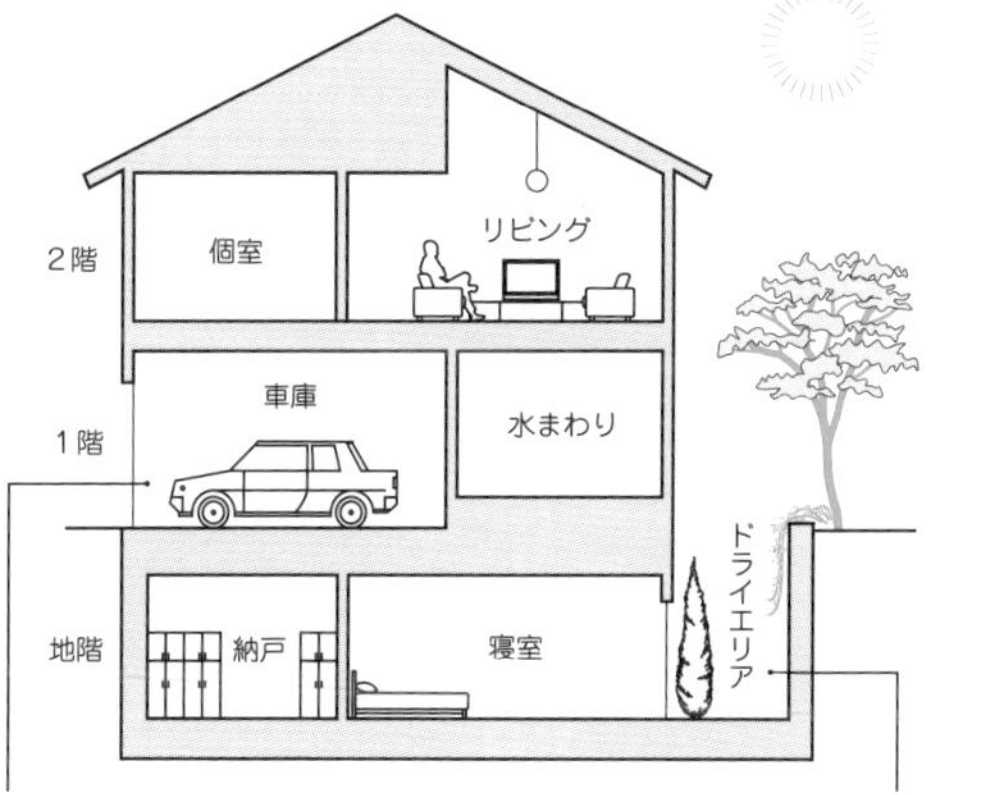

1階部分を車庫にする場合、地階に居室をつくれば、全体の部屋数を確保できる可能性がある。車庫スペースも容積率の緩和（延床面積の5分の1上限）が受けられる。

ドライエリアは、地下室の壁面の一部分を囲むように掘り下げた空間のこと。地下室の採光や換気環境を保つために設ける。開口や奥行き、深さなどに規定がある。

容積率の緩和

「敷地の容積率は100㎡まで」という上限があったとしても、地階から2階までで合計150㎡の面積でつくることができる。ただし、地下室はコストがかかる。地上の木造部分に比べ、単位面積あたり1.5～2倍の費用が必要になることを頭に入れておきたい。

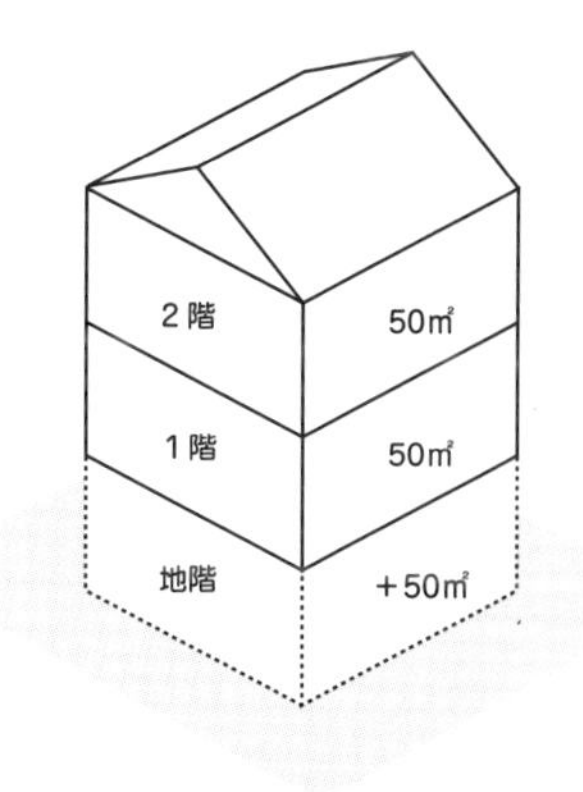

084

アプローチは住まいの顔

アプローチとは、道路から玄関までの通路のこと。その住まいの印象を左右する家の顔のような存在ともいえる。一般的に家は敷地の北側に寄せることが多いため、北側に道路があるとアプローチの長さがとりにくい。このような場合は、玄関を側面に設けるとよい。

表札、インターホン、郵便受け、照明など必要な機能を門柱にまとめるとすっきりする。また、駐車場もアプローチの一種。使いやすい動線を考えよう。

玄関の設け方

北入り玄関

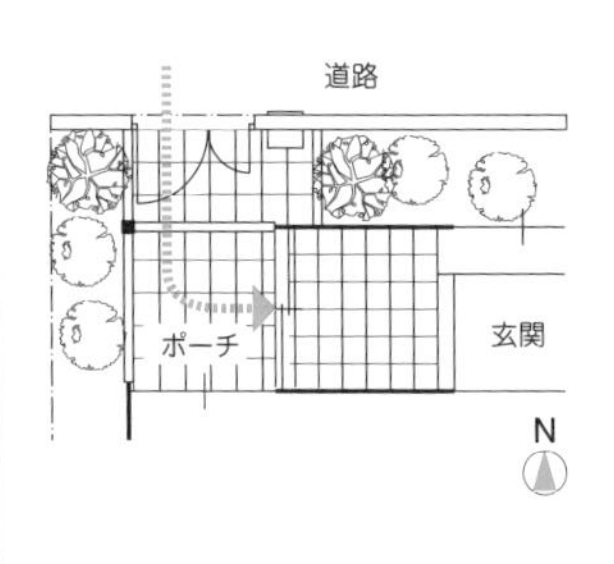

東または西入り玄関

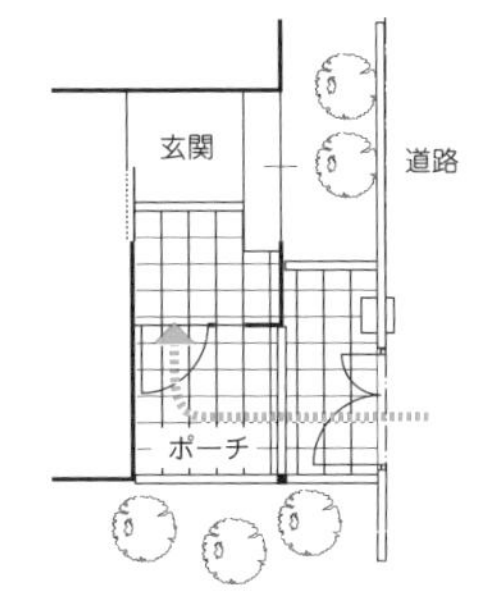

左側の図は、敷地に対して北側に寄せた家で、北側に道路がある場合の例。玄関の出入口を北側ではなく側面に設けると、90度に折れたアプローチになり、落ち着きが生まれる。敷地に余裕がない場合でも、東や西に玄関を設ける工夫をしたい。

アプローチとつながる駐車場

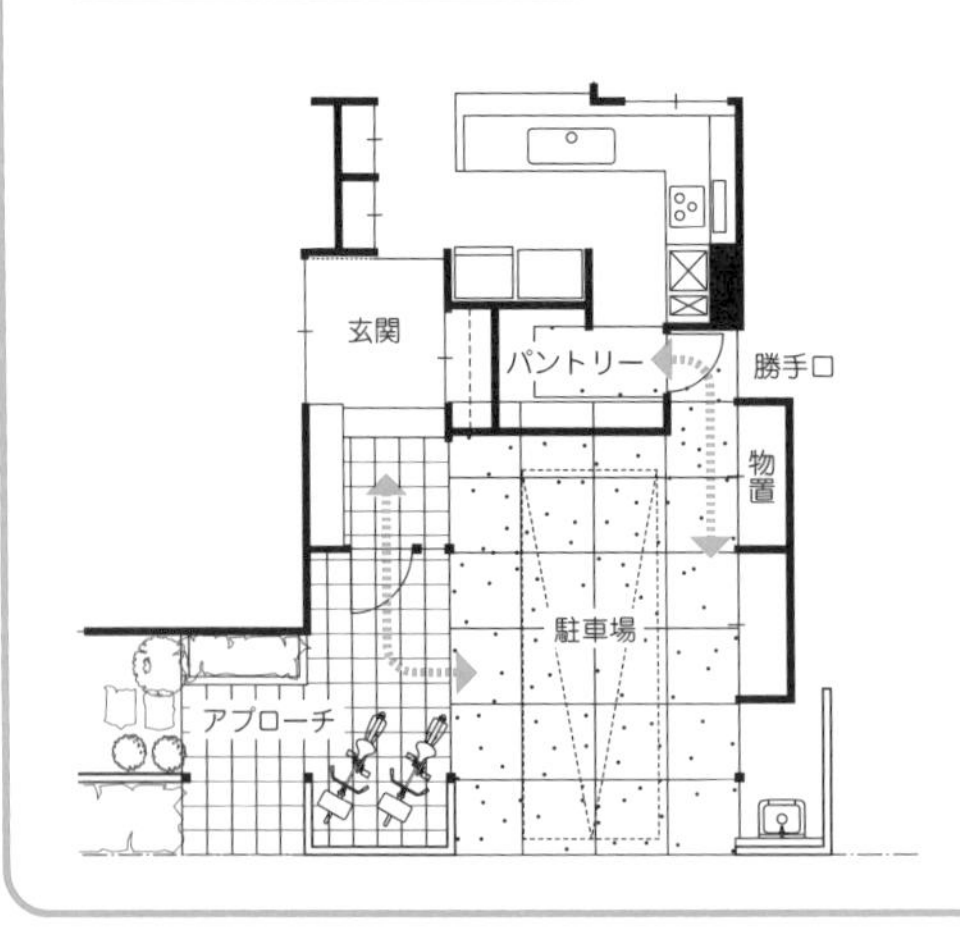

駐車場は、車の出入がしやすいことに加えて、車を降りた後から家までの動線が上手に考えられていると、使い勝手がよくなる。また、駐車していないときの外からの見え方にも気を配りたい。屋根をかけて、子供の遊び場や作業スペースに利用するのもよいだろう。

085

素敵な玄関で家族と来客を迎える

家の出入口である玄関は、人を温かく迎える場所でありたい。防犯に配慮しつつ、ガラス入りの扉やスリット窓を設けるなどして、内側からも外側からもほどよく雰囲気が伝わる工夫をしよう。

廊下と一体化させず、建具で仕切って独立した空間にすれば、冷たい外気の進入を防げるし、来客を迎える場所としても都合がよい。また、片付いた玄関は、家族にも来客にも気持ちのよい印象を与える。下駄箱はもちろん、十分な収納を設けたい。

玄関のベンチと靴入れ

玄関には、身なりを整えるための姿見や、小さくてもよいのでベンチをつくり付けておくことをおすすめする。ベンチがあると靴の脱ぎ履きが楽にできるし、宅配の荷物や買い物袋をちょっと置くのにも便利である。

接客のできる4畳半の玄関

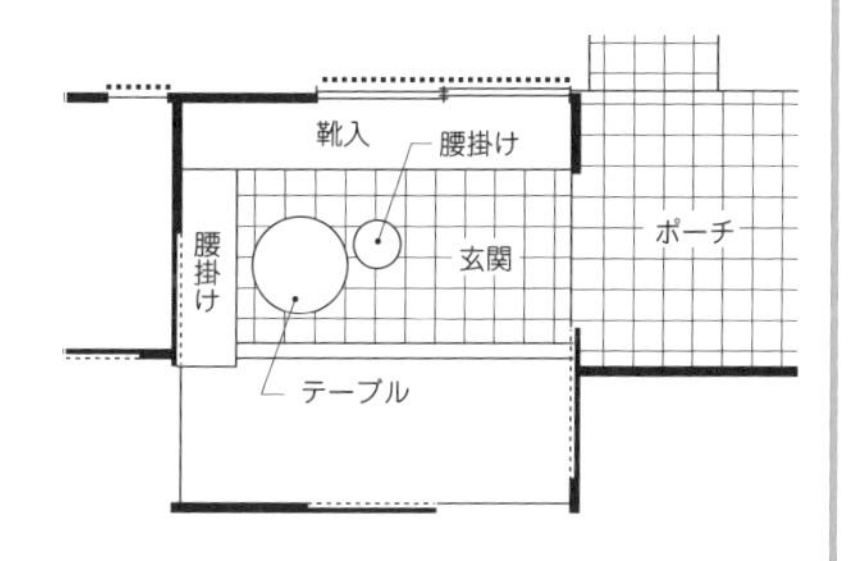

玄関は、出入口以外の使い方もできる。腰掛けて話せる椅子やテーブルを置いたり、温室のように植物を並べたり、趣味のものを飾るディスプレイコーナーをつくったり……。広く快適な玄関は使いやすいものだ。

動線に配慮した玄関収納

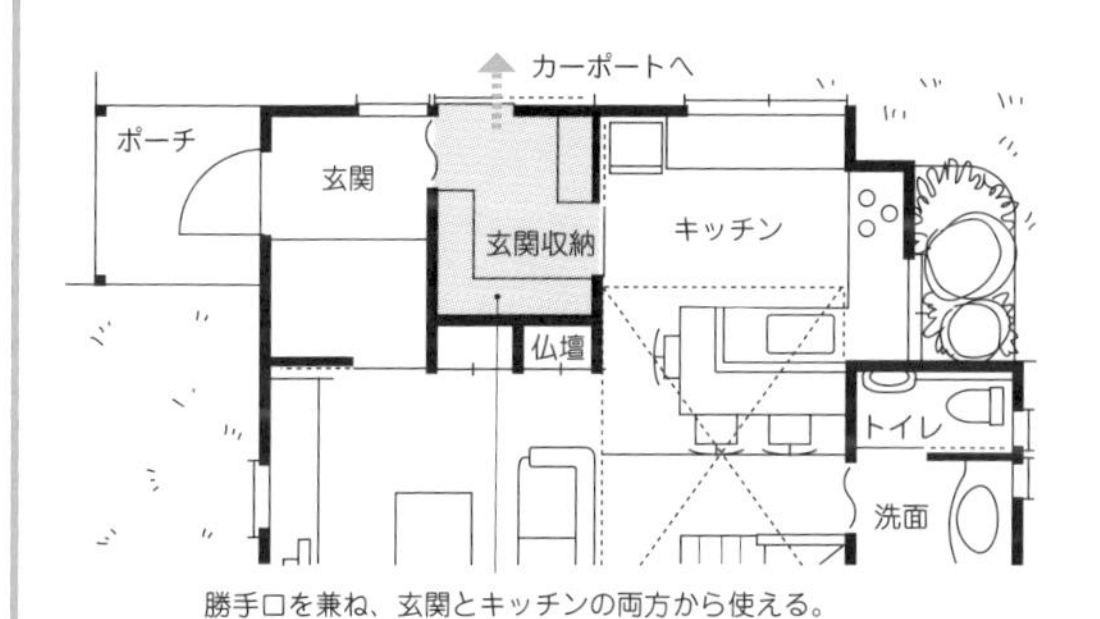

勝手口を兼ね、玄関とキッチンの両方から使える。

靴や傘以外にも、スポーツ・レジャー用品、コートや帽子、ベビーカー、掃除道具など、玄関に置くと便利なものは想像以上にある。下駄箱だけでは収まらないので、土足のまま使える収納室を付属すると重宝する。場所は、玄関だけでなくキッチンからも使えるとなおよい。買い物から帰ってすぐに荷物を置くことができるので便利だ。

086

家族をつなぐ階段

階段は上下階をつなぐものに違いないが、住宅ではそれ以上の意味をもつ。玄関から廊下を通って階段に直結するような間取りは、2階の子供部屋への出入りが、1階のリビングやキッチンからはうかがえない状況をつくってしまう。階段をリビングやダイニングの一角に設けるだけで、こうした状況は改善できる。階段は上下階の家族の居場所をつなぐものと考えよう。

安全を重視するなら十分な長さを取り、傾斜を緩やかにする。

階段の形

階段のかたちは、こうでなくてはならないというものはない。安全重視でより緩やかな階段を求めるなら、間取りを行うときに十分な長さを取っておくことが必要である。一般的に45度以下の勾配が望ましい。

1.5畳　直線階段

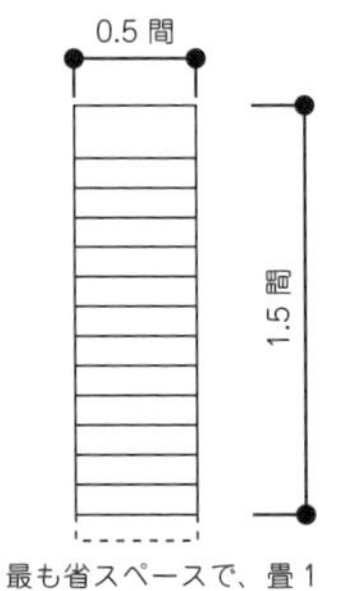

最も省スペースで、畳1枚半と覚えておくと間取りがしやすい。

2畳　折返し階段

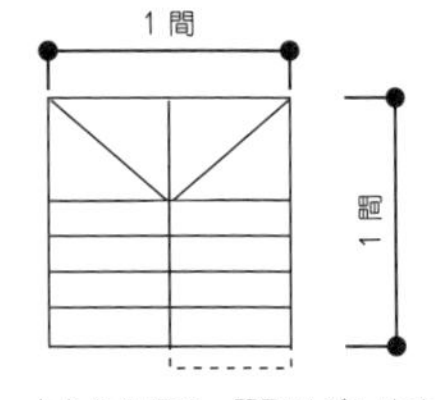

大きさ1坪で、間取りがしやすい。1畳の踊り場を5枚に割り込んでも昇降しやすい。

2畳　折返し階段

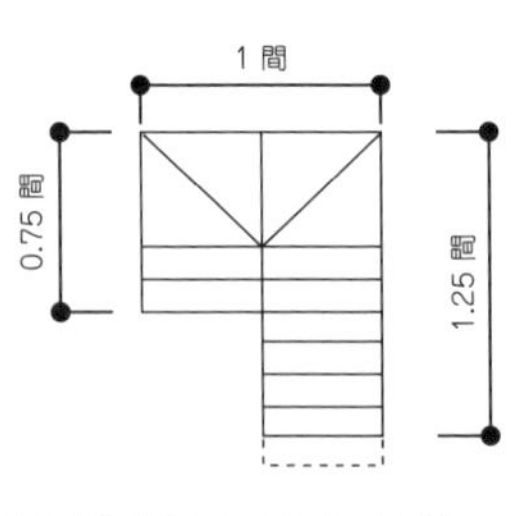

1坪階段のバリエーション。上り始めにかぶって床がくる場合や、階段下を通る場合のスタイル。

1.75畳　L字型階段

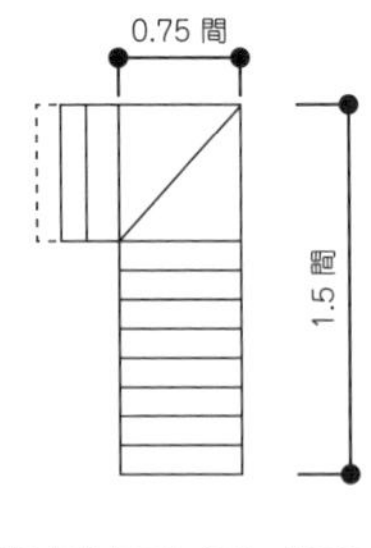

直角に折れるタイプ。どの位置で折れても、トータルで1.75畳の面積が必要。

2畳　かね折り階段

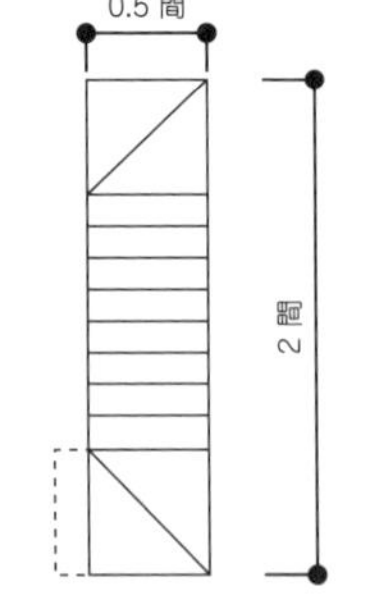

上り始めと下り始めの両方が折れるタイプ。畳2枚分。半畳大の踊り場の分割は、安全上2枚までとする。

注　いずれの図もどちら側からも上り下りが可能

087

多くの役割を果たす吹抜けと廊下

天井をつくらずに上階と一体化した空間を「吹抜け」といい、高窓を設けて採光したり、その高低差によって家中の空気を循環させたりさまざまな役割を果たす。しかし、最大の目的はリビングなどの上部を吹抜けにすることで、家族空間と個人のスペースをつなぐことにある。

廊下は、リビングを中心に、玄関や水まわり、個室が囲むような間取りであれば、あえて必要ない。とはいえ、他の機能をもたせた廊下を設けることもある。

吹抜け+階段のあるリビング

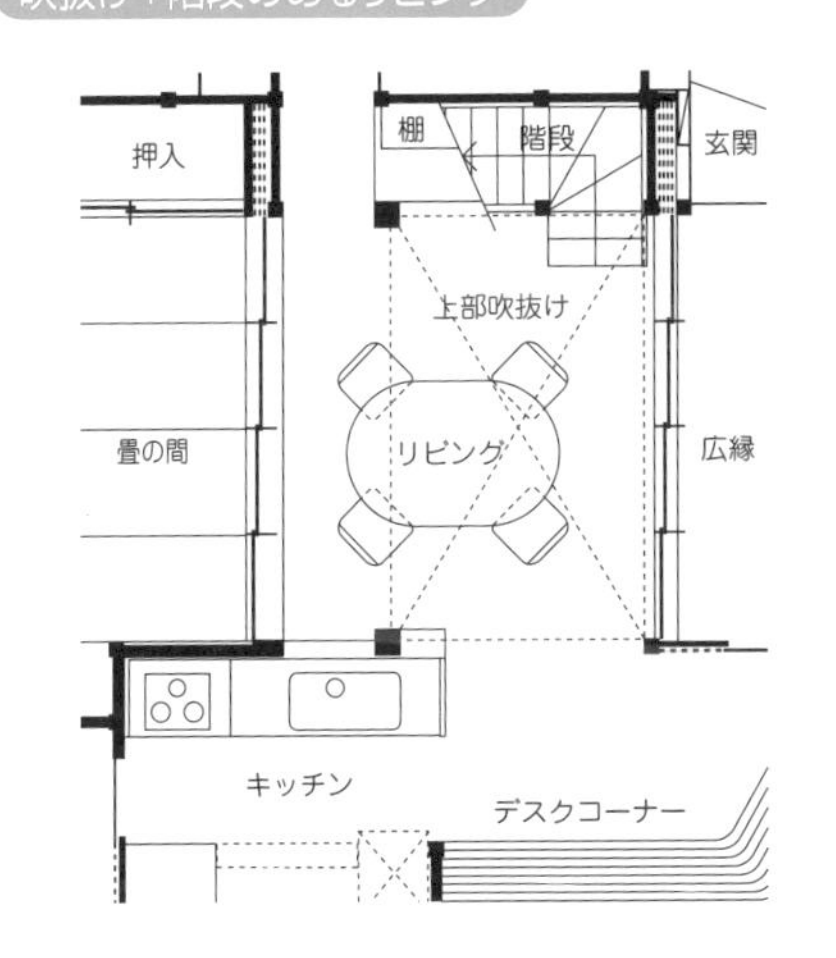

リビングの上部を吹抜けにすることで、広い空間ができ、伸び伸びと気持ちがいい。また、誰がどこにいても気配を感じられる住まいになる。1階部分は通りからの視線に配慮し、広縁を介しているが、吹抜けから十分な直射光が得られている。冬場は畳の間まで光が届く。

水まわりを兼ねた廊下

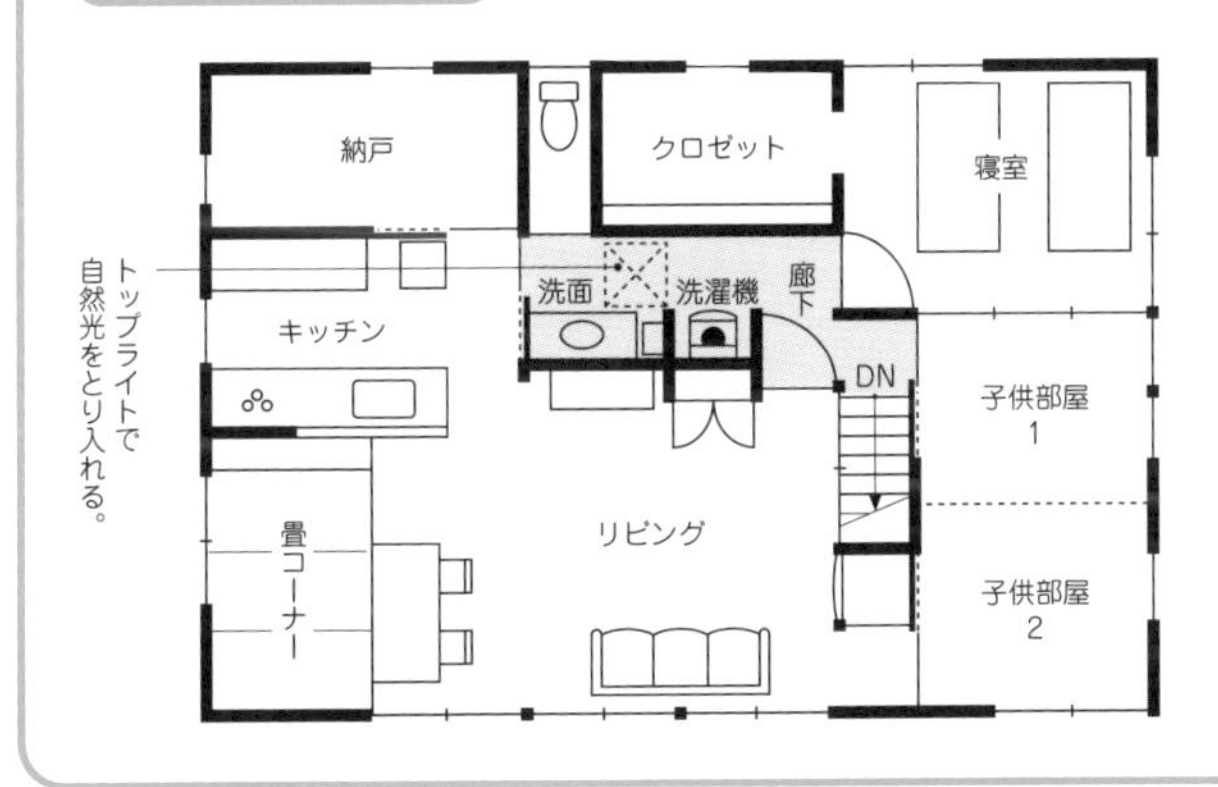

廊下の一部に水まわりを設けた例。廊下を廊下としてだけの機能にとどめずに、空間を有効に利用している。また、廊下の一部に本棚を設置したり、机を造り付けてワークコーナーにしたり、共有スペースとしての機能を持たせると合理的な使い方ができる。

088 土間・縁側で内と外をつなぐ

昔は、どの家にも土間や縁側があり、内と外を結ぶ中間領域として多様な使われ方をしてきた。土間は、農家では農作業の場であり、広い面積を割いてつくっていた。セメントがなかった時代は、土に石灰や水を混ぜたもので付き固めてつくられ、それをたたき棒で叩いて固めたことから、「三和土（たたき）」とも呼ばれている。

縁側は、和室の外側に設けた、細長い板敷きの部分。庭を眺める場として、近所とのコミュニケーションを図る場としても使える。

リビングやダイニングと一体となる玄関土間

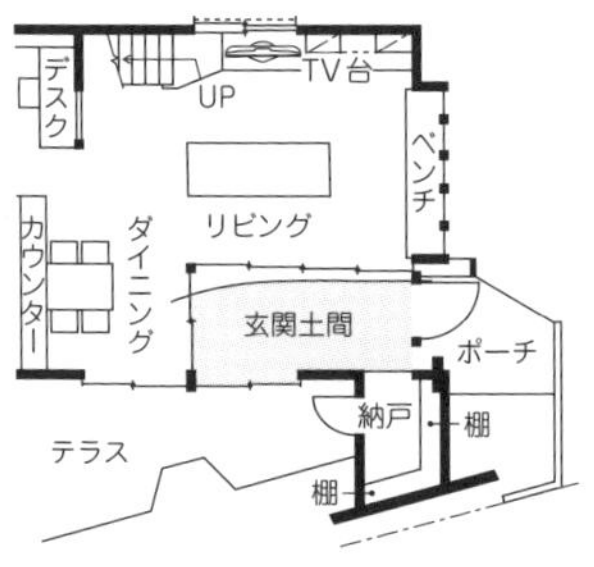

玄関土間をリビングやダイニングと合わせて広めにつくり、必要に応じて建具で仕切るようにしておけば、温暖な季節は広く使うことができ便利である。

土間（インナーテラス）をキッチンとつなげた例

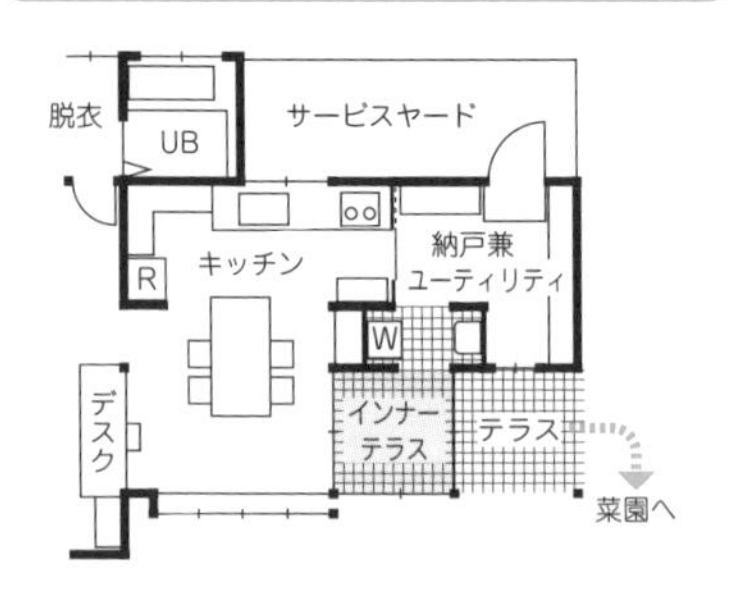

勝手口の土間を、思い切って広くしてみるのもよい。キッチンやダイニングとつなげてインナーテラスにすれば、泥の付いた野菜の下ごしらえや、炭を使った調理などにも使える。

町屋の通り土間

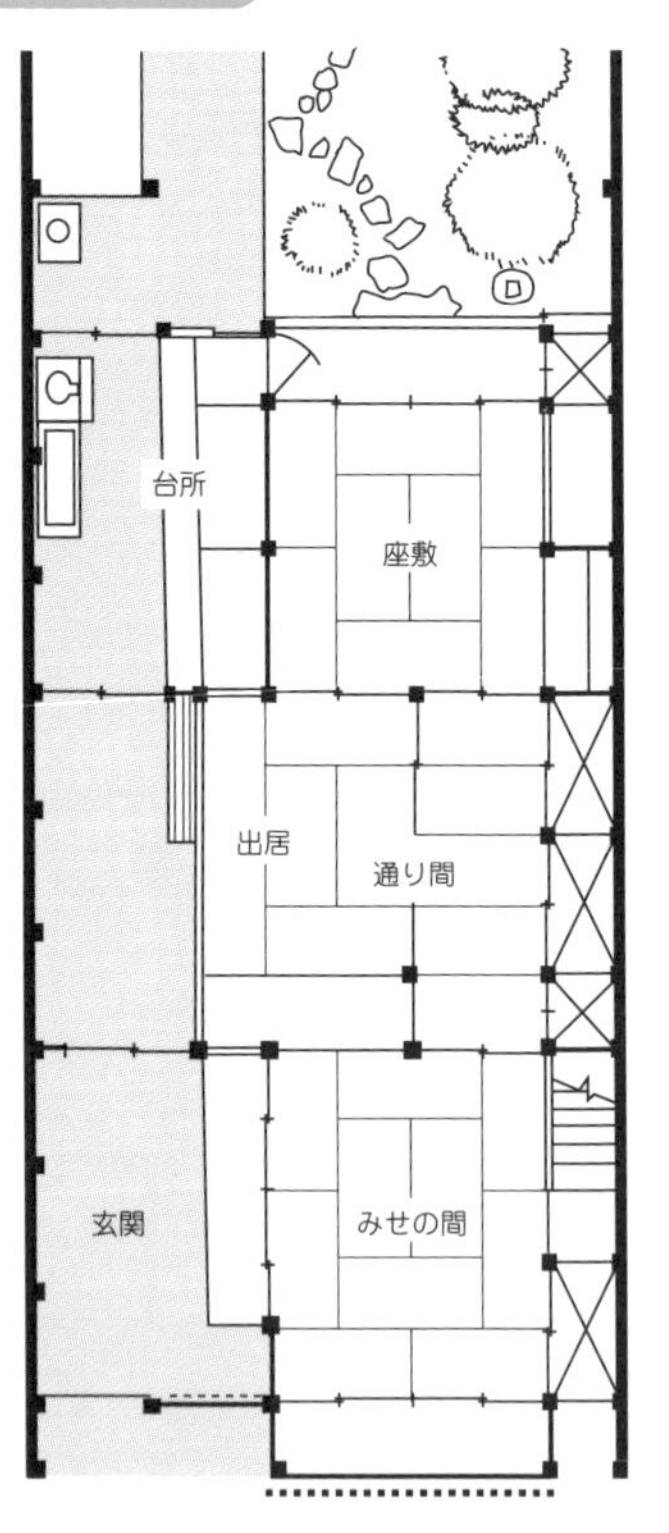

表通りから裏庭までを貫く町屋の通り土間。農家でなくても、衣食住の大部分を自前でまかなうことが当たり前だった時代は、洗濯や煮炊きのために、土間はなくてはならないものだった。

089

広がりを生むベランダとデッキ

ベランダはある程度の広さをとって屋根をつけると使い勝手がよい。床を濡らさないので傷みにくく、長持ちさせることにもつながる。手すり部分までの奥行きが2m以内であれば、基本的には床面積にカウントされない。柱を設けず建物からベランダが跳ね出した形状なら、1mまでは建築面積に算入されない。

1階につくる屋外の床部分をデッキという。窓を大きく設け、リビングやダイニングの延長として使えば、室内に広がりが出る。

ベランダへの動線

ベランダは、1階の日除け、景色を楽しむなど、生活に欠かせないスペース。南側に設ければ日当たりがよく、洗濯物を干すのに最適だ。各部屋を通らず、2階の共有スペースなどから出入りできると便利だろう。手摺りの高さは安全上1.1m以上と決められている。

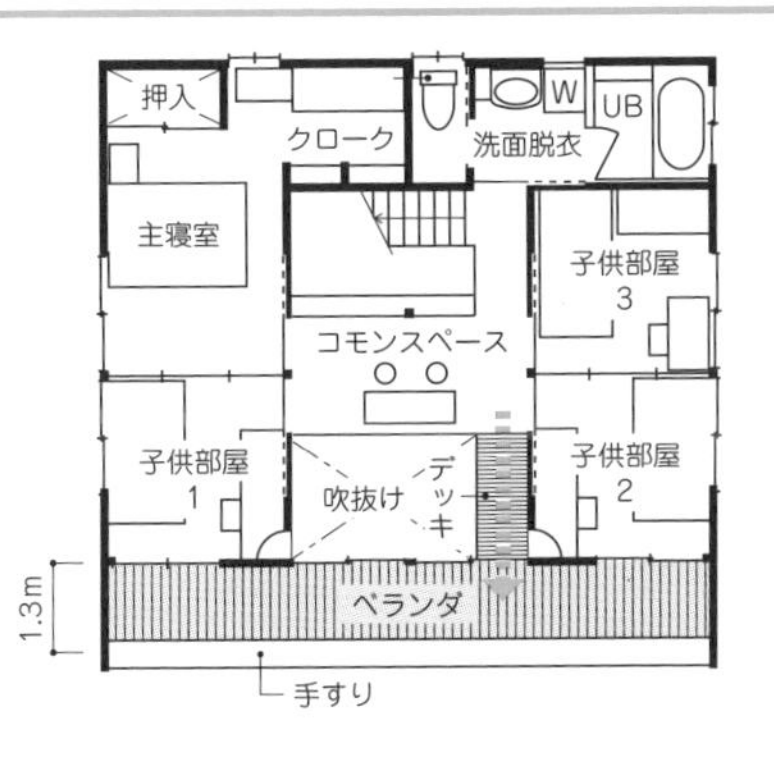

リビングデッキとサービスデッキへの動線

くつろぎの場となるリビングデッキは、ベランダに比べて広い面積でつくるため、全面に屋根をかけることが難しく傷みやすい。腐りにくい樹種を選んだり、乾きやすい構造にしたり、塗装を頻繁に行うなどの注意が必要だ。また、脱衣所やクロゼットにつなげてサービスデッキにするという考え方もある。屋根をかけて室内履きのまま利用できるようにすると便利だ。

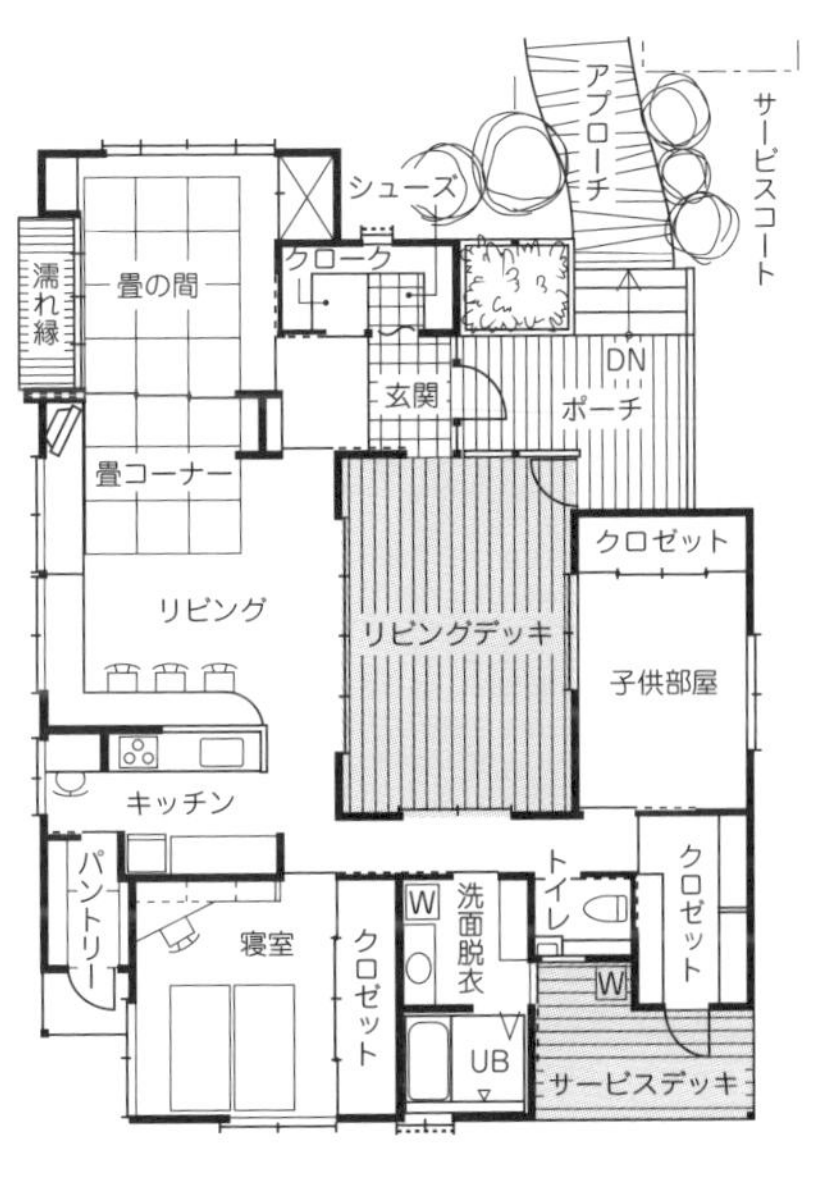

090

災害にも対応フェーズフリー住宅

平常時・災害時という2つのフェーズ（社会の状態）に関わらず、常に適切な生活の質を確保しようとする考え方をフェーズフリーという。開放的な住まいは危険の接近をすばやく察知し、整った住まいや回遊動線のある住まいは危険から安全に逃げる動線を確保する。メンテナンスしやすい住まいは被害状況を把握しやすく、屋外空間は非常時にも自立した暮らしの維持を助ける。このように間取りや設備を工夫することで、安心して暮らせる住まいができる。

フェーズフリー住宅のアイデア

食品庫

キッチン近くに容量たっぷりの食品庫があると家事がラクになる

飲料水や缶詰、レトルト食品は非常食にもなる

庭・テラスと貯水タンク

外で過ごすアウトドアリビングが人気。貯水タンクは庭仕事や屋外での食事の際に役立つ

断水時の予備水源として。家庭用は200ℓ程度が目安

高断熱

エアコンなどの冷暖房の電気代が抑えられ、防音効果もある

停電して冷暖房が使えなくなっても、内気温を快適に保っておきやすい

・写真提供／左上：アトリエ・ヌック建築事務所、右中：四国化成工業、ほか Shutterstock

第5章

住まいの設備を選ぶ

給湯機器や冷暖房設備など
最新の設備を紹介します。
エネルギーを一括管理する
スマートハウスもチェック！

091

給湯設備について知る

給湯は、家庭でのエネルギー消費に占める割合が大きく、その数字は約30%。給湯器の種類によって二酸化炭素排出量や光熱費が変わってくるので、選ぶ際には熱源の種類と省エネ性をチェックしよう。

給湯器の熱源は主にガス、電気、石油（灯油）の3種類だ。給湯器は年間を通じて毎日使う設備。寿命が来たときの交換も考えておかなければならない。寿命はガス、石油給湯器で10年未満、エコキュートで10年程度が目安となる。

家庭での用途別エネルギー消費量（全国）

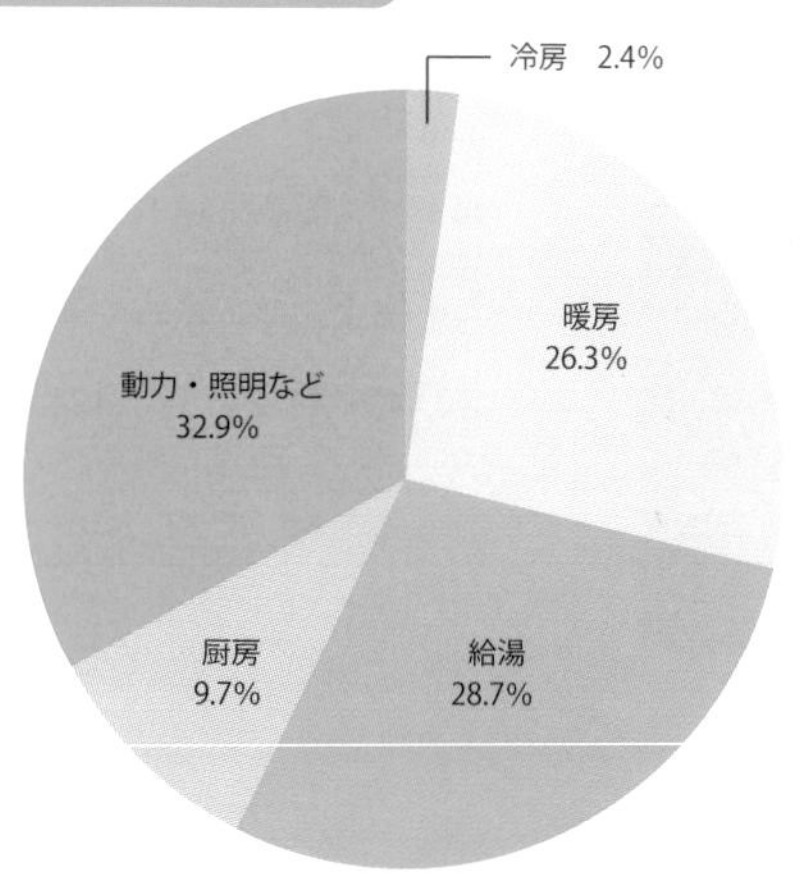

資源エネルギー庁「エネルギー白書 2021」をもとに作成

給湯器の熱源別の特徴

熱源	特　徴
ガス	• お湯がふんだんに使える • 使いたい量だけ沸かせる • 機器がコンパクト
石油	• お湯がふんだんに使える • 使いたい量だけ沸かせる • ランニングコストが他と比べると安い（原油価格による）
電気	• 蛇口をひねればすぐにお湯が出る（お湯が出るまで待たなくてもよい） • 夜間電力の使用でランニングコストが抑えられる

092

今どきの給湯器のしくみ

電気給湯器の「エコキュート」は「自然冷媒ヒートポンプ給湯器」の愛称。空気の熱を利用して電気エネルギーを熱エネルギーに変換し、少ないエネルギーでお湯を沸かせるのが特徴だ。

ガス給湯器の「エコジョーズ」は熱源のガスで水道水を温めてお湯を供給する。ガス燃焼時の排熱も再利用するため省エネ性能が高く、コストもエコキュートの3分の1程度だ。

給湯器のしくみ

エコキュート（電気）

気体は圧縮すると温度が上がり、膨張すると下がる。また、気体が気化すると熱が奪われ、液化すると熱が生まれる。エコキュートはこの性質を利用して、太陽で暖められた空気の熱を熱交換器で冷媒に集め、電気で圧縮して高温にし、この熱でお湯を沸かす。このように、冷媒などを用いて空気中の熱をくみ上げて熱エネルギーに転換する技術を「ヒートポンプ」という。貯湯タンクの容量は、370ℓと460ℓが主流。シャワーを長く使う人がいたり、来客が多かったりする家では、湯切れを起こさないようワンサイズ上の容量も検討しよう。

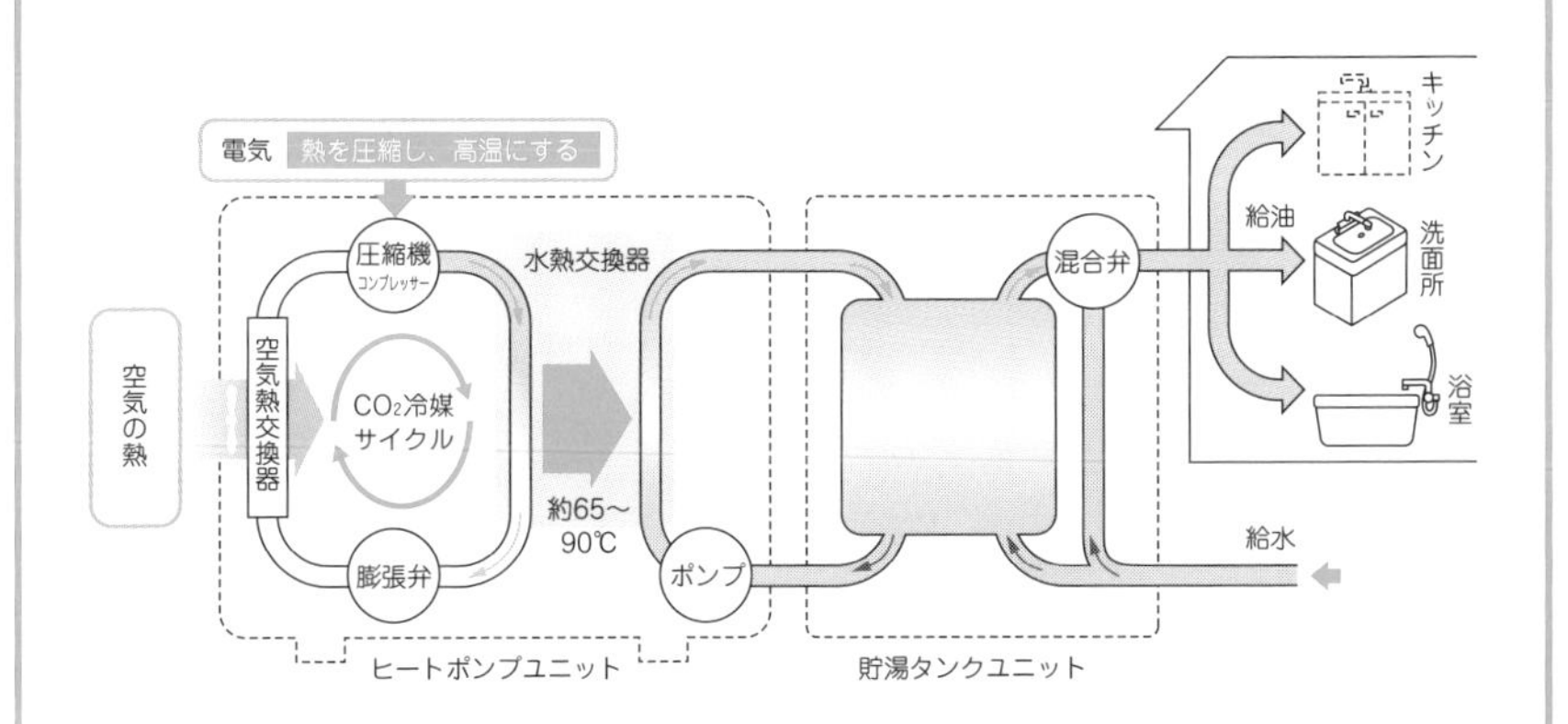

エコジョーズ（ガス）とエコフィール（石油）

ガス給湯器は水道水をガスの火で温めて供給する。エコジョーズでは、一般の給湯器では捨てていた排気中の熱を回収し、熱効率が90％以上になっている。エコジョーズと同じく、熱を回収してお湯を沸かす設備で、石油（灯油）を熱源とするものをエコフィールという。

093 コンロとレンジフード

キッチンは、加熱する火まわりエリア、切ったり混ぜたりの作業をする調理エリア、洗いものをする水まわりエリア、食器や料理の仮置きエリアの4つに分けられる。ここでは火まわりエリアの機器をみてみよう。

　コンロはガスかＩＨにするかで迷いがち。それぞれの特徴を確認しよう。レンジフードのファンは大きく分けてプロペラファンとシロッコファンの2種類あるが、より安定した排気能力があるシロッコファンが主流となっている。

コンロ選びのポイント

火力、操作性、安全性、経済性、調理内容、手入れのしやすさなど、こだわりたい点をはっきりさせておくとよい。

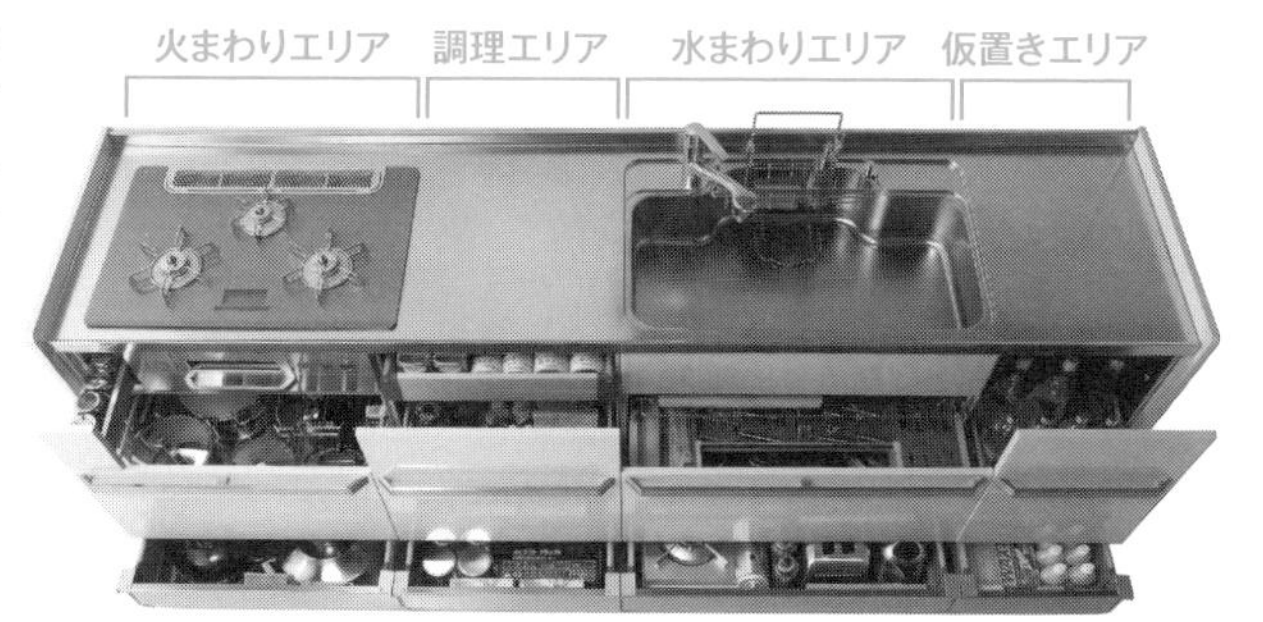

レンジフード選びのポイント

コンロ使用時に発生する煙やにおい、水蒸気を屋外へ排出してくれるレンジフード。ポイントは排気力、煙の捕集力、清掃のしやすさ、デザイン性、低騒音性など。フードの形はキッチンのスタイルによって採用できるものがある程度決まっている。

壁付け型

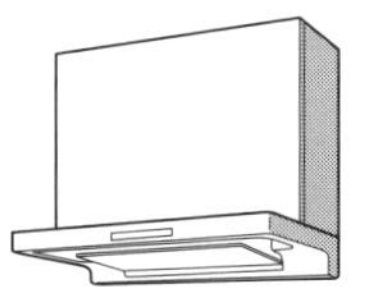

フード部分がフラットなものが人気。

浅型タイプ

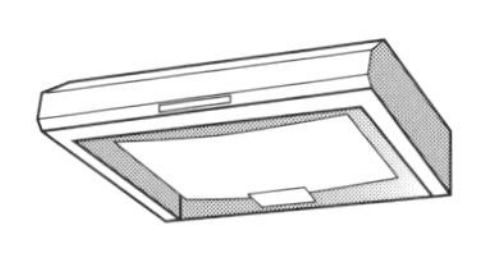

天井高が低い場合や梁型がある場合に選択する。

ペニンシュラ型

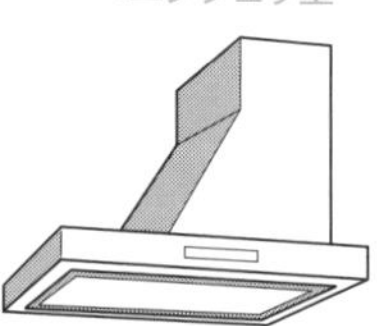

横壁に設置するタイプ。

アイランド型

圧迫感を与えないスリムなデザイン。

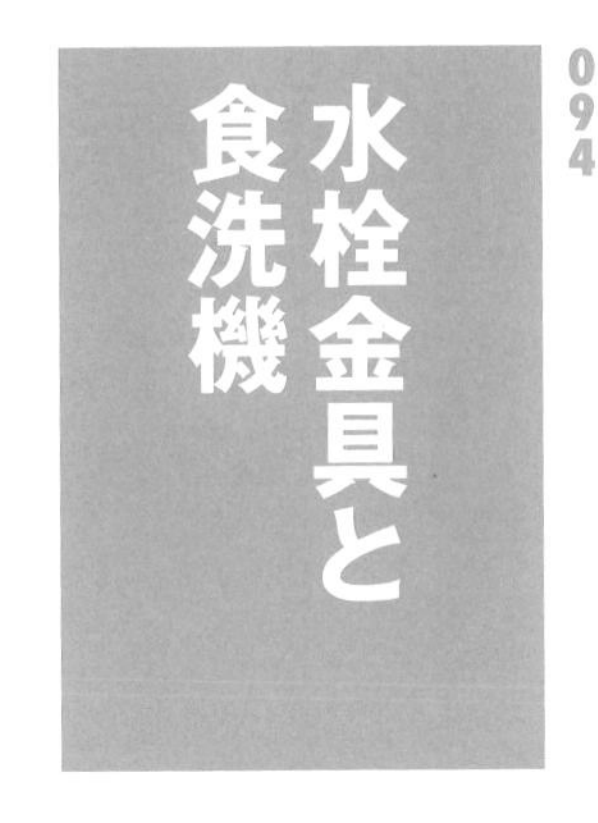

094 水栓金具と食洗機

水栓は大きく分けて、シンク面から立ち上げる立水栓と、シンク前の壁に取り付ける壁付け水栓がある。一般的に立水栓が多く、最近ではデザイン性の高いグースネックタイプが人気だ。レバーは上下左右に動かすシングルレバーが主流だが、タッチレスタイプも出てきている。

　このほか、ビルトインの食洗機や浄水器、ディスポーザーなど、水まわりの付属設備はいろいろ充実してきている。

主なキッチン水栓の種類

ワンホール

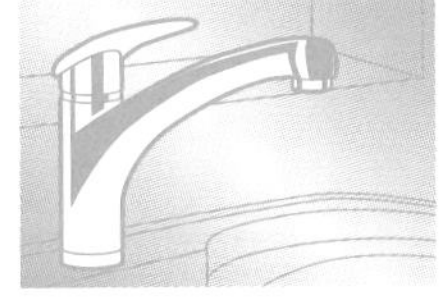

省スペースで土台部分の掃除がしやすい。

ツーホール

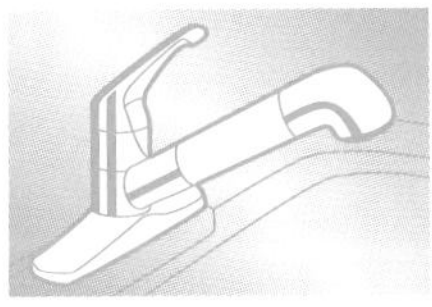

シングルレバー、ツーハンドルの両方に対応。シンクによっては設置に制限がある。

グースネック

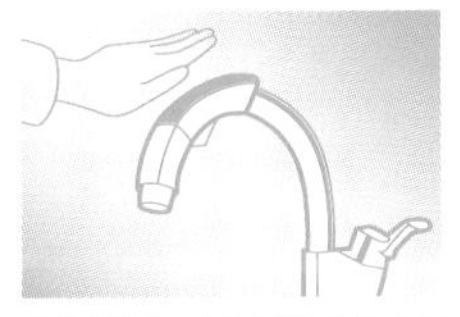

懐が大きく、大きな鍋でもラクに洗える。タッチレス機能のものもある。

ホース付き

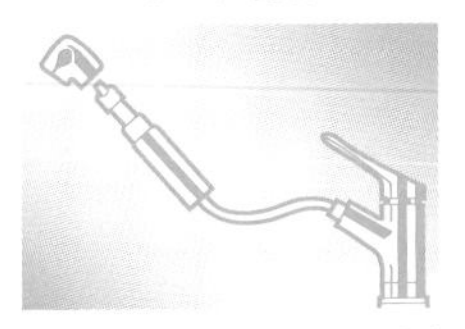

シンクの隅々まで水を流して掃除しやすい。

壁付け

水垂れによる汚れが少なく、水栓まわりを清潔に保てる。

立水栓が一般的。壁付け水栓は水垂れによる汚れが少ないのだが、配管の取り出しに制約があるため、採用できない場合がある。シャワー音や水はね音が気になるなら、水泡が細かいシャワーと静音性能のあるシンクをあわせて選ぶとよい。

食洗機

手洗いに比べて使う水量が少なく、水道料金に電気代や洗剤代を足してもランニングコストが低い。ビルトインタイプの幅は45㎝と60㎝が主流。運転音が問題になりやすいので、購入前に確かめておこう。

スライドオープン

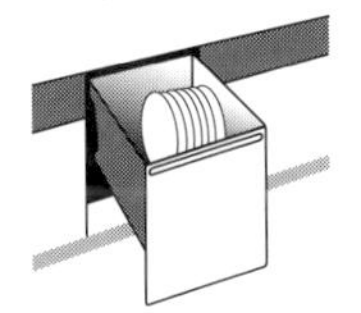

かがまずに食器の出し入れが可能。

095

浴槽とシャワーの種類

浴槽は、大きく分けて和式、洋式、和式・洋式の間をとった和洋折衷式の3種類がある。一般的には腰をおろした状態で肩までつかり、足を延ばせる和洋折衷式が普及している。

シャワーは、ハンドシャワーと固定シャワーの2種類に大別される。外国製の固定式シャワーは大量の水量と高圧力を必要とするため、選定の際には注意が必要。ハンドシャワーヘッドも様々な種類から選択が可能となっているので、建て主の要望に応じて選択するとよい。

浴槽の種類とサイズ

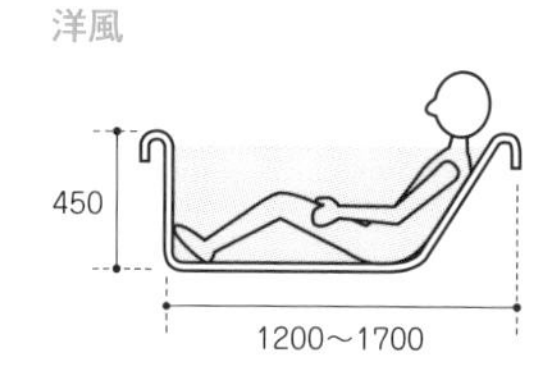

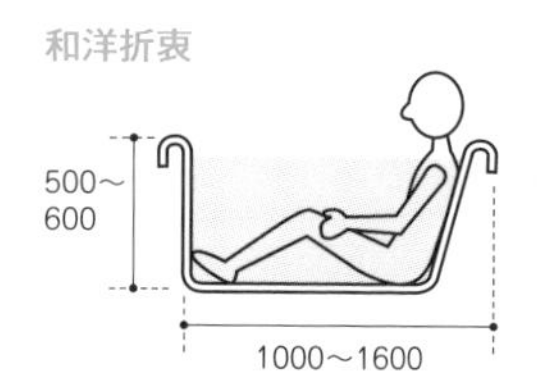

シャワーの種類

シャワーは、湯水の開閉をする混合栓と、散水部のヘッド、これらを連結する配管、ホースで構成される。混合栓には2バルブ式、ミキシングバルブ式、サーモスタット式というものがある。

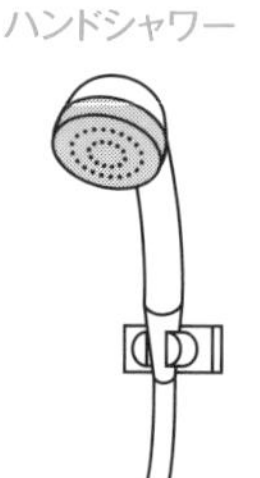

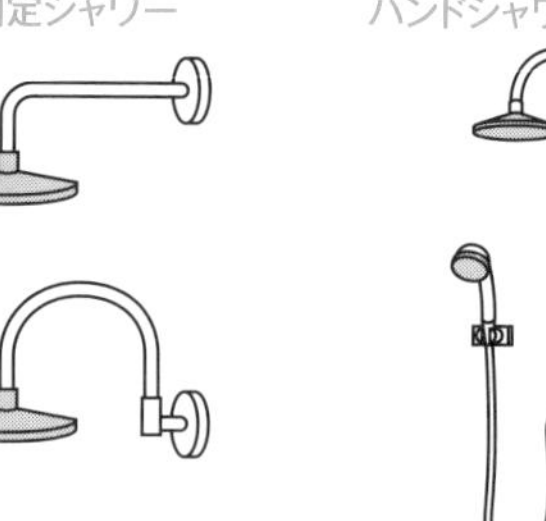

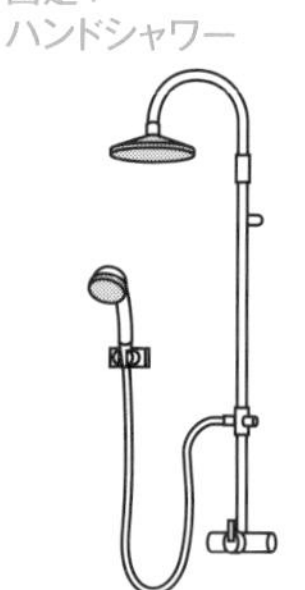

シャワーヘッドの種類

ミストやマッサージなど吐水方法が多機能化している。吐水・止水が手元で操作できるスイッチ付きのシャワーヘッドは省エネ効果がある。

広範囲を霧状に吐水。身体全体を包み込み、効果的に温める。

強力水流を断続的に吐水。心地よいマッサージ感が得られる。

適度な勢いとボリュームがあり、スッキリとしたシャワー感。

096 浴室暖房乾燥機とミストサウナ

換気、暖房、乾燥、涼風によって浴室を便利で清潔に、また安全で快適に使うための浴室乾燥暖房器。電気ヒーター方式と温水方式があり、形状は天井埋め込み型と壁取り付け型の2タイプ。浴室が広すぎず、天井が低いほうが性能を十分に発揮できる。1～1.5坪の気密性・断熱性が高いユニットバスへの取り付けが推奨されている。

ミストサウナも最近人気だ。発汗量が増えたり肌の乾燥を防いでくれたりと、健康や美容にいい。

浴室乾燥暖房器の機能

①乾燥

浴室は家の中でいちばん湿度が高い場所だが、乾燥機能を使えばカビや嫌なにおいの発生を抑えられる。衣類乾燥機能も人気。ドラム式衣類乾燥機と比べると時間はかかるが、陰干ししたほうがよい衣類やデリケートな素材、濡れた靴など、利用の幅が広い。

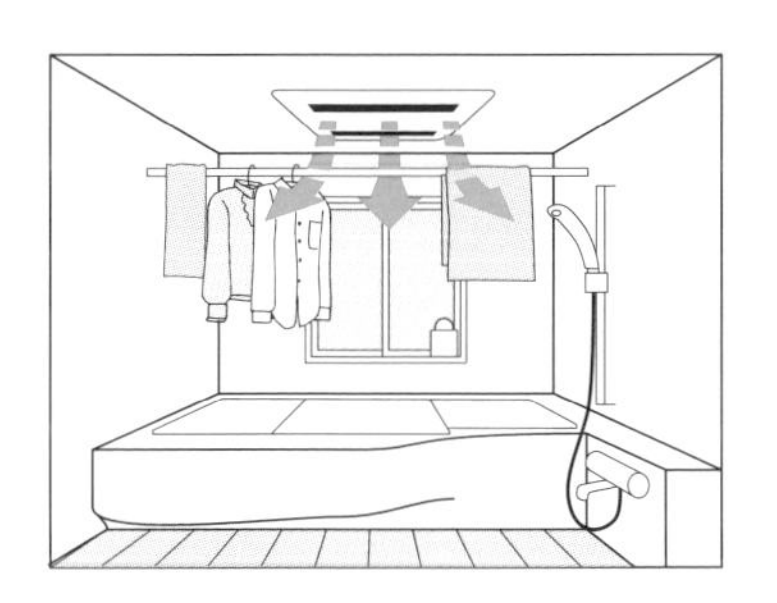

②暖房

浴室全体をムラなく暖め、冬のつらい寒さをやわらげてくれる。浴室温と湯温の差を少なくできるのでヒートショックの予防にもなる。

③換気

24時間換気機能付きの場合、各部屋の給気口から給気して洗面所やトイレなどの集中換気を行う。計画換気で室内に新鮮な空気を取り入れられる。

④涼風

浴室の湿気を排出しながら涼しい風を送り込んでくれる。暑さがやわらぎ、夏でもゆっくり入浴できる。

ミストサウナの特徴

ドライサウナの温度が80～100℃なのに対し、ミストサウナは40～50℃と低め。長時間入っていても息苦しさを感じない。湿度もドライサウナが5～15％でからっとしているのに対し、ミストサウナは90～100％と高く、低温でも熱が体に伝わりやすい。発汗量が増え、毛穴が開いて汚れが落ちやすくなる。また汗と一緒に分泌される皮脂が肌の乾燥を防ぎ潤いを与えてくれる。

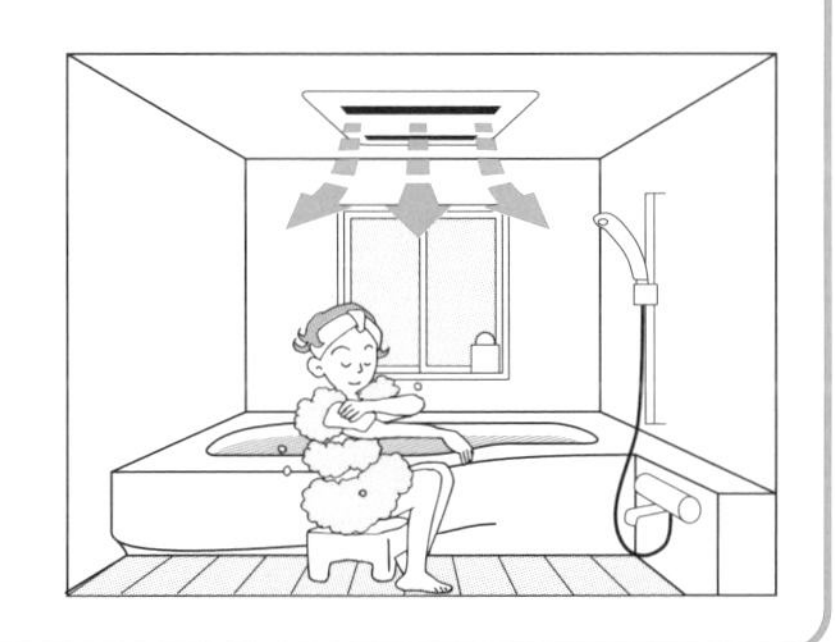

097

トイレと洗面器の選び方

サニタリー空間の設備を選ぶときは、デザインはもとより、汚れにくさや掃除のしやすさ、節水効果などもポイントになってくる。最近はタンクレストイレが増えてきている。ただし、給水圧力が不足していると汚物を洗浄できないことがあるので、3階建て以上や配管が古い住宅に導入するときは注意が必要。洗面器はボウルや水栓、排水トラップなどを好みにあわせて選択するとよい。

衛生器具はほかに、タオル掛けや鏡、ペーパーホルダーなどもある。

タンクレストイレのメリットと注意点

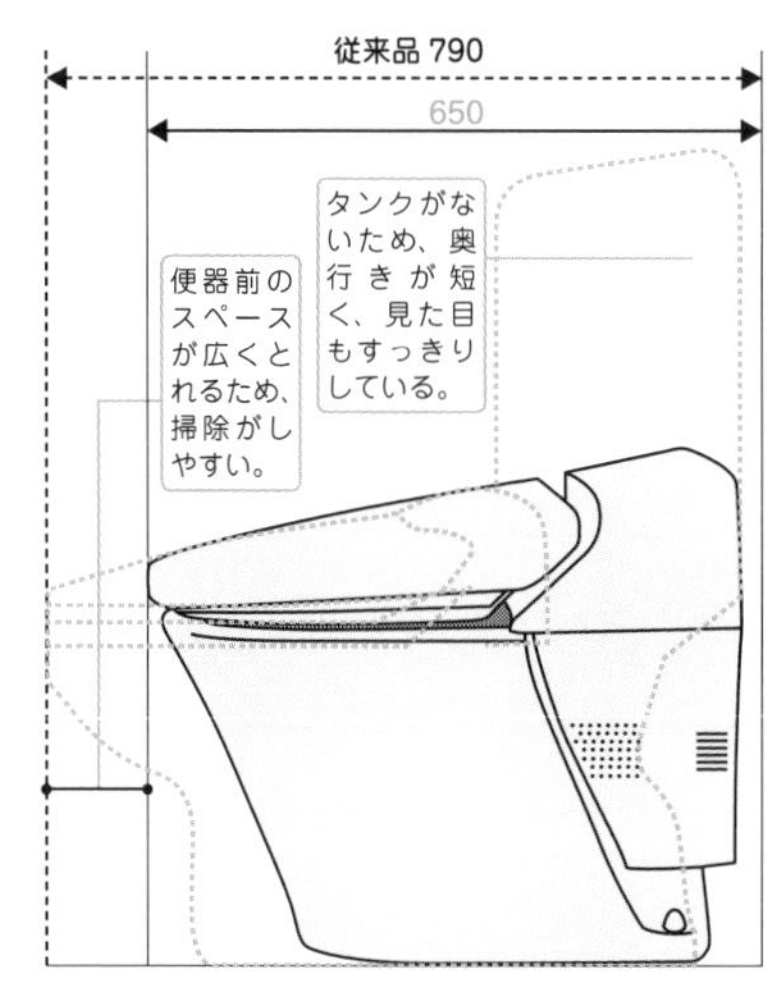

従来品 790
650
タンクがないため、奥行きが短く、見た目もすっきりしている。
便器前のスペースが広くとれるため、掃除がしやすい。

例：「SATIS」（LIXIL ／ INAX）床排水タイプの場合

タンクレストイレの洗浄方式は「給水直圧式」で、貯めた水の水圧を利用するタンク式と異なり、給水圧力が求められる。浴室、キッチンなどで同時に水道を利用したときでも最低作動水圧を満たすかどうか確認しよう。

大便器の洗浄方式

トイレは従来、ゼット口と呼ばれる便器底から水を流して洗浄していた。しかし最近は、便器内上部から水流を起こしながら吐水し、少ない水量で効率よく洗浄する。大便器の汚れにくさ、掃除のしやすさ、節水効果は各メーカーが競って開発しているポイントである。

ゼット口から吐水（従来型）

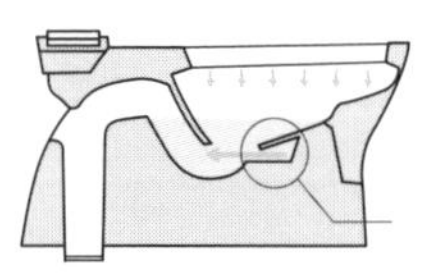

約30％上部から吐水
約70％ゼット口から吐水

上部から吐水

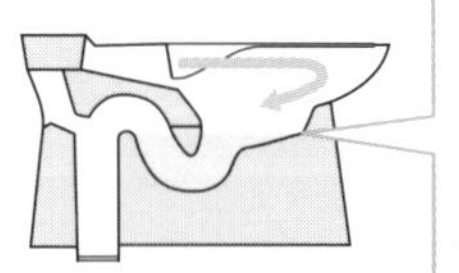

100％上部から吐水

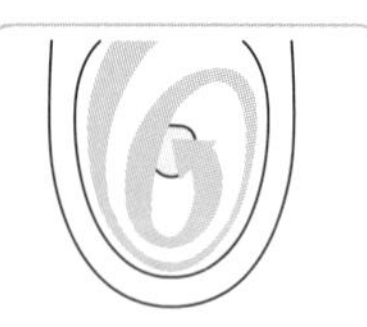

上部から流す強力な洗浄により、水流が勢いよく回って、節水しても汚れを残さず排出。

098

エアコンの省エネ性能をチェック

消費電力量が多いエアコン。購入の際は、星の数で示された省エネラベルをチェックしよう。

エアコンの設置は一般的な壁付け型のほか、埋め込み型、床置き型などもある。埋め込み型は和室・洋室を問わずすっきりしたインテリアになるが、簡単に交換できないのでメンテナンスについて業者に確認しておいたほうがよい。部屋数が多いときは、1台の室外機と複数の室内機をつなげるマルチエアコンが便利だ。

エアコンの省エネ性能をチェック

全国統一省エネラベルの例

エネルギー消費の多い家電製品には省エネラベルが表示されている。内容は①星の5段階評価 ②AFP（通年エネルギー消費効率）③電気料金の目安。AFPの数字が6.0以上であれば、十分に効率がよいといえる。エアコンは冷房、暖房、除湿が主な機能だが、湿度調整や空気清浄、自動フィルター掃除、気流制御などの機能が搭載されたものも続々登場している。

設置場所の注意点

室内機	・機器のまわりに必要十分な空間を確保する ・吹出し口の前に障害物がないか ・取り付ける壁（または天井）は補強する ・専用のコンセントを設置する
室外機	・風通しがよく直射日光が当たらないところに設置する ・運転音・送風が近所迷惑にならないか ・雪が降る地域では積雪にも注意が必要 ・強固な台や壁に固定する ・室内機と室外機の高低差は10m以内、配管の長さは最大20m程度とする

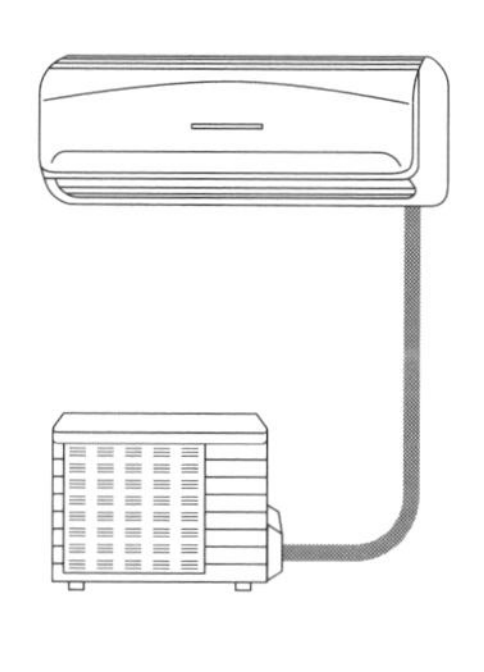

099

床暖房設置の注意点

床暖房は、熱線や赤外線を放射して直接物質に熱を伝える放射方式の暖房設備で、その暖かさはひなたぼっこのよう。室内の温度ムラが少なく快適で、燃焼しないので空気が汚れない。設置場所をとらないのも大きな魅力。吹き抜けや高天井など、足元が暖まりにくい空間に最適な設備だ。

反面、立ち上がりが遅い、部屋が暖まるまでに時間がかかるといったデメリットも。家具や床材にも注意しなければならない。

床暖房の暖かさのイメージと注意点

室温
16℃～18℃
体感温度
20℃～22℃
快適な「頭寒足熱」。室温がそれほど高くなくても体感温度が高いのが特徴
空気を熱して室温を高めるわけではないので著しい乾燥が生じない
2900
冬でも素足で歩くことができる暖かさ
床面温度
約25℃～30℃

床暖房の上に家具を置くとその部分だけ温度が上がり誤作動を起こすことがある。また、家具が乾燥して変形するおそれもあるので、家具を置く部分には床暖房を敷かないようにするなど工夫する。床材は床暖房対応のものを選ぶようにしよう。

床暖房の種類と特徴

	方式	特徴
温水循環式	ガス温水式	ガスボイラーで温水をつくり循環させる。比較的立ち上がりが早い。ボイラーの設置スペースが小さい。
	灯油温水式	基本的にガス温水式と同じで、熱源が灯油となる。比較的立ち上がりが早い。灯油タンクの設置と燃料補給が必要。
	太陽熱利用温水式	太陽熱温水器を屋根上に付け、補助ヒーター付き貯湯槽兼熱交換器と組み合わせて常時安定した温水を循環させる。省エネでランニングコストが安い。
	ヒートポンプ温水式	空気の熱を利用してお湯をつくるため消費電力が少ない。
電気ヒーター式	電熱線式・PTCヒーター方式	発熱体に通電して加温する方式。設置費用は他と比べて安いがランニングコストは高くなる。立ち上がりが早く、短時間の使用も可能。定期的なメンテナンスがほとんど不要。
	蓄熱式	蓄熱材が暖まるまで時間がかかるのだが、一度暖まれば安定した暖房が得られる。24時間暖房に向く。定期的なメンテナンスがほとんど不要。

主暖房として使うなら部屋の広さの50%以上に敷こう。ちなみに家の断熱性能は、次世代省エネルギー基準レベルが必要だ。

100

放射冷暖房と蓄熱暖房

熱が高いほうから低いほうに移動する性質を利用した冷暖房に「放射式冷暖房」がある。室内に暖かい面と冷たい面を設けることによって、空気対流がない自然で快適な温熱環境をつくり出す。導入費用は高額だが、得られる温熱環境の質は高い。「蓄熱暖房」は割安な夜間の電気を利用してレンガやコンクリートに熱を蓄え、昼間に放熱して部屋を暖める暖房設備。火気を使わず燃料補給も不要、24時間暖房を低コストで利用できるが、温度調整はしづらい。

放射式冷暖房のしくみ

熱源でつくった冷温水をラジエータという装置の中に流す。空気対流がないので、エアコンの冷温風が苦手な方におすすめである。また、機械からの送風音がなく静か、かつ室内の温度ムラが少ない。夏はラジエータ表面に結露を起こすことで除湿を行い、見た目にも爽やか。

小さな熱源で24時間連続運転させることが前提で、省エネ効果が高い冷暖房設備である。ただし、建物の断熱性能は省エネ法をクリアする程度とする。放射式冷暖房には、タジエータパネル式の他に、天井式、床式などもある。

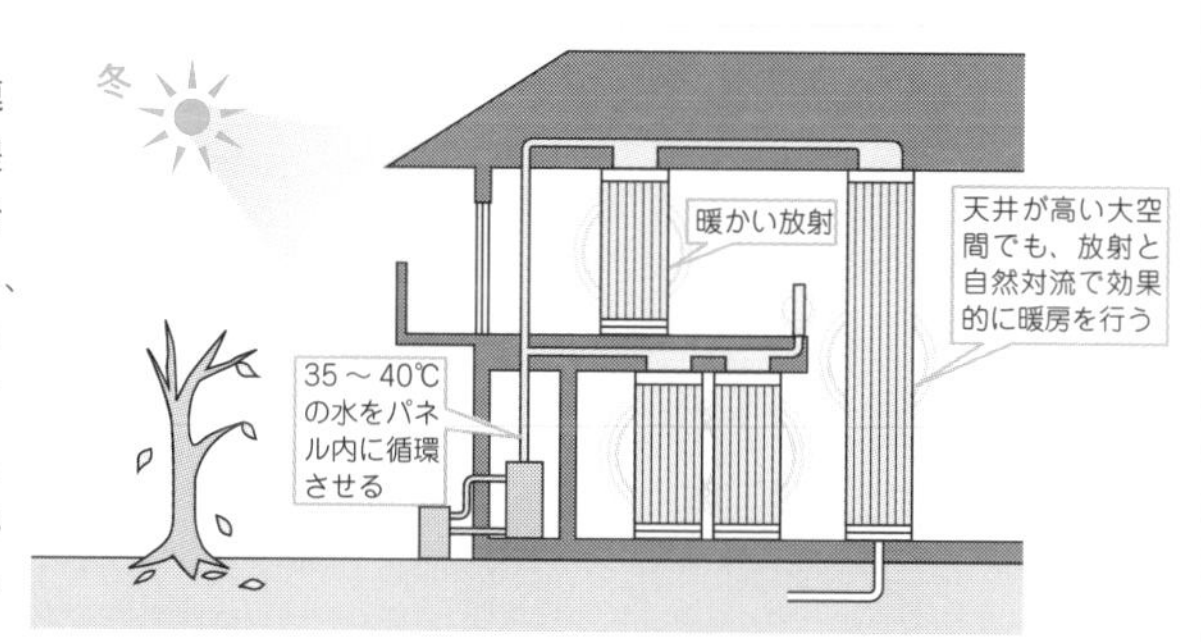

蓄熱式電気暖房器

ファンタイプは、ふだんは自然放熱で部屋を暖め、部屋の温度が下がったときファンで温風を吹出す。広い空間や温度変化の多い部屋に適している。自然放熱タイプは狭い部屋や玄関・廊下など小さいスペースに向いている。蓄熱体のレンガやコンクリートはかなりの重量になるので、設置する場合は、床の補強や転倒防止の処置を。

101 薪ストーブ設置のポイント

薪ストーブは燃焼効率が高く、家中を暖められる。美しい炎が魅力的で、調理器具として使うのも楽しい。ただし、着火や火力調整にコツが必要で、薪をうまく燃焼しないと煙が多くなるクリアすれば雰囲気を味わえる暖房設備だ。

ストーブまわりの仕上げ材は、タイルや石などの不燃材を使う。また、煙突からの排気量より給気量が少ないと煙が逆流してしまうので、給気口を近くに設置しよう。

薪ストーブの燃焼方法

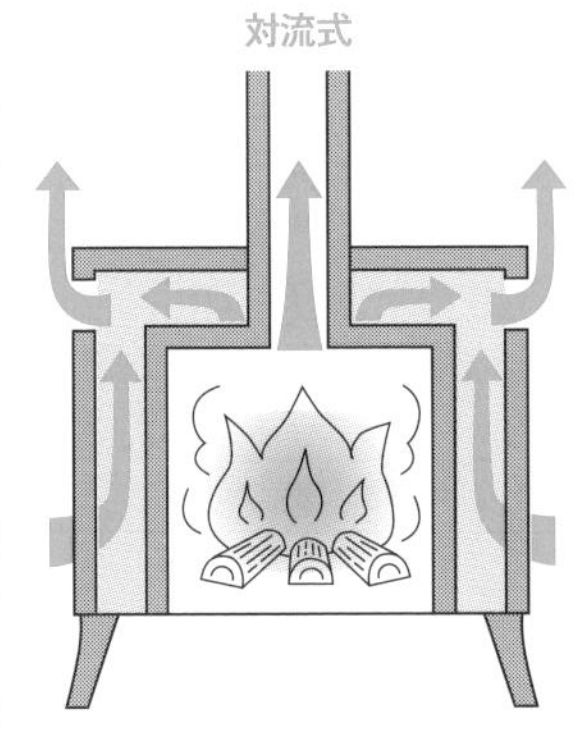

ストーブを2重構造にして内側の炉の熱で中間層の空気を暖め、吹出し口から温風を出す。

薪を燃焼させて、ストーブ本体を加熱し、本体から発する遠赤外線の放射熱によって暖房する。

放射式は、ストーブ自体が高温になるため、ストーブに直接触れない、周辺に可燃物を置かないという注意が必要。一方、対流式は本体があまり高温にならないため、設置場所の自由度が高い。いずれも煙突の設置は、ある程度家の窓の横を避ける配慮を忘れずに。

吹抜けがある場合の薪ストーブの設置

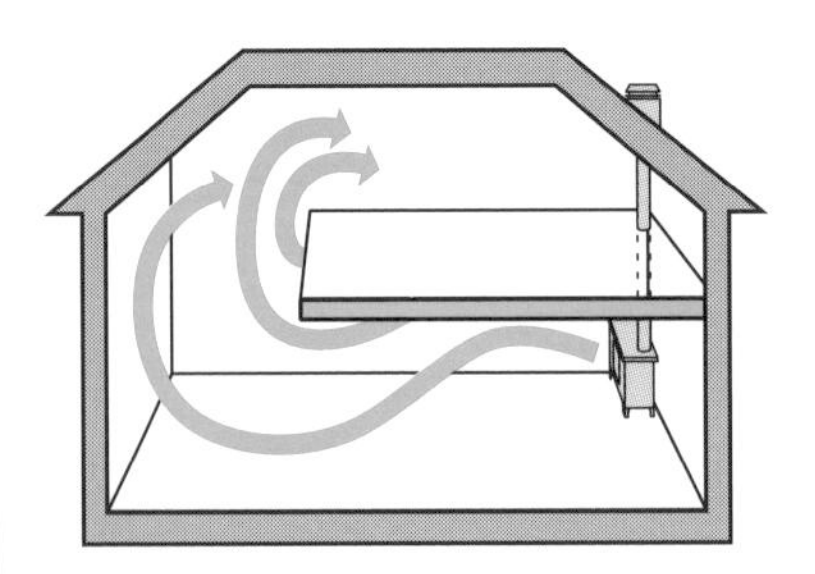

吹抜けから離す

薪ストーブの効果を引き出すには、吹抜けはないほうがいいが、ある場合は吹抜けから離れた場所に設置する。暖かい空気が1階を巡ってから2階に上がるので、家全体が暖まる。

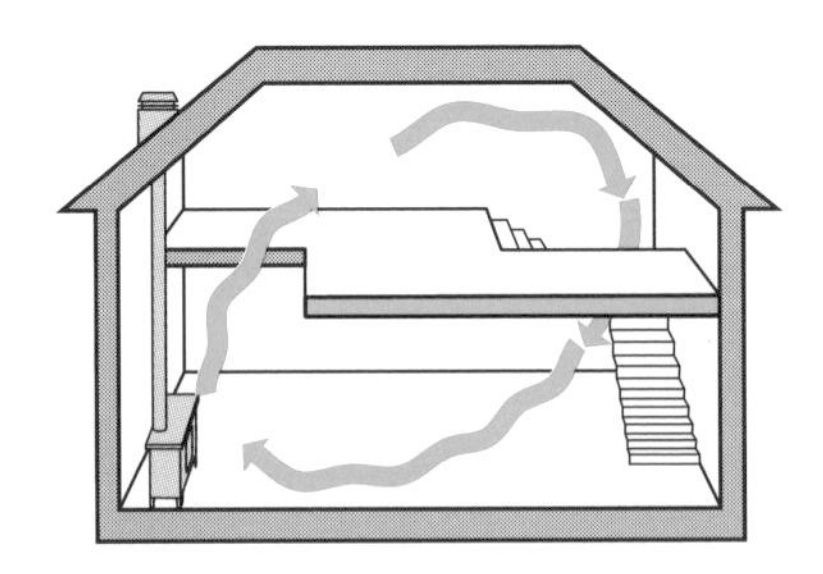

空気が降りてくるように

吹抜けの下に置く場合は、そこから離れた場所に、空気が階下へ降りてこられる空間をつくるとよい。対流が起きて効果的だ。

102 24時間換気が義務付けられている

現代の住宅は、気密性が高まったおかげで冬でも過ごしやすい。その反面、自然換気が十分にできず、湿気や汚れた空気がこもりやすくなっている。シックハウス症候群の問題もあり、現在は24時間換気が法律で義務付けられている。

具体的には、部屋の体積の半分を1時間で入れ替えられる機械換気設備が必要となる。家づくりの際、換気の経路や換気扇の排気量などを無駄なく計画し、エネルギーロスを減らそう。

高気密化がもたらす弊害

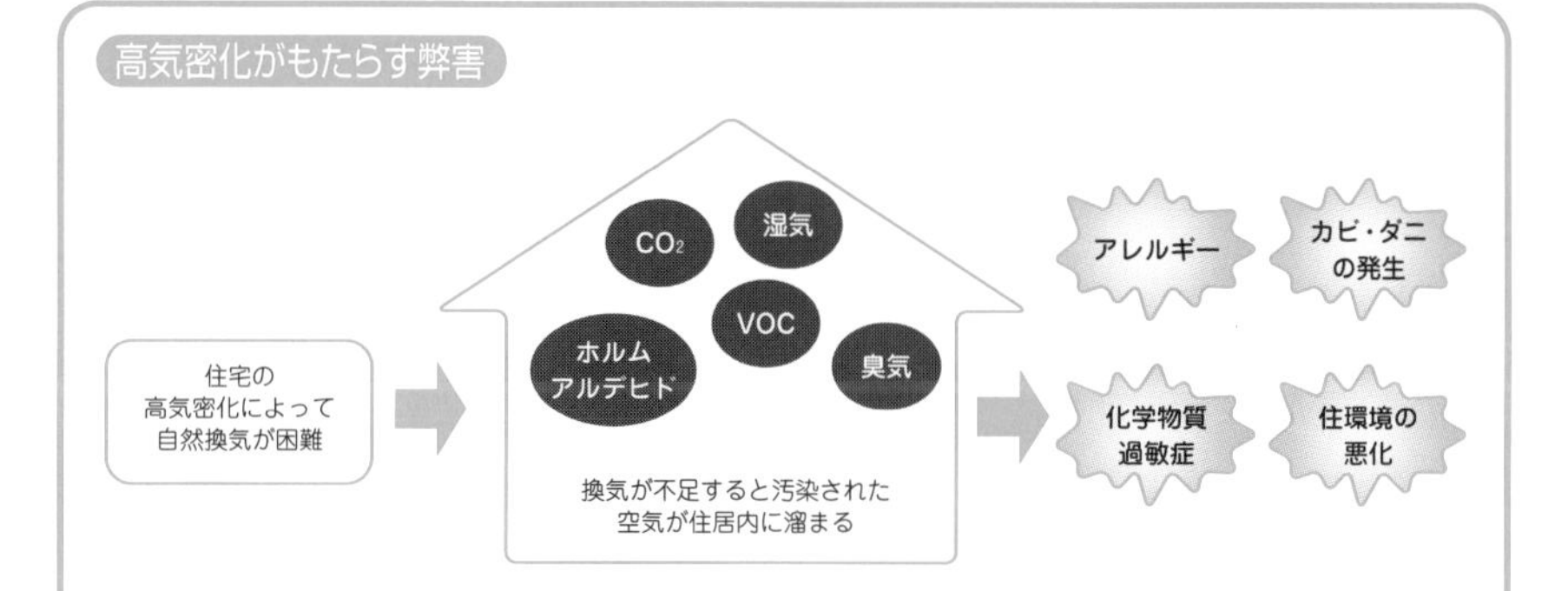

湿気がこもると、アレルギーやアトピー性皮膚炎を引き起こすダニやカビが繁殖する。壁の表面だけでなく、壁の内側も結露しやすくなり、家の寿命にも大きな影響を与える。適切な換気で室内の湿気を排出し、結露を防止することが、健康的な暮らしと住まいの長命化につながる。

機械換気の方式

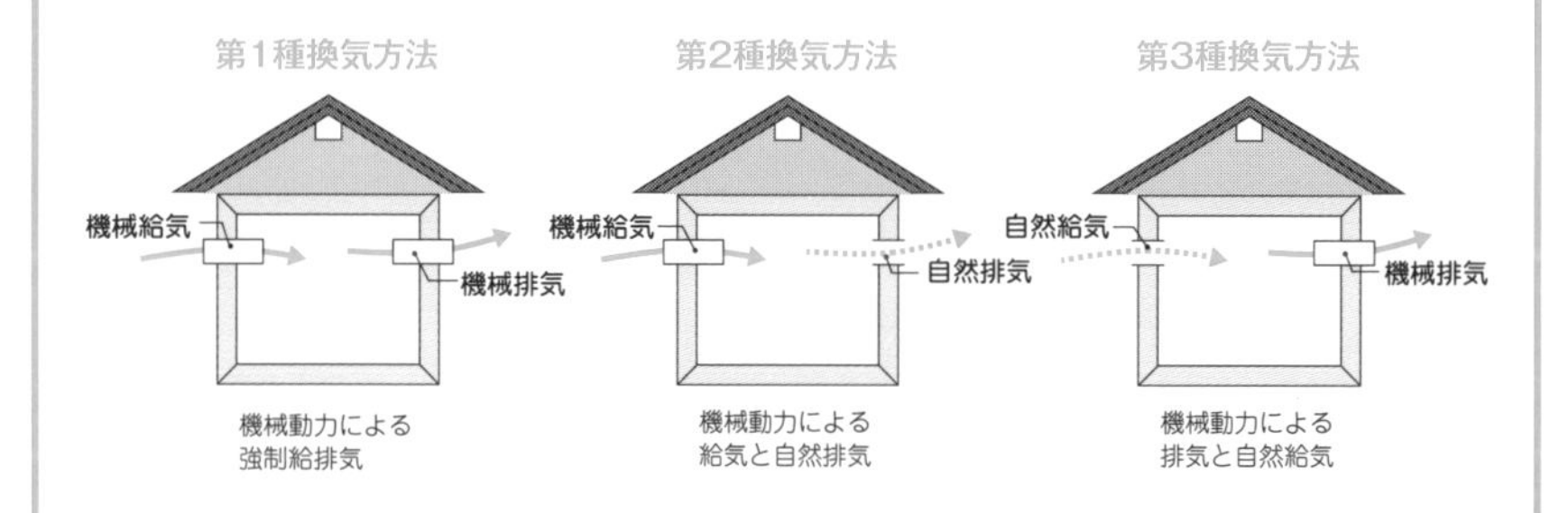

機械換気の方式は3つあり、費用や工事のしやすさから一般的には第３種換気が用いられる。

103

自宅で電気をつくるエネファーム

1つのエネルギー源から熱、電気など複数のエネルギーを取り出すシステムを「コージェネレーションシステム」といい、その家庭用の小型機に「エネファーム」というものがある。自家発電によって年間消費電力量の約60~70%をまかなえるといわれている。また、発電時に発生する熱で給湯もできる優れものだ。

導入費用は高いが、国や地方自治体が補助制度を設けているのでチェックしてみよう。

エネファームのしくみ

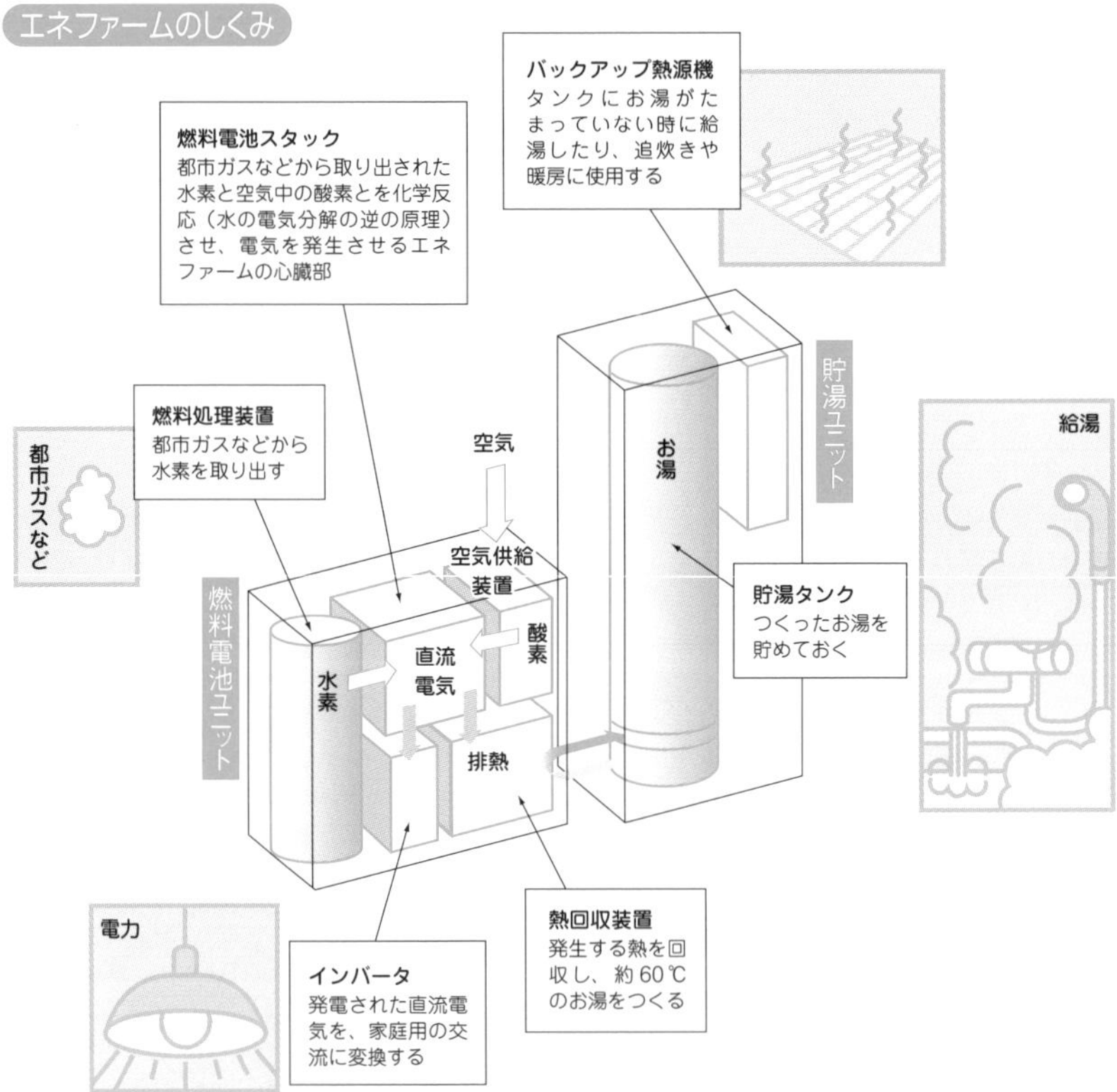

都市ガス、LPガス、灯油などから水素を取り出し、空気中の酸素と化学反応させて電気をつくる。このとき出る熱でお湯もつくれるので、エネルギー効率が高い。太陽光発電と組み合わせて導入し、昼間に使う電気をエネファームでまかなえば、太陽光発電による売電を多くできる（ただし、買い取り価格が通常より多少下がる）。ガス会社によっては割引料金を用意しているところもある。

104

メリットが多い太陽光発電

二酸化炭素の排出ゼロ、自動運転、電力会社に売電できるなど、太陽光発電には多くのメリットがある。

太陽電池モジュールは、現在ほとんどの屋根材に設置できるようになっている。ただし、屋根の方位や勾配によって発電量は変わる。たとえば東面や西面は、南面に比べ、発電量が15％ほど低下する。北面では約35％も低下する。効率よく発電するには、南面への設置面積を大きくしたい。

太陽光発電のしくみ

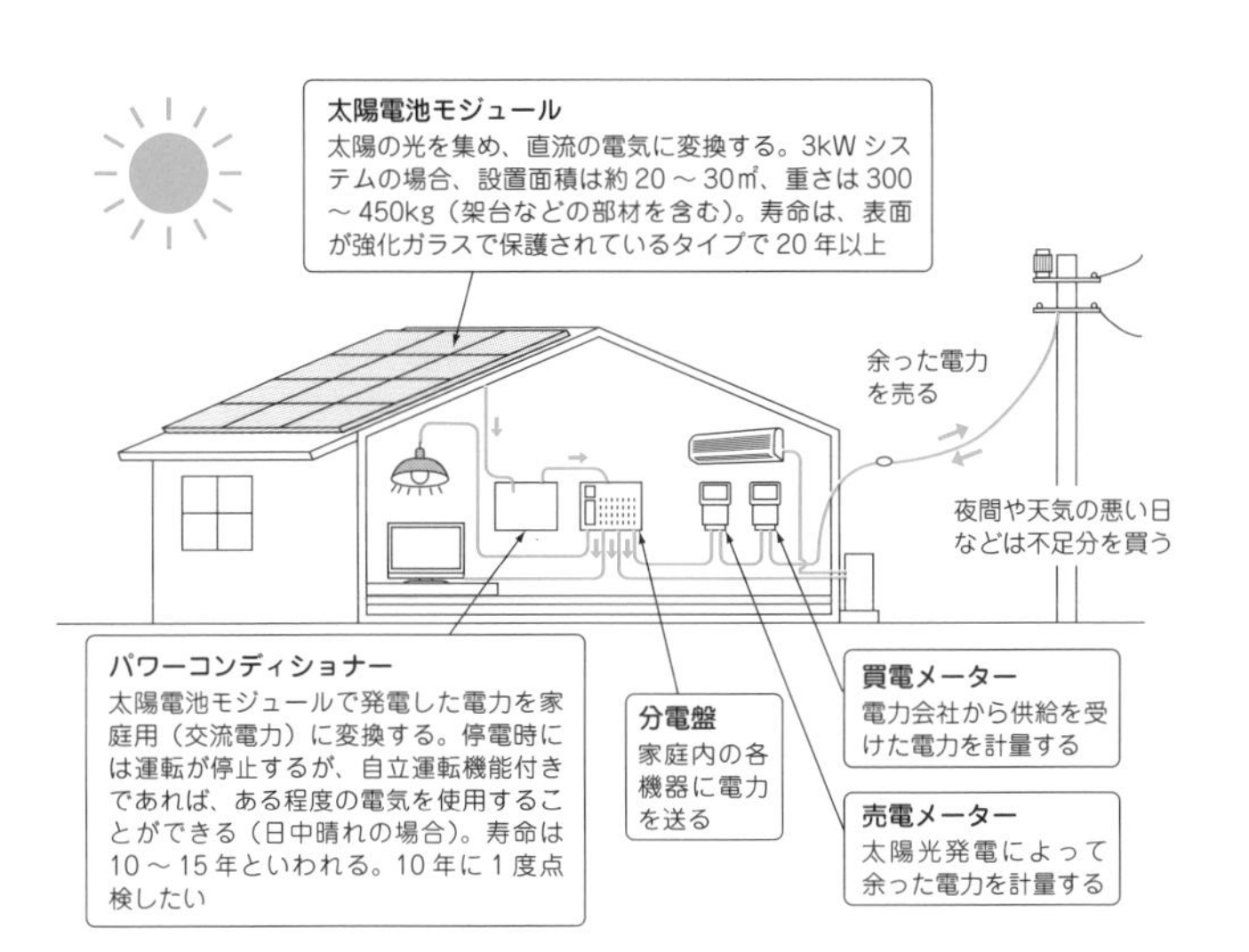

発電量は、日照時間や積雪など、地域や季節によって変わる。各メーカーがホームページなどで提示している地域別の年間予想発電量の目安をチェックしておこう。太陽光発電は、日々の発電量や買っている電力量がモニターに表示されるので、節約意識が高まる。

電力会社への売電

買い取り価格が導入時から10年固定される「固定価格買い取り制度」がある。ただし、導入年によって変更されるので事前確認を。太陽光発電の導入費用は安くないが、電気代の節約と売電によって10数年程度で回収できると試算されている。

105

オール電化の住まいを検討する

オール電化住宅は、光熱費が電気代のみでシンプルになる。各電力会社のオール電化住宅向け料金プランや割引制度を利用したい。光熱費(電気代)をより節約するためには、できるだけ昼間の電気を使わずに、割安な夜間や朝晩の電気を使うようにするのがよいだろう。家のつくりも、自然光を取り込んで昼間の照明を使わないようにしたり、断熱性を高めてエアコンを効率よく使ったり工夫して。太陽光発電との組み合わせも要検討だ。

オール電化住宅のイメージ

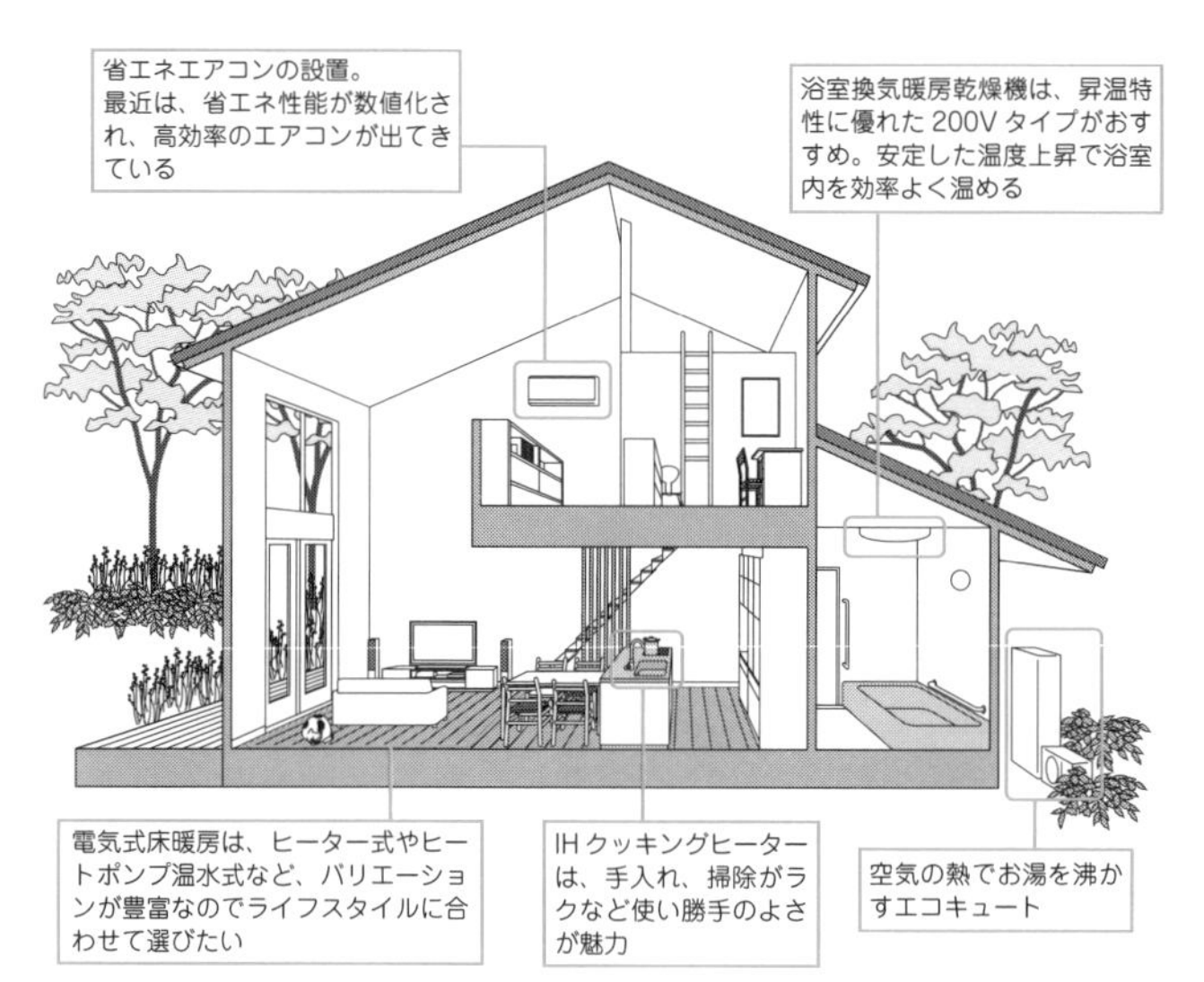

オール電化住宅とは、キッチン、給湯、冷暖房などすべてのエネルギーを電気でまかなう住宅のことで、IHクッキングヒーターとエコキュートを導入していることを示す。

SGマーク

SGマークとは(財)製品安全協会が安全な商品と認めた製品にのみ表示される。

新しく設備を購入する場合は、IHクッキングヒーターのメーカー推奨品や、SGマークのついたものを選ぶとよい。

106

エネルギー管理システム「HEMS」

スマートハウスの「スマート」は、エネルギー消費や光熱費が少なくて済む（＝スマート）と、賢く軽々と省エネが図れる（＝スマート）の、2つの意味をもつ。個々の住宅で電気をつくり、最適な使用を一括管理し、節電・省エネを徹底、もっともロスのない制御を自動で行っている。

スマートハウスを特徴付けるシステムが、HEMS（ヘムス）と呼ばれる家庭用のエネルギー管理システムだ。これで機器類の監視や遠隔操作も可能となっている。

HEMSの画面例

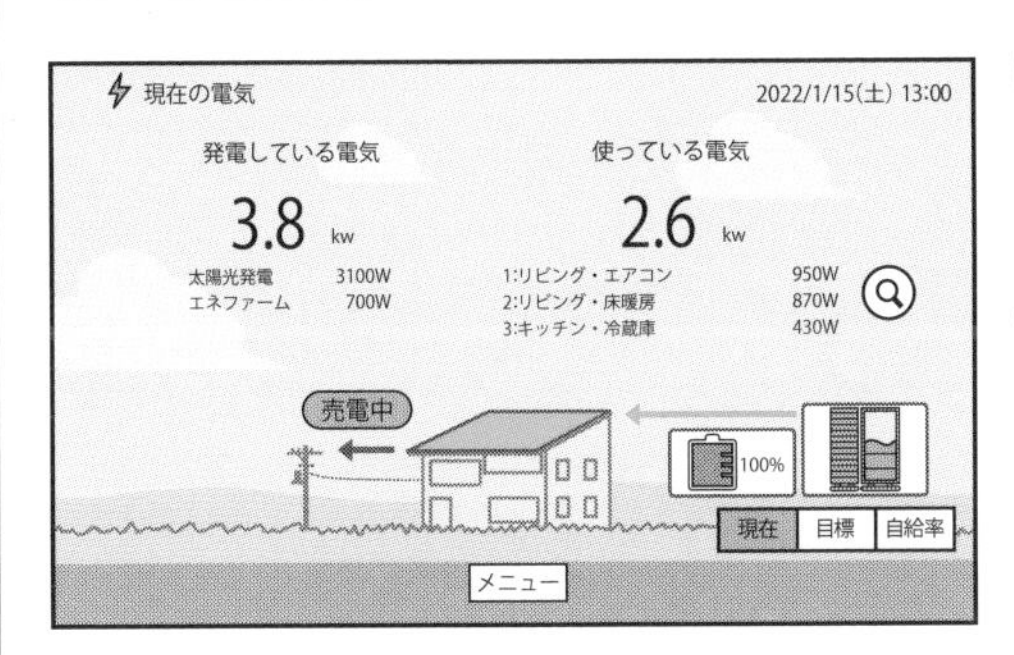

HEMSは、ホーム･エネルギー･マネジメント･システムの略で、パソコンのルーターに似たホームサーバーを設置し、住宅内の電気機器・設備機器をネットワークで接続する。モニターには、発電状況や消費電力などの電気の流れがリアルタイムに表示される。

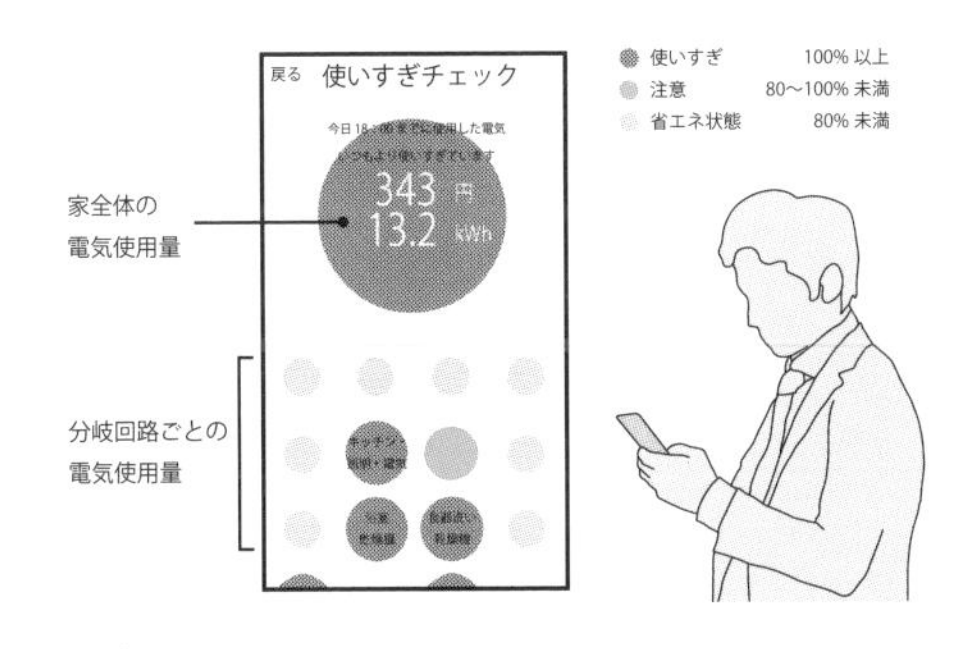

スマートフォンのアプリと連携すれば、外出先でも家全体の電気使用量や、どの回路が電気を使いすぎているかなど、電気の使用状況を確認できる。プッシュ通知で電気の使い過ぎをお知らせしてくれる機能も。

電気使用量の計測の自動化

これまでは検針員が読み取っていた電気使用量の計測を自動化したものを「スマートメーター」という。リアルタイムで使用量がわかるようになり、家の中につなげたディスプレイでもさまざまな電力情報を見られる。電力会社側は人件費削減になるのはもちろん、需要ピーク時の動向把握や、電力の開通、遮断を自動で行えるようになる。

107

ランプの種類と特徴を知る

日常的に使うランプには、白熱灯、蛍光灯、LEDの3種類がある。ただし、電力消費量の多い白熱灯の利用は縮小傾向にある。

急速に普及が進んでいるのはLED。1960～70年代に赤・緑・黄色が、90年代に青が開発された。光の三原色が揃ったおかげでさまざまな色の光をつくれるようになり、用途が拡大してきた。LEDの消費電力は同じ明るさの白熱灯と比べて約8分の1、電球型蛍光灯と比べても約3分の2と発光効率が優れている。

蛍光灯とLEDの特徴

	蛍光灯	LED
光の色	昼光色：太陽光に近い光。青白く、すがすがしく爽やかな、洗練された雰囲気を演出。 昼白色：太陽光に近い光。白っぽく、いきいきとした自然な活気ある雰囲気を演出。 電球色：夕日に近い光。やや赤みを帯び、暖かくおだやかな落ち着いた雰囲気を演出。	昼白色 電球色 色の特徴は蛍光灯と同じ。
特　徴	○広い範囲を明るく均一に照らす。 ○光の色が多様 ○電球寿命が長い ○消費電力が少ない △点灯までに若干時間がかかるものがある	○点灯したらすぐに明るくなる ○熱線や紫外線をほとんど出さないので室内温度への影響が少なく、虫を呼び寄せない ○電球寿命が蛍光灯より長い ○消費電力が蛍光灯より少ない ○発光色を変えられる。1つの電球で昼白色から電球色に変えられる商品もある。 △光が直線的であまり拡散しないので、暗く感じることがある。広い空間では工夫が必要。 △価格が高い
寿　命	6,000～15,000時間	20,000～40,000時間 1日10時間使っても10年は交換不要といわれている。
発熱量	少ない。	少ない。
用　途	長時間点灯する場所に。点灯・消灯を頻繁に行うところには不向き。	長時間点灯する場所や、電球の取り替えに手間や危険が伴う場所（吹き抜け、階段など）に。

※ LED：Light Emiting Diode（発光ダイオード）の略。

部屋の広さとワット数の目安

	白熱灯(W)	蛍光灯(W)
4.5~6畳	100 ～ 180	40 ～ 65
6~8畳	180 ～ 240	65 ～ 80
8~10畳	240 ～ 400	80 ～ 100
10~12畳	400 ～	100 ～ 120

生活に必要な明るさの目安は、蛍光灯で1畳あたり約10～15W。白熱灯で約30～40Wである。LEDはlm（ルーメン）という単位で明るさが表示されるが、製品には白熱灯相当のW数が表示されている。ただし、W数は光源の消費電力を示すもので、実際の明るさの判断基準には照度（単位lx［ルクス］）がある。

108

部屋に合った照明を選ぶ

わたしたちは照明によって作業がしやすくなったり、暗がりでも安全性を確保できたりする。しかし、照明はたんに明るければいいというものではない。部屋の広さや用途、壁の色によっても適した照明は変わってくる。

天井に主照明を1つ取り付けるのが基本だが、それだけでは光が単調で、室内が貧相な印象になることも。複数の照明を組み合わせて使うと（多灯照明）、くつろぎ空間や華やかさを演出できる。

間接照明と補助照明

間接照明

光を天井や壁に反射させる。やわらかな印象で、リラックス効果がある。吹き抜けや勾配天井などの天井を間接照明で明るくすると、開放感が得られる。

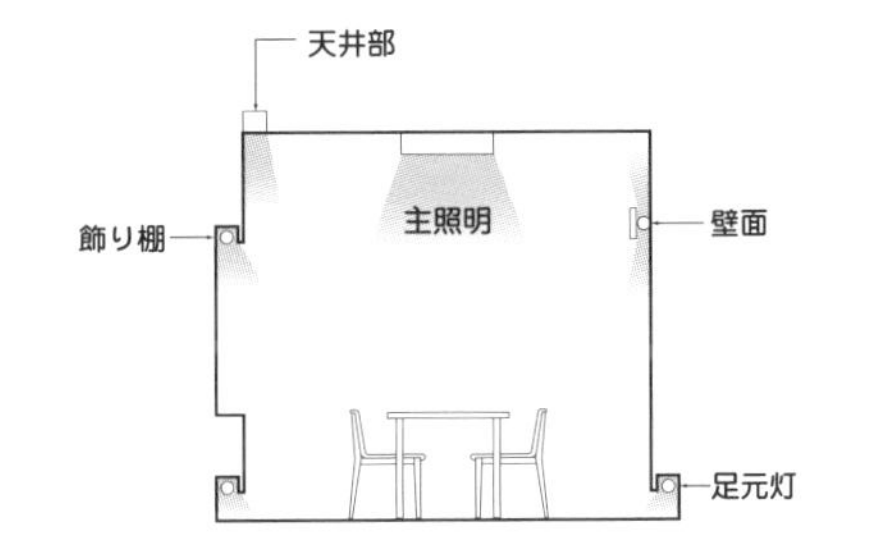

補助照明

ダウンライトやスポットライト、ブラケット照明など。部分的に照らして明暗のアクセントをつける。キッチンで手元を明るくしたり、寝室で夕暮れどきのような落ち着いた雰囲気を出したりする。

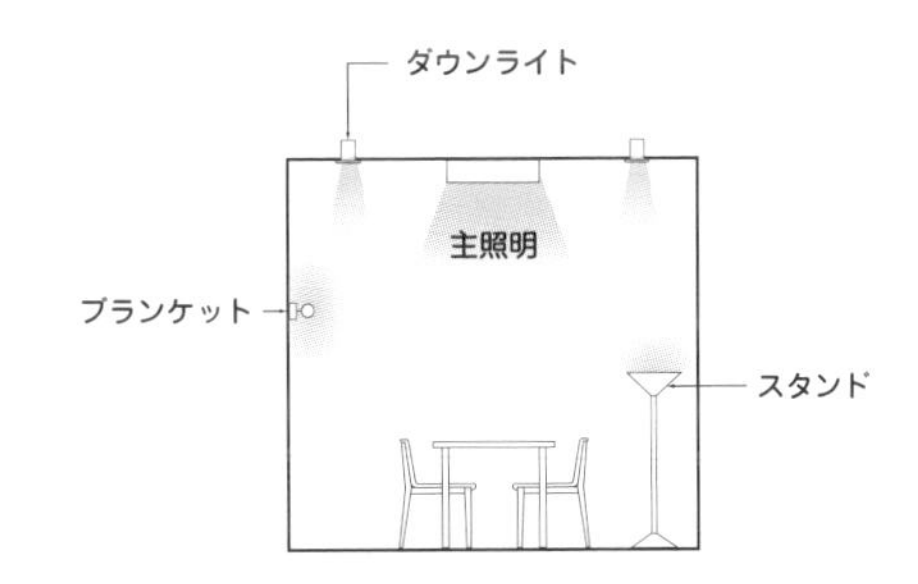

間接照明の例

間接照明なし

間接照明あり
※画像提供：中島龍興照明デザイン研究所

109 電気スイッチの配置を計画しよう

スイッチを無計画に配置すると、使い勝手が悪かったり、家具が置けなくなったり、コンセントが足りない……なんてことになりかねない。適切な位置や必要な機能を考えて選ぼう。

スイッチは動作方法で分けると、手動、タイマー、センサーの3つのタイプがある。毎日使うものなので、設置場所や高さで操作のしやすさが変わってくる。家族の生活をイメージして適切な配置にしたい。

スイッチの種類

ワイドスイッチ

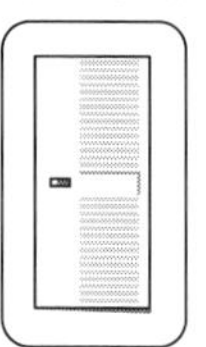

操作面が大きく、軽く押すだけでオンオフが可能。

リモコン付きスイッチ

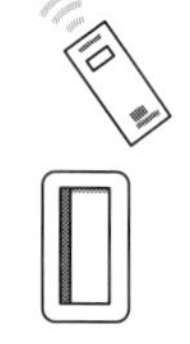

寝室の枕元でオンオフできるので便利。

タイマースイッチ

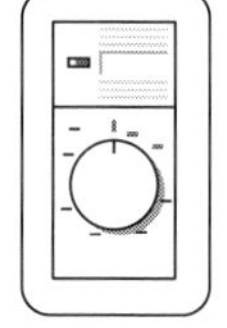

換気扇を一定時間だけ回して停止させるなど。トイレや浴室におすすめ。

センサースイッチ

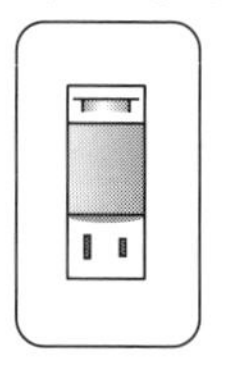

人の動きを感知して自動でオンオフを行う。

調光スイッチ

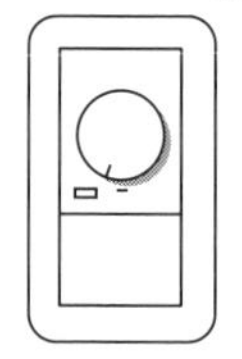

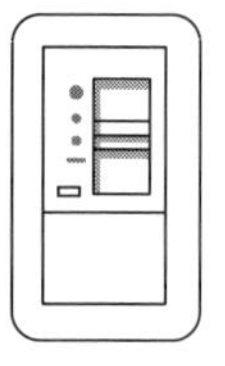

白熱灯の光量を好みの明るさに調整できる。

階段では、階下と階上に、同じ照明を2か所のスイッチでオンオフできる「3路スイッチ」が使われる。高齢者がいる住宅では「呼び出しスイッチ」や「プルスイッチ」、「握りボタンスイッチ」が有効だ。

スイッチの高さ

一般的には

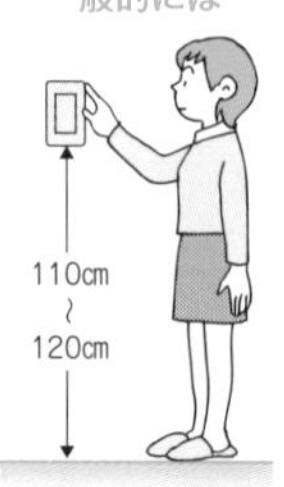

高齢者には

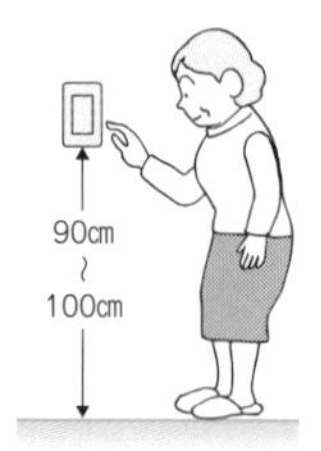

車イスには

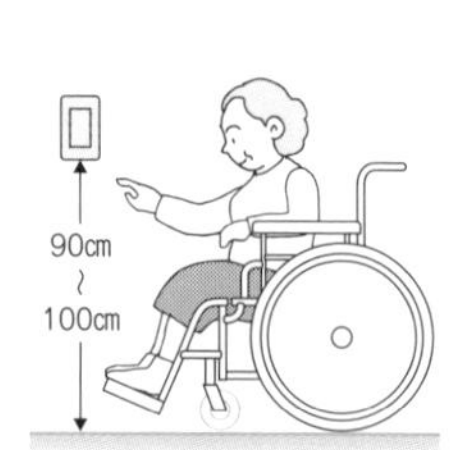

110

コンセントの数を決める

私たちが使う電化製品は増える傾向にあるので、コンセントは今の家より多めに設置しておくとよい。まずその部屋で使う電気機器をリストアップして、数や位置を決めていく。

たとえばキッチンでは、固定して使う家電と移動して使う家電両方を検討して。掃除機や扇風機、充電器などは移動して使うことが多いので、位置は抜き差ししやすいところがよい。また、廊下にも配置しておくと何かと便利だ。

コンセントの種類

アップコンセント

床下に設置するコンセント。室内が広くて壁まで遠かったり、食卓の下に欲しい場合など。

抜け止め式ダブルコンセント

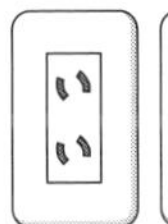

パソコンなど電源が抜けたら困る製品に使う。

防水コンセント

屋外で電気を使いたいときに。

マグネット式コンセント

コードに引っかかってもすぐに抜けて安全。

コンセントの高さ

コンセントは用途によってそれぞれ適した高さがある。高齢者がいるなら、低くしゃがんでの作業はつらいため、すこし高めの位置に設置するとよい。

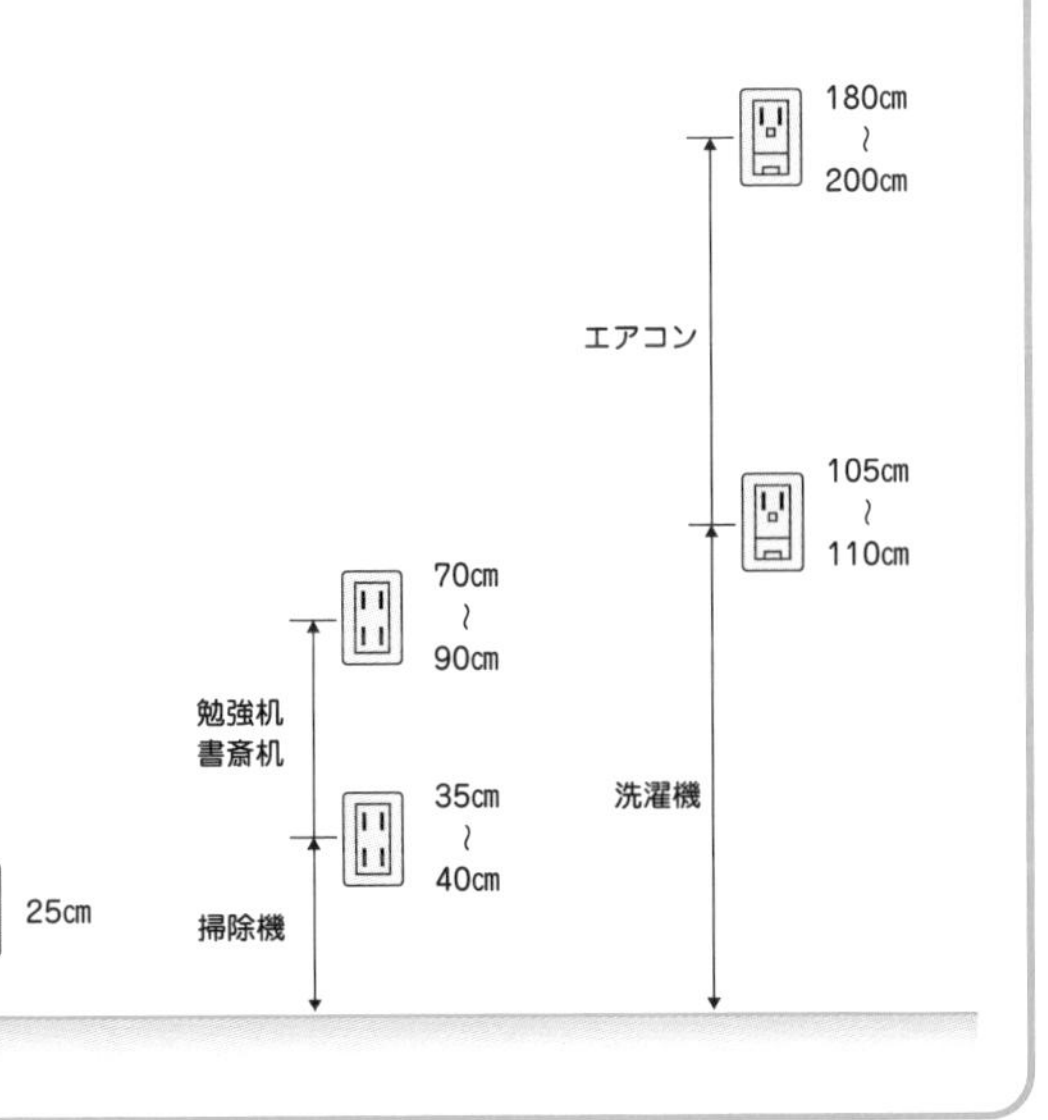

111 LANでつなぐ

家でインターネットを使えるようにするには、LAN配線が必要になる。LANとはLocal Area Networkの略で、インターネットにつなぐためのコンピュータネットワークのことだ。壁の中に配線を埋め込んでしまえば、多数の配線が露出することなくすっきりする。

無線LANは便利だが、有線に比べると低速で不安定、セキュリティの心配もある。高速インターネットや動画を多く楽しみたいなら有線のほうが無難だろう。

有線LANと無線LANの特徴

有線は安定した通信が可能。無線はケーブルがないためマシンの配置の自由度が高い。ただし、有線に比べると低速、不安定で、伝送媒体が無線なので盗聴のおそれがある。デメリットもきちんと知って選ぼう。

有線LAN

LANケーブルを通じてデータ通信。

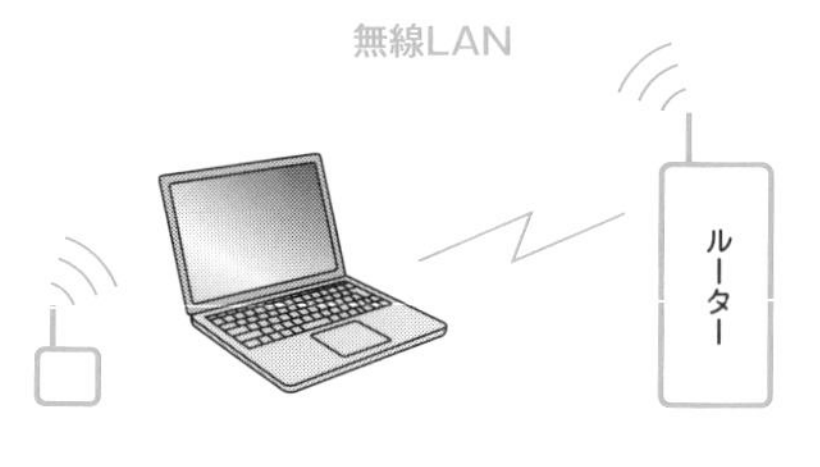

無線でデータを飛ばす。ノートパソコンや携帯情報端末ではほぼ標準装備となっている。

マルチメディアコンセントの取り付け

パソコン、テレビ、電話の接続がこれ1つでまかなえるので、室内にいくつもコンセントを設けなくて済む。

テレビ用コンセント（CSデジタル）
CSデジタル放送の受信用コンセント

LAN用コンセント
情報分電盤のハブと接続することで、各部屋のパソコンとのネットワーク構築が可能。LAN用コンセントではISDN回線は使用できないので注意

電源コンセント
内線規定が変更され、現在はすべてのコンセントにアース付きが推奨されている

CS　TV　LAN

テレビ用コンセント（UHF、VHF、CATV、BS、110°CS）
テレビ用のコンセントとして利用する。CATV用のコンセントは双方向用とする

アナログ電話回線コンセント
一般回線の電話やFAX、デジタルチューナーなどが接続可能

112

IoTで家をもっと便利に

HEMSの役割をさらに補強するシステムがIoTだ。INTERNET OF THINGSの略で「モノのインターネット」と訳されている。

パソコンなどの通信機器だけでなく、家庭内のあらゆる家電・設備に内蔵センサーを搭載してインターネットに接続することによって、外出先からスマートホンやタブレットを使って遠隔操作ができる。自動制御や情報収集が行えるようになり、これまで以上に安全で快適なサービスを生み出している。

ホームネットワークのイメージ

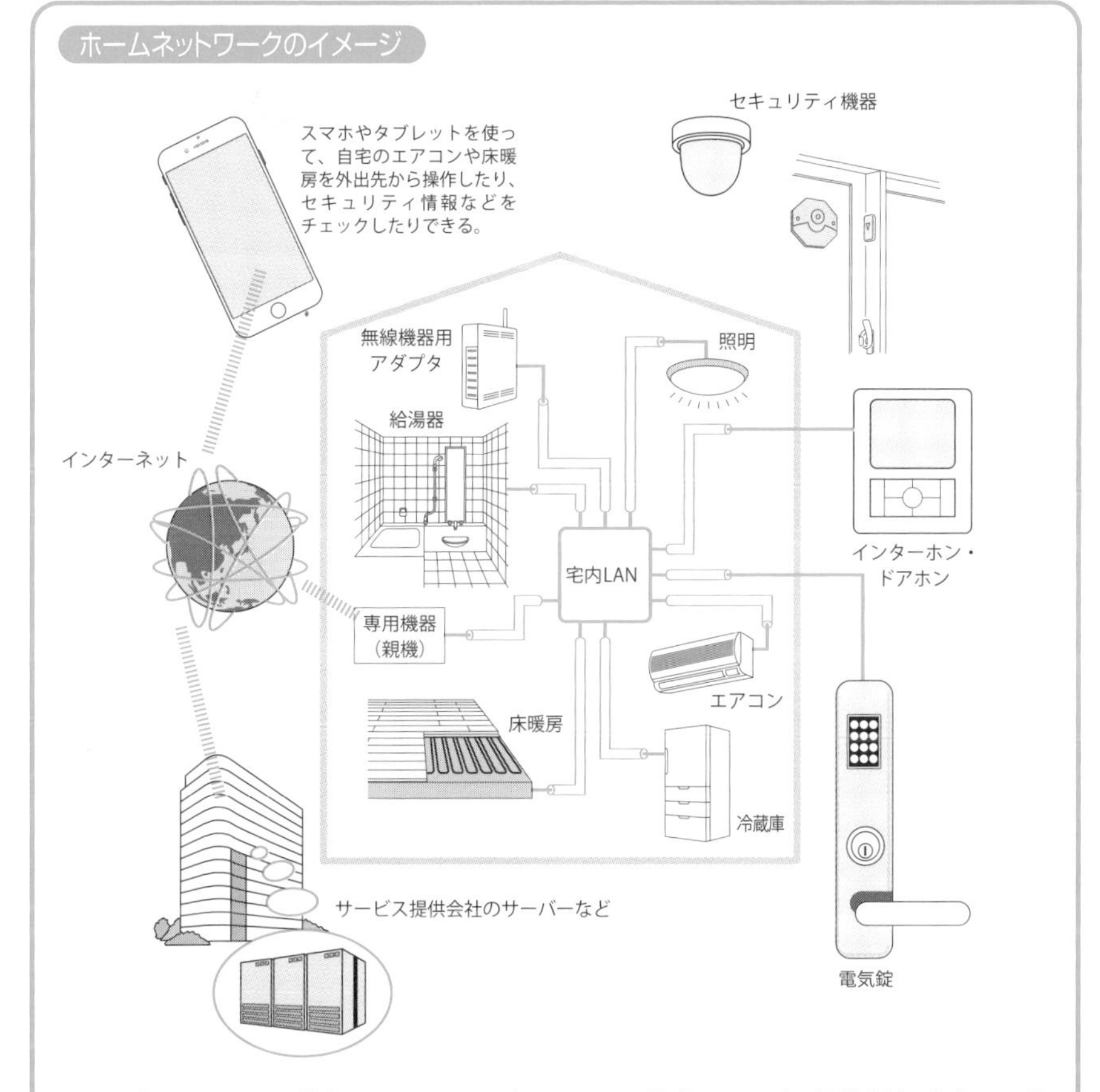

ホームネットワークの導入には、インターネットが常時接続されていること（通信速度500kbps以上）、LAN環境が整備されていることが条件。サービス提供会社と契約し、親機やHA端子対応のエアコンや照明などを導入する。新築時でも後からでも設置可能だ。

113

火災警報器をかならず付ける

消防法により、現在はすべての住宅に住宅用火災警報器を設置しなければならない。

住宅用火災警報器には、「煙」を感知するものと、「熱」を感知するものがある。火災発生時には煙のほうが早く広がることが多いので、法律では原則として煙を感知するものの設置が義務付けられている。

一方で、台所など、日常的に煙や水蒸気が滞留しやすい場所には、熱感知器のほうが適している。

住宅用火災警報器の取り付け位置

設置する場所は、寝室と階段。3階建て以上の場合は寝室から2階離れた階の階段にも設置する。また、寝室がない階でも、7㎡以上の部屋が5つ以上ある場合は廊下に設置する。それ以外の場所（台所など）への設置基準を設けている市町村もあるので、かならず所轄消防庁で確認するように。

天井に設置する場合

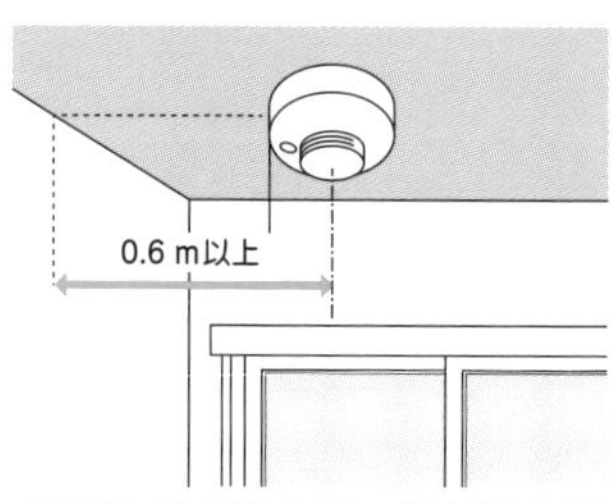

警報器の中心を壁から0.6m（熱を感知するものは0.4m）以上離す。

梁がある場合

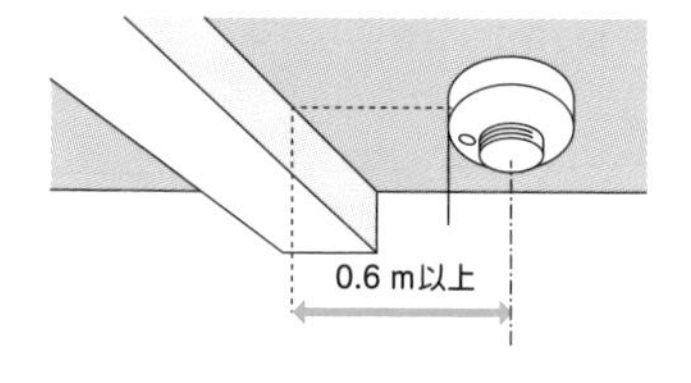

警報器の中心を梁から0.6m（熱を感知するものは0.4m）以上離す。

エアコンがある場合

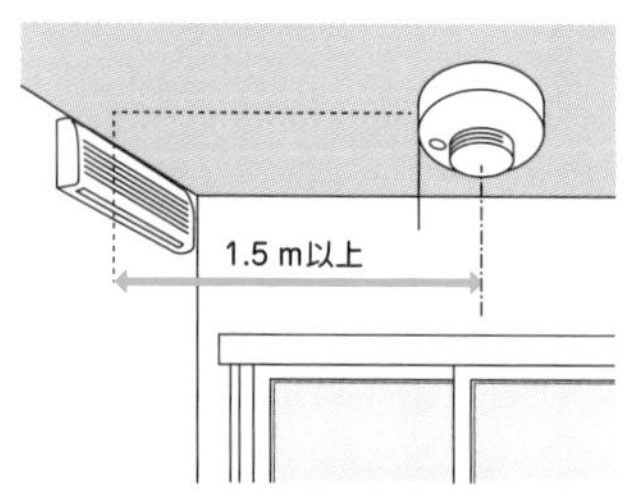

エアコンなどの吹き出し口がある場合は、警報器の中心を吹き出し口から1.5m以上離す。

壁に設置する場合

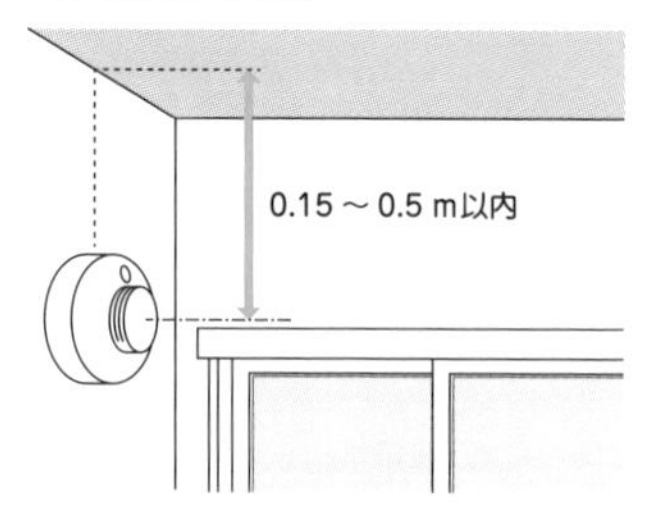

警報器の中心が天井から0.15～0.5m以内の高さ位置に取り付ける。

火災を感知した警報器だけが鳴る単独型と、すべての警報器が鳴る連動型がある。また、電源方式や警報方式（音声、ブザー、発光など）などにも種類がある。

114

侵入者があきらめる防犯設備

侵入者が侵入をあきらめるまでの時間は2～5分といわれている。つまり、防犯設備は5分以上対抗できるものが必要ということだ。

玄関の錠選びは、高い防犯性能を示す「CPマーク」を参考にして。侵入手段でもっとも多いのはガラス破りなので、補助錠を設置したり雨戸を取り付けたりする。防犯性能が高いガラスを採用するのも手だ。そのほかの防犯対策には、インターホンのセキュリティー機能やホームセキュリティーサービスなどがある。

玄関ドアの防犯対策

シリンダー錠は、ピッキングに強いロータリーディスクシリンダーキーやディンプルキーを選ぶ。シリンダーを2つ付ける「ツーロック」にすれば、さらに抵抗力が高まる。シリンダー錠以外では、暗証番号方式、ICカード式、ICタグ式、生体認証式などの電気錠がある。また、サムターン回し対策の「脱着式サムターン」や、こじ開け防止の「鎌付きデッドボルト」、「ガードプレート」も検討しよう。

脱着式サムターンの内観
（サムターンが装着されている状態）

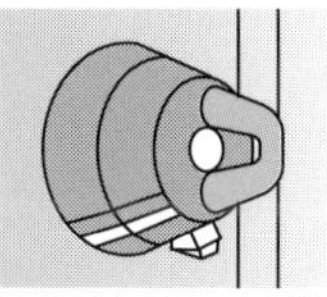

取り外すときは、室内側シリンダー下部のボタンを押す。

サムターンを取り外した状態

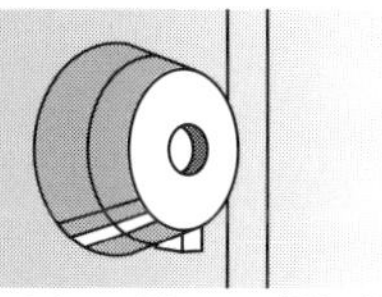

サムターンがないので解錠できない。

音の出ないドリルなどでドアに小さな穴を開け、そこから器具を入れて、鍵の内側のつまみ（サムターン）を回して解錠するのが「サムターン回し」。それに対抗するため、室内側のサムターンは取り外しできるものを選ぶとよい。

窓の防犯対策

強化ガラス

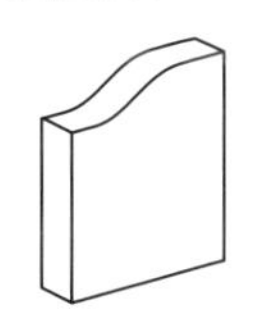

一般的なフロートガラスの3～5倍の強度がある。鋭利なものによる衝撃には弱い。

網入りガラス

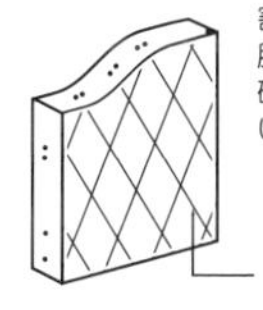

割れても破片が脱落せず安全。破壊行為には弱い。

合わせガラス

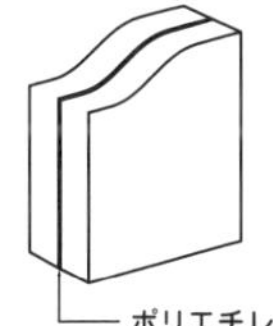

割れたときの飛散防止効果が高い。突き破りなどにはやや弱い。

防犯合わせガラス

強靱な特殊フィルムが貫通を防ぎ、防犯性に優れている。

侵入手段でもっとも多いのがガラス破りだ。侵入盗は、窓ガラスを破り、クレセントを開ける手段を使う。手口としては、音を出さないようにひびを入れて破壊するこじ破りと、音を気にせずに破壊する打ち破りが最も多い。最近はガスバーナーなどを使用した焼き破りも出てきている。ガラスによって防犯性が異なるので、考慮して選びたい。また、補助錠やセンサーアラームなどと組み合わせた総合的な対策もとるとよい。

第 6 章

家の素材・建材を知る

壁や床の仕上げ材や
建具や窓の種類など、
素材や建材は家族に
合うものを選びましょう。

115

建材の種類と特徴

天井、壁、床の仕上げ材のことを内装材という。内装材は、部屋の印象を決めたり、少なからず居住性にも影響を与えたりする。ここでは、どんな壁材があるのかをみていこう。

壁材の種類は、壁紙、塗り壁、塗料、木材など。汚れやすい腰下だけを張り替えられるように、腰上と腰下を張り分ける手もある。

天井は汚れにくいので特に性能にこだわる必要はなく、基本的に壁と同じ仕上げ材を使うが、吸音性の高い天井材を使うこともある。

壁材の種類と特徴

壁材	特徴
壁紙（クロス）	施工しやすくコストが低い。とくにビニルクロスは豊富な色・柄から選べて耐久性も高いので、多くの住宅で採用されている。自然素材の布や紙、和紙の壁紙は質感や温かみがあり、通気性がよい。
塗り壁	漆喰や自然素材系塗り材、土壁など。素材に質感があり、塗り方によって雰囲気が変わる表現力の高い壁材といえる。調湿効果や消臭効果などを期待できる。
塗料	最近はシンナーを使用しない水性塗料などが一般的。好みにあわせて種類や色を選べる。曲面にも容易に対応でき、塗り替えも簡単。
木材	羽目板や腰板と呼ばれる加工した木材を壁面に張る。ヒノキやスギ、メープルなど、インテリアにあわせて多様な樹種から選べる。落ち着いた高級感のある仕上がりに。
パネル	機能性を追求した壁材。浴室用の調湿建材やキッチン用の不燃壁材がある。デザインの選択肢は少ない。

内装材や家具に含まれているおそれのある化学物質

シックハウス対策として内装材のホルムアルデヒドを規制する建築基準法がある。ホルムアルデヒドの放散量を星1～4つの等級であらわし、星4つなら制限なく使える。現在国内で流通している内装材の大半が星4つだ。また厚生労働省は、ホルムアルデヒド以外にも、12品目の化学物質について室内濃度指定値を掲げている。自主規制のため統一した表示はないが、ガイドライン値を下回っているものは「低ＶＯＣ（※）」とうたっていることが多い。

※ Volatile Organic Compounds（揮発性有機化合物）の略

116

定番の床材フローリング

見た目に美しく、適度な弾力で衝撃をやわらげるフローリング。カーペットや畳に比べてダニが発生しにくいのもうれしい点だ。

フローリングには無垢フローリングと複合フローリングがある。無垢フローリングは1枚の木の板をそのまま使うので、その素材感が何よりの特徴。傷が付いても下の基材がむき出しにならず、やすりがけをすれば新品のようになる。複合フローリングは、手入れがしやすく傷も付きにくいという扱いやすさが利点だ。

無垢フローリングと複合フローリング

無垢フローリング

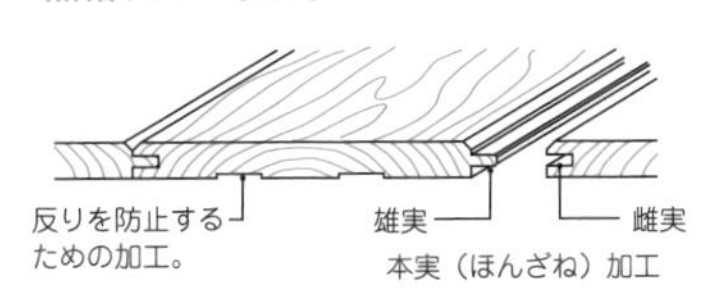

多くは出荷時に塗装されているが、無塗装品なら現場で汚れ止め程度の塗装は施したほうがよい。また、どんなに高品質でも温度・湿度に影響して伸縮することがあるので、隙間をあけて張るなどの対策が必要。一般的に含水率は12〜15%だが、床暖房を使用する場合は極端な乾燥による反りやねじれを避けるため5〜8%の対応製品を選ぼう。

複合フローリング

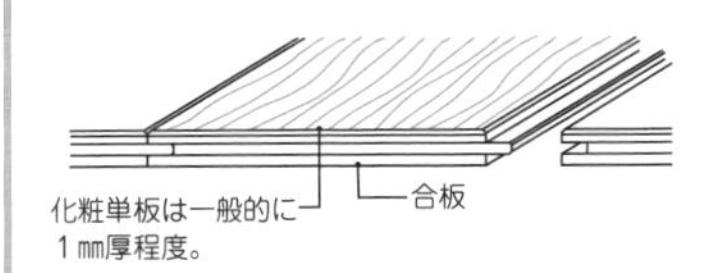

デザインが豊富で製品ごとの色ムラも少なく、均一な仕上がりとなる。化粧板は通常1㎜以下と薄いのだが、3㎜程度の厚いものもある。これは、質感がありながら変形は少ないという無垢と複合両方の特徴をあわせもつ。複合フローリングは低価格で機能性に優れており、高級木材を表面のみに使うため資源の有効活用にもなる。

板張りのパターン

乱張り

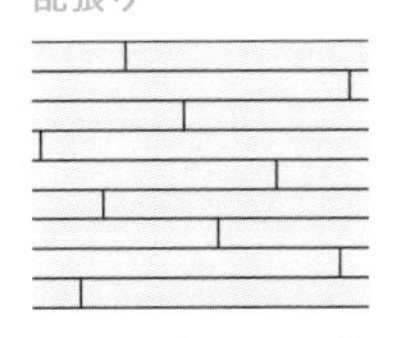

板の長さがまちまちの場合の張り方で、継手の位置が一直線上に並ばない。

いかだ張り

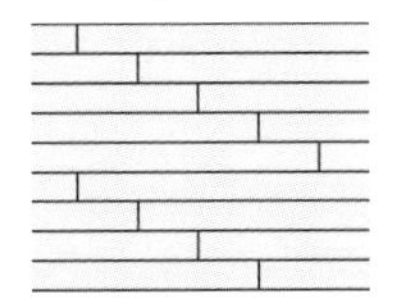

継手位置を一定に少しずつずらした張り方。

市松張り

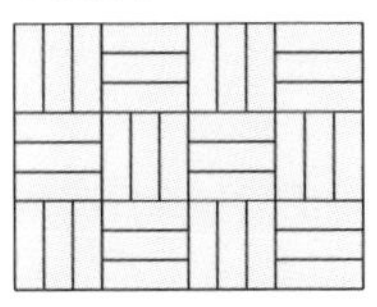

寄せ木を市松模様に張り込む。「パーケットフロア張り」ともいう。

矢筈（やはず）張り

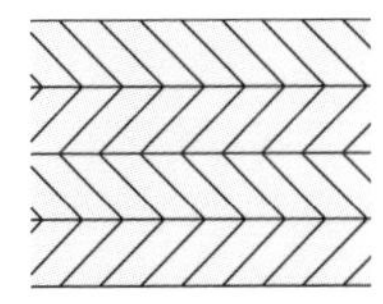

矢の末端、弓の弦を受ける部分（矢筈）の形に張り込む。寄せ木張りの1つ。

117

床材の種類と特徴

床材の種類は、フローリングのほかにカーペット、畳、天然石、人工大理石、リノリウム、クッションフロア、コルクタイルなどがある。

素足で歩いたり寝転がったりする場所なら、触れて不快に感じないか、逆に触れたいと思う快適さがあるかをチェックしよう。水がかかりやすい場所かどうかや掃除のしやすさも選ぶ基準になる。

床暖房を取り入れる場合は、床材が床暖房に対応しているかを事前に確認して。

主な床材の種類と特徴

床材	特徴
カーペット	保温性や防音性に優れている。防ダニ加工が施されたものもある。色やデザイン、織り方、質感が豊富。
タイル、天然石、人造石	水分や摩耗、衝撃に強く、汚れても簡単に洗い流せる。ただし酸や熱に弱いものもある。色はもちろん、小さなモザイクタイルから60㎝角くらいの大きなものまで、形や大きさが豊富。組み合わせによって個性的なデザインにできる。
リノリウム	亜麻仁油や松ヤニ、木粉、コルク粉、顔料などの自然素材を原料とした床材。弾力性があり、耐水性、耐薬品性、耐摩耗性、抗菌性能に優れている。
クッションフロア	発泡層を含んだシート状の床材。水がしみこまないので、キッチンや洗面所、トイレなどに使用される。傷がつきにくく汚れも落としやすい。最近では防菌、防カビ、防汚加工を施した製品もある。
コルクタイル	コルク樫の樹皮をタイル状のシートにした床材。ソフトな弾力性で足に疲れを感じさせない。耐摩耗性や防滑性に優れている。

118

ペットがストレスを感じない床材

ペットを飼う家の床材は、犬や猫が歩行にストレスを感じないものを選ぶ必要がある。

まず、爪で傷が付く床材は避ける。水などをこぼしてもしみ込みにくいものや、尿（アンモニア）などで変色しないものがよいだろう。床材のワックスがあまり濃いと滑りやすく犬の体に負担がかかるので注意して。また、目地や継ぎ目にほこりがたまると、そこににおいが吸着されてしまうので、掃除しやすいものを選ぼう。

ペット用の床材で考慮すべき点

傷が付きにくい
犬や猫は棚やテーブルにあるものを落とすことがあるので、衝撃にも強いほうがよい。

滑りにくい
犬の場合は特に注意が必要。ある程度爪が入って踏み込めるものを選ぶ。

尿や吐き戻し
水分がしみ込みにくく、表面が変色しないものを。

におい対策
においを吸着してしまう目地や継ぎ目ができるだけ少ないものを。

ペットに向いている床材

床材	特徴
コルク	素材がやわらかく、耐衝撃性がある。水だけでなく酸やアルコールにも強い。
リノリウム	菌、摩耗、薬品に強い。強度がある割にはクッション性もある。
クッションフロア・塩ビシート	目地が少ないシート状の床材で衝撃をよく吸収する。ノンスリップ加工してあるとよい。
麻	毛が絡みにくく掃除が簡単。部分取り替えしやすいものがよい。
タイル	磁器製タイルなら水を吸い込みにくい。滑りにくいものを選ぶ。

119

自然素材を検討する

人工的な化学物質を使わない伝統的な自然素材。無垢の木材や、土、漆喰、瓦、タイル、畳、和紙、柿渋の塗料などがある。その安全性や欧米の自然素材が話題になり、自然素材への回帰ブームが高まっている。

ただし、自然素材の施工にはある程度の技術が必要で、手間がかかるぶん工期も長く、費用も高め。合成素材に比べ傷や汚れに弱い点も否めない。それでも安全性や空気の浄化機能、癒やし効果などは、暮らしを考えたとき重要な要素になるだろう。

自然素材の使用例

内装：豆砂利洗い出しという昔ながらの手法で仕上げた土間床と、半田塗りの内壁。

外装：土佐漆喰と杉板縦張り。杉板は表面に柿渋を塗っている。

無垢の木：無垢の木をふんだんに使った室内。床材はヒノキ。

畳：高温多湿の日本の風土に適した床材だ。写真は畳縁を省略し、半畳を敷き並べている。

瓦：瓦の三大産地は三州、淡路、石州。このほかにも全国各地で地場瓦が生産されている。

自然素材のなかでも日本の伝統軸組構法と切っても切れないのが土塗り壁。建築材料に求められる重要な性質――耐火性、蓄熱性、遮音性を備え、さらに新建材にはほとんど期待できない調湿性も兼ね備えている。広い面、どんなカタチにも対応でき、木だけでは不可能な快適で美しい建物をつくれるようになる。

120

造り付け家具を取り入れてみる

建物の空間にあわせて制作し固定してしまう家具を造り付け家具（造作家具）という。押入れやただの棚板とは区別し、細かくつくり込んだものを指す。無駄のないサイズ、内装にあわせたデザインにできるのが造り付け家具ならではの魅力だ。

フルオーダーメイドになるので市販品の2〜3倍の値段になるが、家スペースを最大限生かして必要な機能のみをきちんと備え、インテリアの統一感も出せるので、その価値は十分あるといえる。

造り付け家具の例

テレビ台

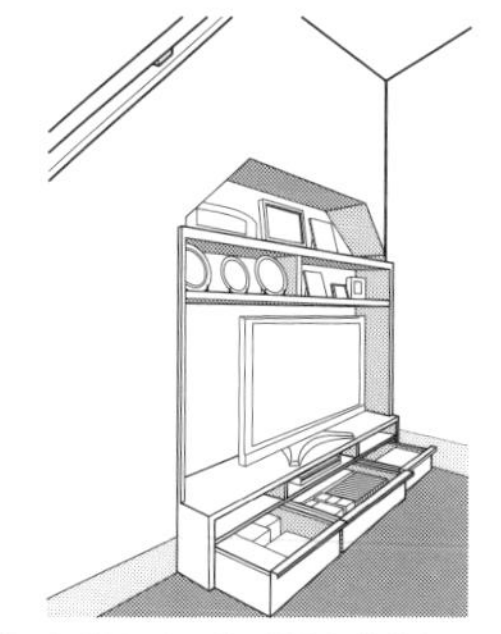

階段下を利用した、飾り棚と収納付きのテレビ台。引き出しの深さはオーディオソフトがぴったり納まる寸法。

ベッドと本棚

上にベッド、下に本棚とデスクを造り付けた例。本棚にライトを設けたのも造り付けならではの機能。

玄関壁面収納

靴入れ、ベンチ、コート入れを兼ね備えた壁面収納。窓は残し、吊り棚とベンチをぴたりと配置。郵便受けや手すりも使いやすい位置につけてある。

造り付け家具は、専門の家具屋さんが制作したものを搬入、設置する場合と、大工が枠廻りや壁工事の延長として現場で造り付ける場合がある。シンプルな枠組みだけ造り付け、扉や引き出しは市販のパーツを組み合わせるようにすれば、費用を抑えられる。

121 内部建具の種類とデザイン

内部建具（戸）の種類には板戸、障子、襖（ふすま）がある。フローリングには板戸、畳には障子、襖は和の空間の仕切りに使う。

戸は既製品がよく利用されるが、木材の種類を選んだりガラスをはめ込んだり、いろいろデザインしてオリジナルをつくることもできる。玄関から見えるリビングの扉を高級な素材にして重厚感をもたせるのもよいだろう。

板戸の種類

框戸

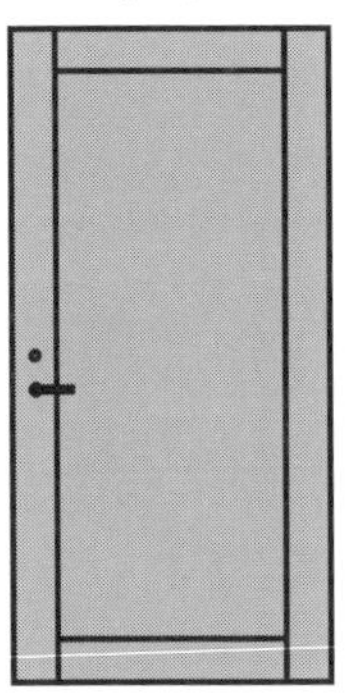

フラッシュ戸

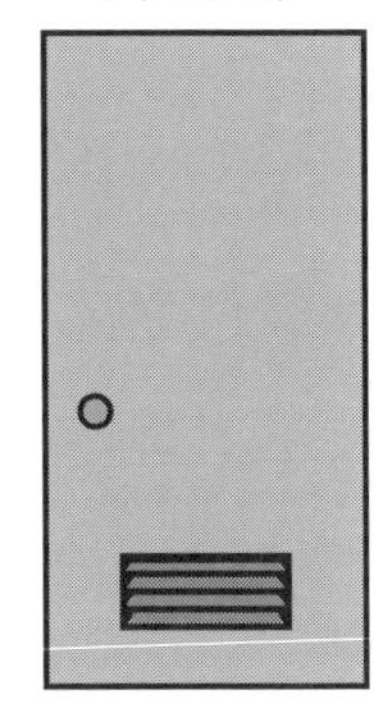

四方に框をまわし、ステンドグラス用の色ガラスをはめ込んだオリジナル框戸。

木材の戸には框戸（かまちど）とフラッシュ戸がある。框とは周囲の枠のこと。無垢の木材を組み合わせることが多く素材感があり、リビングの扉などによく利用される。フラッシュ戸は骨組みに化粧板やプリント合板を張ったもので、木目からカラフルなものまで幅広い選択肢がある。

障子の主な種類

水腰障子

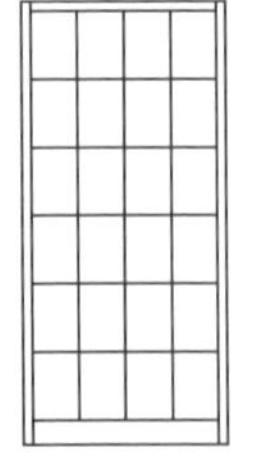

腰付障子

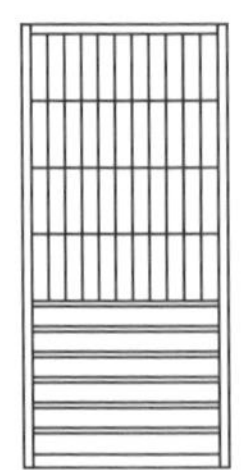

腰高障子

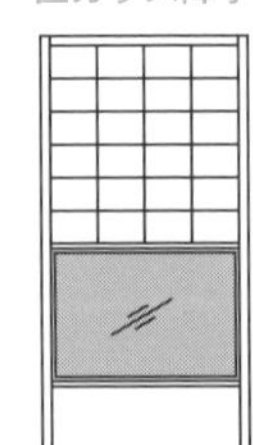

直ガラス障子

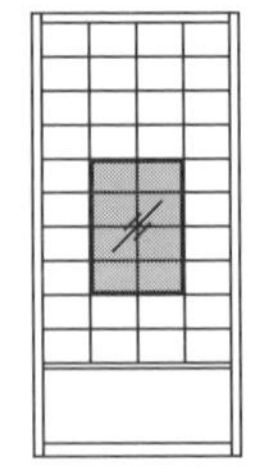

竪額入障子

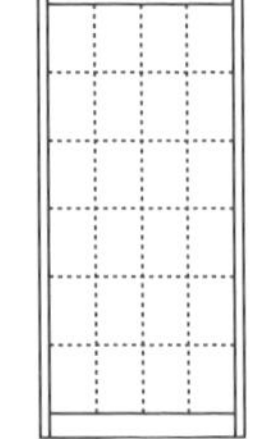

太鼓張障子

一般的な水腰障子のほか、さまざまなデザインがある。障子には断熱、紫外線軽減の効果がある。

122

戸の開閉方法を考える

戸を開閉方法で大別すると開き戸と引き戸に分けられる。洋室が多い現代の住宅では開き戸が多い。開き戸は密閉性が高く、鍵を取り付けやすいのが特徴。枠に機密パッキンを付ければさらに防音性を高められる。

一方、和風のイメージだった引き戸も優れた特徴が多く、採用されることが増えてきた。戸自体を移動できるので、状況にあわせて部屋をつなげたり分けたりと空間を変えられる。引き戸にはVレールや吊り戸、折れ戸といった種類がある。

引き戸の種類

一般的な敷居

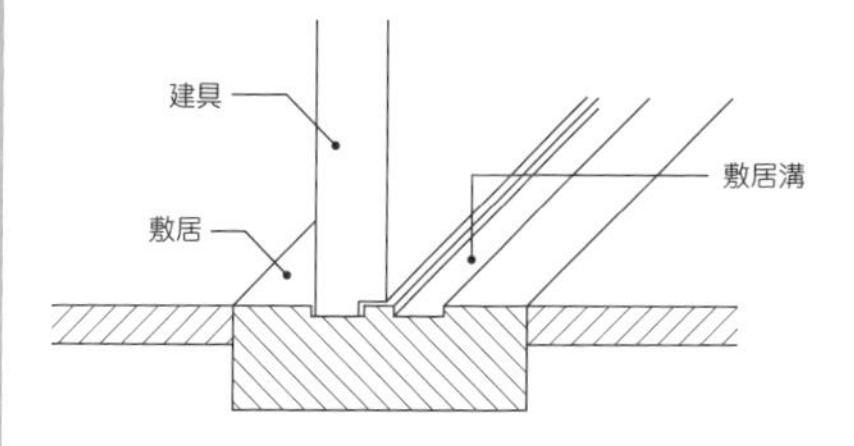

最近はバリアフリー対策で敷居と床の段差はなくなっている。建具と敷居溝が接触する。

Vレール

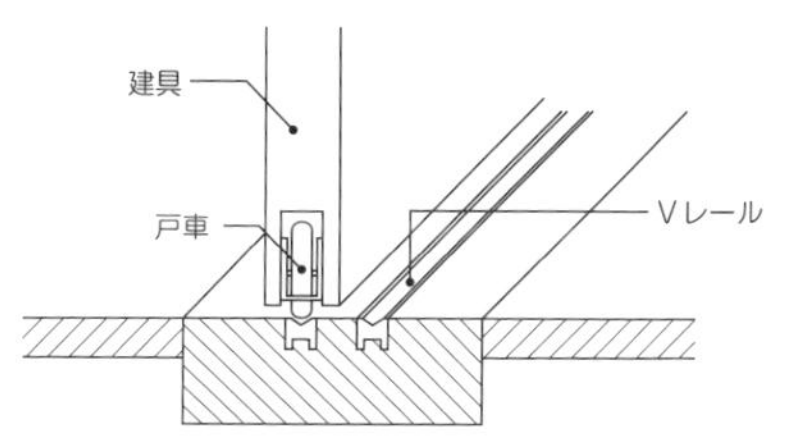

敷居の建具と敷居溝に比べ、戸車とレールは接触面が少ないので、重い戸でも開閉が容易。

吊り戸

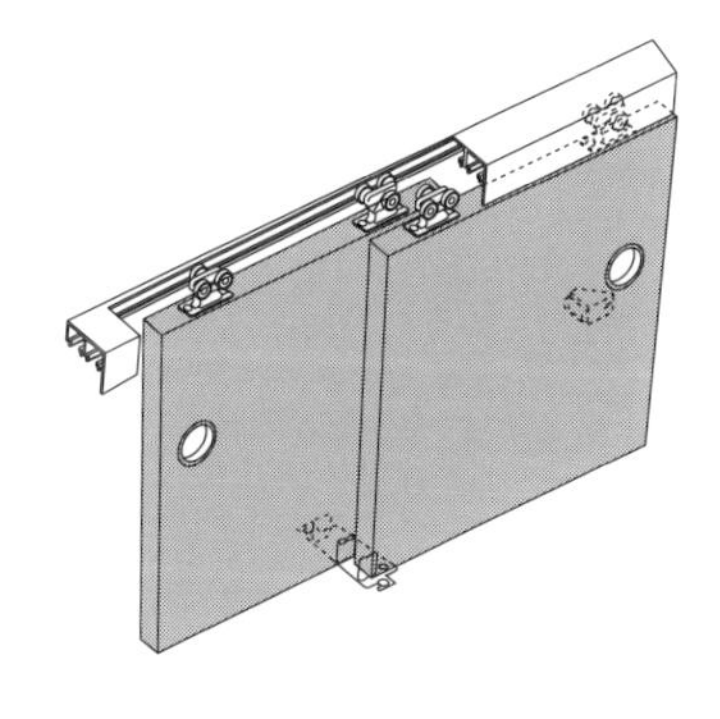

床のレールをなくし天井に埋め込んでいる。さらにスムーズに開閉できる。

折れ戸

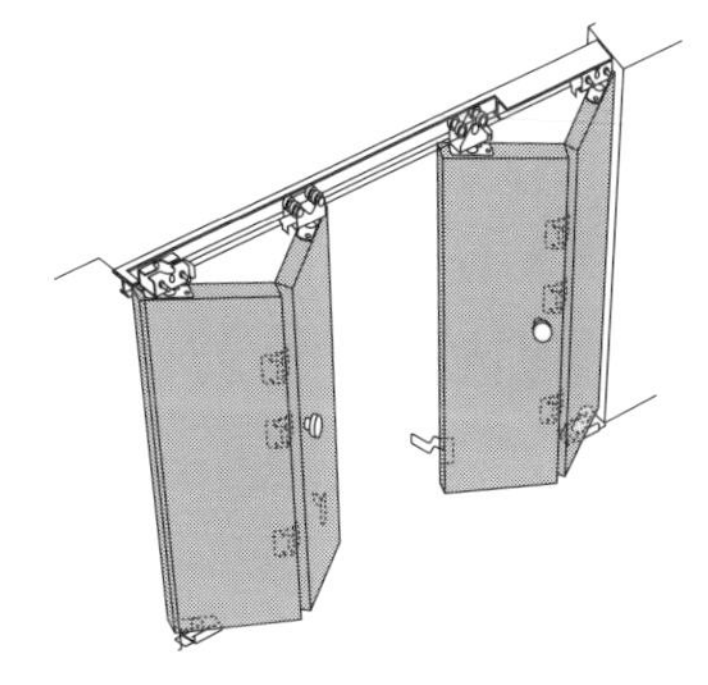

開けた扉が小さく折れ曲がって集まるので、戸袋のスペースがないときに有効。

123 窓の機能に注目する

一口に窓といっても、素材、大きさ、開閉方法、デザインなどさまざまな要素が組み合わさっており、住宅のなかでもっともバリエーションが多い部位である。しかし、選択を間違えると陽が入らなかったり風が通らなかったりして暮らしづらくなってしまうほど、家の快適さを左右する重要な部位といえる。

　部屋のどこに取り付けるかだけでなく、求める機能によって種類を選ぶようにしよう。

窓の役割と設置のポイント

窓の役割	設置のポイント
室内に光を取り入れる	たとえば、高い位置に設けると部屋の奥まで光を行き渡らせることができ、横長より縦長の窓のほうが部屋を均一に照らす。天窓は、壁面窓の3倍の明るさを得られる。一方、日射が厳しすぎるなら、外付け日除けや遮熱ガラスを検討したり、西側には大きな窓を設けないようにしたりする。
家の中に風を通す	風の入口と出口の配置がまっすぐで、大きさが同じくらいだと効果的。入口と出口に高低差があると、無風のときにも通風が促される。
窓辺や外観のデザイン	配置のバランス、大きさ、縦横比、枠の見え方などを検討する。カーテンやブラインドなど、窓まわりの装飾もあわせて考えよう。

窓の選び方

開閉方法とガラスの種類を確認しよう。窓のもっとも一般的な開閉方法は引違い窓。そのほか、はめ殺し窓、出窓、内倒し窓、横滑り出し窓、天窓、突出し窓、折りたたみ窓などがある。縦長窓の開閉は上げ下げ窓、ルーバー窓、縦滑り出し窓、オーニング窓に限られる。ガラスの種類もじつはいろいろあり、透明ガラス、型ガラス、すりガラス、デザインガラス、色ガラスなど。飛散防止、UVカット、遮熱機能がついたものもある。また、掃除のしやすさ、防犯性、目隠しについてもチェックするとよい。

窓の付属機能

外付けスクリーン

東西の窓で、低い角度の直射光を防ぐ。

外付けブラインド

遮熱に効果的な部材。防犯、目隠しにもなる。

ルーバー庇

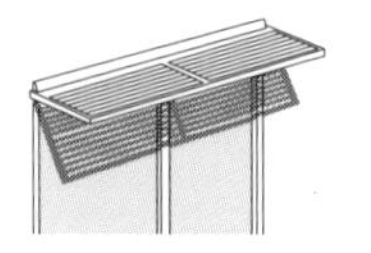

冬の角度の低い陽射しは室内に導き、夏の角度の高い日射は遮る。

124 サッシの種類と特徴

サッシ（窓枠）は、素材によって断熱性や耐久性などの性能が変わってくる。具体的にはアルミ、木、樹脂などがある。耐久性の高いアルミを室外側に、断熱性の高い樹脂を室内側に使用した、アルミ＋樹脂の複合サッシなどもある。

断熱性能を高めるためにペアガラスの利用も増えている。2枚のガラスの中間層によって断熱性が高まり、結露の発生を抑えられるようになっている。

窓の断面図

アルミサッシ

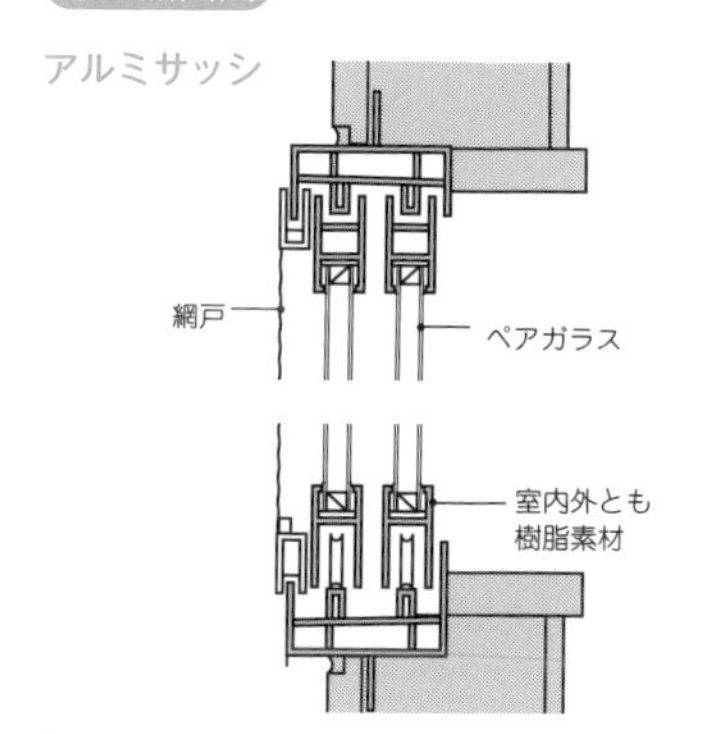

軽くてさびにくく、安価なのでいちばん普及している。

木製サッシ

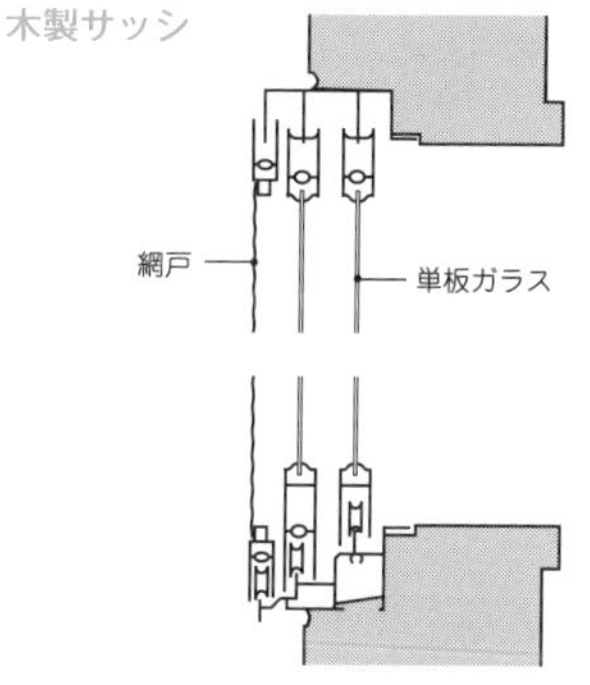

断熱性が高く結露しにくい。着色できるのでデザイン性に優れ、高級感がある。ただし、定期的な塗装が必要になる。

樹脂サッシ

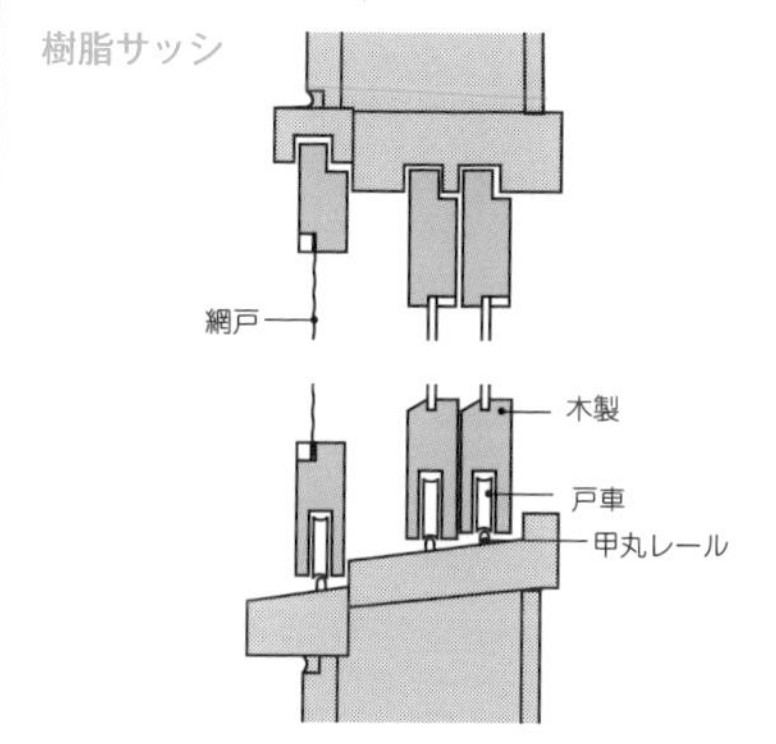

樹脂サッシは断熱性能が高い塩化ビニルを材料にしている。メンテナンスも不要だ。

アルミ＋樹脂サッシ

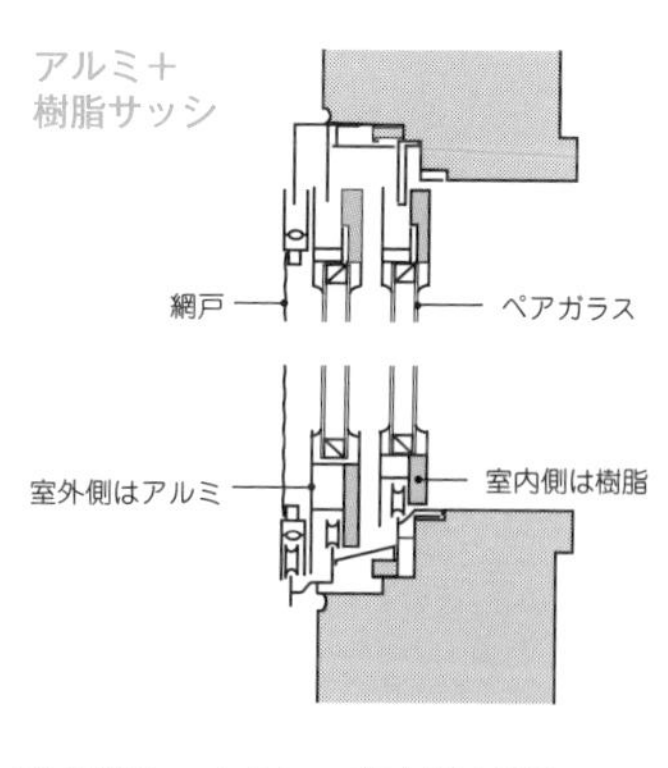

室外側をアルミに、室内側を樹脂にして、耐久性と断熱性の機能をあわせもつ。

125

外壁の種類と特徴

家の外側の仕上げ材のことを外装材といい、外壁材と屋根材がある。外壁材は風雨や紫外線から家を守りとともに、家の外観や街並みにも影響を与える。そのため耐久性とデザインが選ぶポイントになる。

サイディングという水や天候の変化に強い外壁用の板は、施工が簡単で工期が短いので近年主流となっている。その一方で、個性的な外観を実現できる左官壁も見直されつつある。外壁材はほかに、タイル、レンガ、石などがある。

主な外壁材とその特徴

外壁材	材　質	特　徴
窯業系サイディング	セメントやけい酸カルシウムの原料に繊維質材料を混ぜ、成形硬化させたもの	安価で耐久性・耐火性があり、デザインのバリエーションも豊富。厚さは、釘打ちで容易に施工できる14㎜と、質感が高い15㎜以上がある。最近の製品は塗膜の耐久性が向上しており、セルフクリーニング機能を付加したタイプもある。
金属系サイディング	表面の金属板と芯材に断熱材や遮音材を組み合わせたもの	ほかの外壁材より軽く、建物に負担をかけにくい。シャープでモダンなデザインで、人気が高まっている。錆に弱い鋼板の弱点を克服し、特殊なめっきで耐久性を高めたガルバリウム鋼板を使ったものが増えている。
木質系サイディング	無垢の木材や合板など、木質系材料の板を用いるもの	木の温かみのある表情が楽しめる。無垢のものは、スギやウエスタンレッドシダーなど耐水性の高い樹種の板を張る。縦張りと横張りがあり、建物の下から重ねながら張っていく下見板張りが代表的。木材を保護するための塗装が不可欠で、定期的な再塗装で寿命を延ばすことができる。木材を外装に使用する場合には防火上の制限があり、不燃処理されたものを使う。
セラミック系乾式サイディング	粘土を焼成させたタイルを用いるもの	高い質感と耐候性が最大の魅力。紫外線による色あせがほとんどなく、基本的に塗り替えを必要としないため、メンテナンス費用を軽減できる。
塗り壁	モルタル壁を下地に左官材を塗るか、塗料を吹き付けて仕上げたもの	表現力が高く、サイディングと違って曲面への塗布も得意なことから、個性的な外観が実現できる。日本の伝統的な壁仕上げの漆喰壁も塗り壁である。
タイル・レンガ・石	モルタル下地の上にタイルやレンガ・石を張って仕上げたもの	素材感あふれる外観を演出できる。施工性を高めると同時に剥離を防止するため、接着剤や金具で固定する方式もある。

126

屋根の種類と形

屋根材の種類は主にスレート、金属、瓦の3つ。スレートはもともと黒く緻密な粘板岩を意味するが、屋根材そのものを指す言葉としても使われている。耐久性が高く天然石ならではの素材感がある。セメントを繊維質でかためた人工スレートもあり、こちらは安価で軽量、塗装の耐久性能が上がって塗り直しの手間も減り、主流になっている。

金属は加工しやすいのがメリット。瓦は堅牢で重厚感あふれ、耐久性がよくメンテナンスの必要がない。

主な屋根の形

屋根は直射日光や風雨など、過酷な条件にさらされる部分なので、耐久性の高い材料が使われる。防水性はその形が大きくかかわる。

切妻屋根（きりつま）
屋根の原型ともいわれ、代表的な屋根の形。多様な形態が可能。防水面の弱点は少ない。

寄棟屋根（よせむね）
代表的な形状の1つ。建物の4周に軒が回るため、外壁の保護に有利。工事費は切妻よりも割高。妻壁がないため、小屋裏換気がとりにくい。

方形屋根（ほうぎょう）
寄棟屋根の1種で、正方形プランに用いる。

入母屋屋根（いりもや）
上部に切妻、下部に寄棟を組み合わせた形状。日本特有で社寺建築などで見られる。

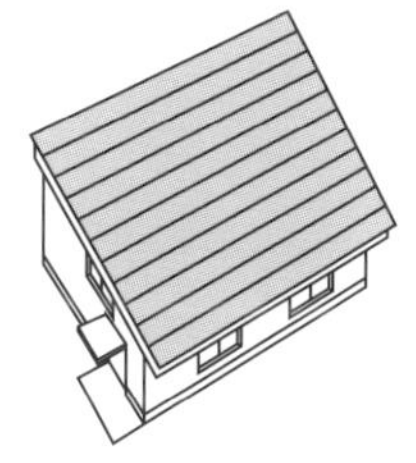

片流れ屋根
最もシンプルで経済的な屋根。特殊な部分が少ない分、防水性も高い。

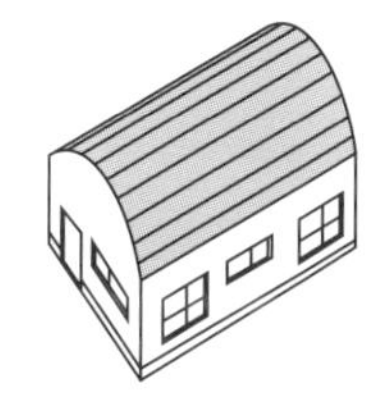

ヴォールト屋根
曲面の屋根。個性的な外観が可能。施工の難度が高く、工事費もかかる。屋根材も限られる。

第7章 住まいのトレンド

「脱シックハウス」や
「高断熱・高気密住宅」、
「バリアフリー住宅」などの
トレンドをまとめました。

127

地震に強い木造住宅の条件

建物にかかる重力を支えているのは、柱や梁などの軸組だ。しかし、軸組は地震や台風などの横から影響を及ぼす水平力への抵抗力が不十分。そこで、変形に耐える強い壁「耐力壁」が必要となる。

耐力壁の量が十分で、壁の端部が柱や土台にしっかり留められていることは頑強な構造の条件だが、耐力壁がかたよって配置されるとねじれが生じ、地震時に建物が大きく破損することがある。耐力壁はバランスよく配置したい。

耐力壁の役割

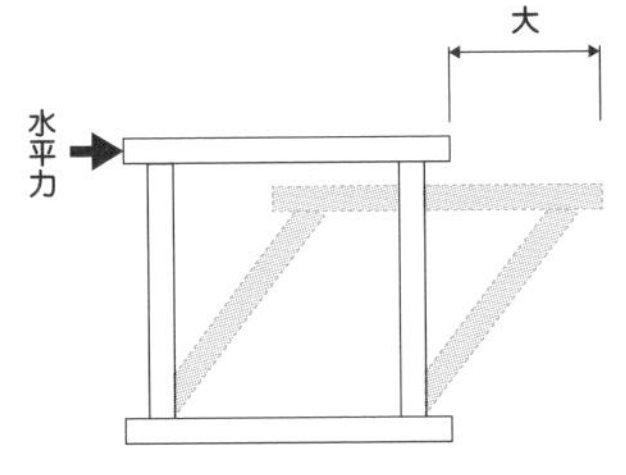

軸組のみの場合は変形量が大きい。

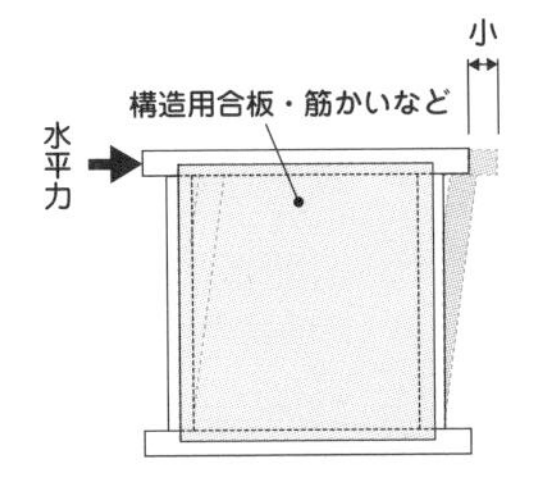

構造用合板などを張ったり、筋かいを入れたりすることで、変形量を抑えることができる。

耐力壁の配置

×
バランスの悪い耐力壁

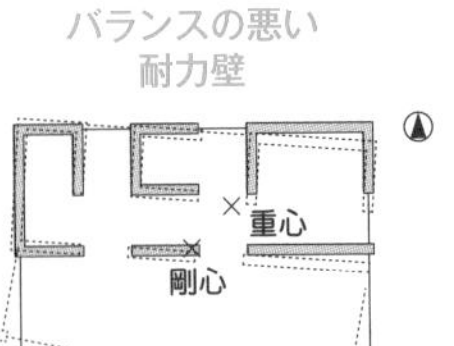

南北で耐力壁のバランスが悪いため、重心と剛心が離れ、ねじれを生じてしまう。

○
バランスよく4隅に耐力壁を配置

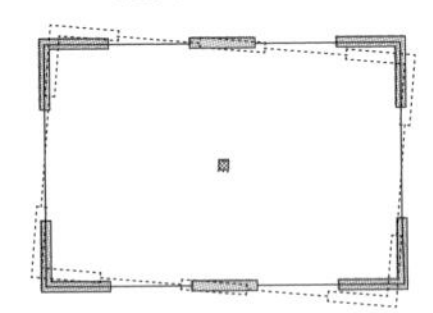

4隅を固めることでねじれにくくなる。また、上下階の耐力壁が一致していることも大切。

○
バランスよく4方位に耐力壁を配置

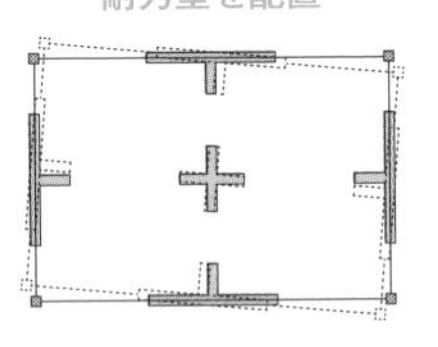

外周部の4方位をバランスよく固めることでねじれにくくなる。局所的に高い壁倍率の壁を入れることも避ける。

剛心：建物の力の中心点のこと
重心：建物の質量の中心点のこと
剛心と重心の距離が近いほど、耐震性に優れた建物といえる

128

免震と制震はどう違う?

免震は、基礎と建物の間に緩衝材を入れ、地震のエネルギーが建物に伝わらないようにするもの。建物の揺れを地盤の揺れの半分以下に抑えるが、軟弱地盤や液状化の恐れがある地盤、地下室のある建物への対応は難しい。

制震は、数カ所の壁の中に配置した装置「ダンパー」が建物の揺れの増幅を抑えるもの。導入費用はおよそ100万円以内で、地盤に対する制約がないため木造住宅に取り入れやすい。

耐震・免震・制震の違い

建物を堅牢につくり、地震の揺れにふんばって耐える「耐震」に対し、地震の揺れを吸収する装置を建物に組み込んで、建物自体の揺れを抑えるという考え方の「免震」と「制震」がある。

耐震

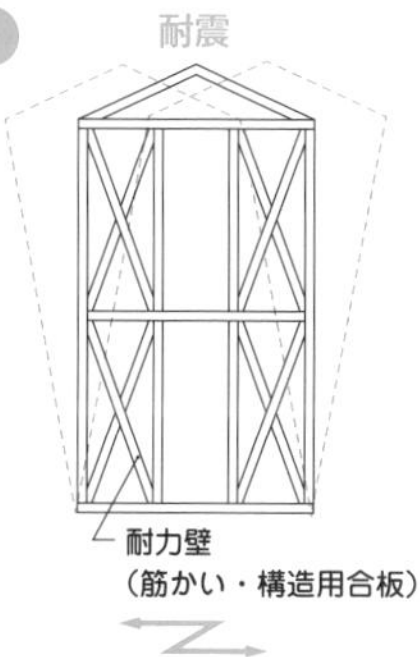

壁量を増やしたり、接合部を強固にして、建物自体の強度で地震に耐える。

免震

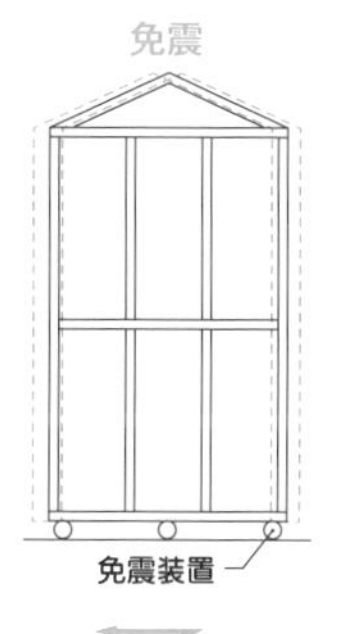

基礎と建物の間に免震層（右下の図）を設け、地震の揺れを受け流して建物に伝わりにくくする。

制震

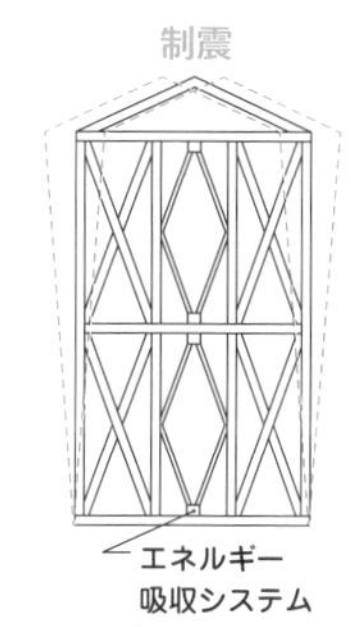

壁に専用装置を装着して、地震の揺れを吸収し、建物の変形を抑える。

制震システムの設置例

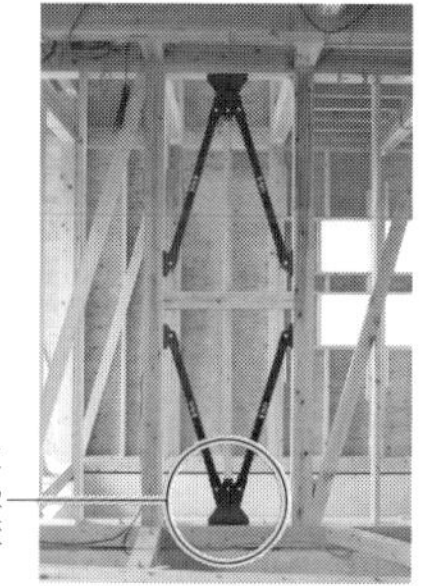

摩擦ダンパーによって揺れを吸収し、建物の変形を抑える。

（写真提供：カネシン）

制震は免震ほど高い効果は得られないが、ダンパーが激しい揺れに対する耐力壁の損傷を抑える。ただし、耐力壁との兼ね合いを見ながら配置しなければならないため、間取り計画時に検討が必要だ。

免震住宅の構造と装置

免震層とは、基礎の上に設置する免震装置と架台のこと。免震装置は、免震支承（住宅の荷重を支えながら水平方向に動く）と、減衰装置（急激な動きによる衝撃を吸収する）と、復元材（地震時に動いた住宅が元に戻るように促す）の3つで構成される。

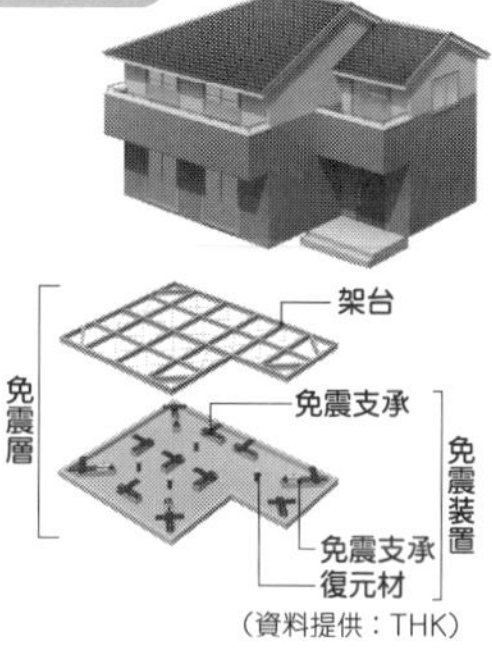

（資料提供：THK）

免震は建物の損傷や家具の転倒を防ぐのに抜群の効果があるが、建物自体が一時的に数十cm動くので、隣地との距離を確保する。導入費用は数百万円かかり、定期的な点検やメンテナンスが必要となる。

129

高断熱・高気密の家

近年の住まいは断熱化と気密化が進んでいる。外壁や屋根、床に施工された断熱材は、外の寒さ・暑さを室内に伝わりにくくし、逆に室内の暖かさ・涼しさを外に逃がさないようにしている。さらに断熱性能を高めるために、空気を密閉してすきま風をなくす気密化も行われている。

ところがその一方で、結露という問題も出てきた。結露は構造材を腐らせたりカビやダニの発生を誘発したりするので、十分な機械換気や除湿シートなどの設置が大切だ。

断熱材の施工方法

外張断熱工法

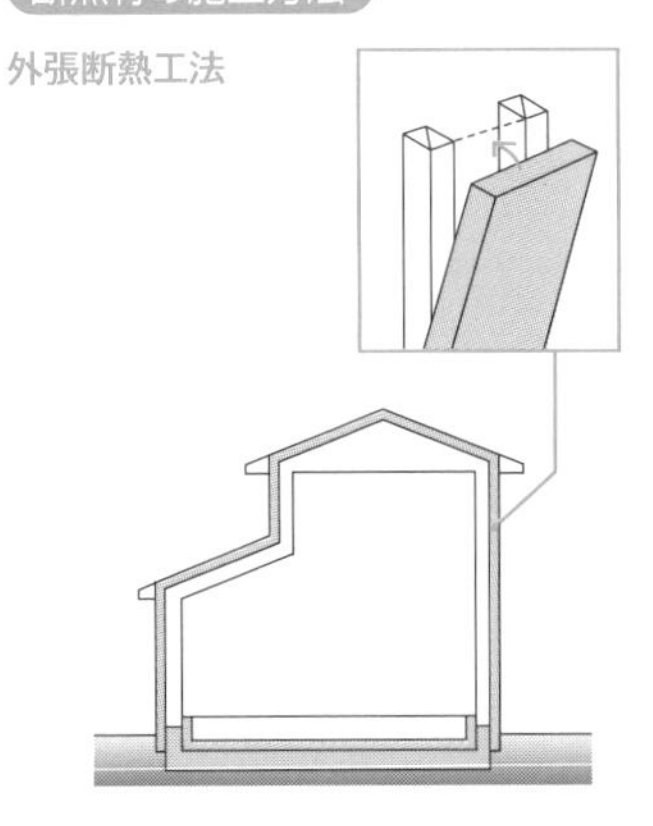

柱や梁・間柱の外側に、断熱材を張り付けていく。建物を途切れることなくすっぽりと覆うので、熱の漏れが起こりにくいのが特徴。一方で、発泡プラスチック系の断熱材を使うため、充填断熱と比べて割高。また、外壁仕上げが限定されるので、事前に確認しておきたい。

充填断熱工法

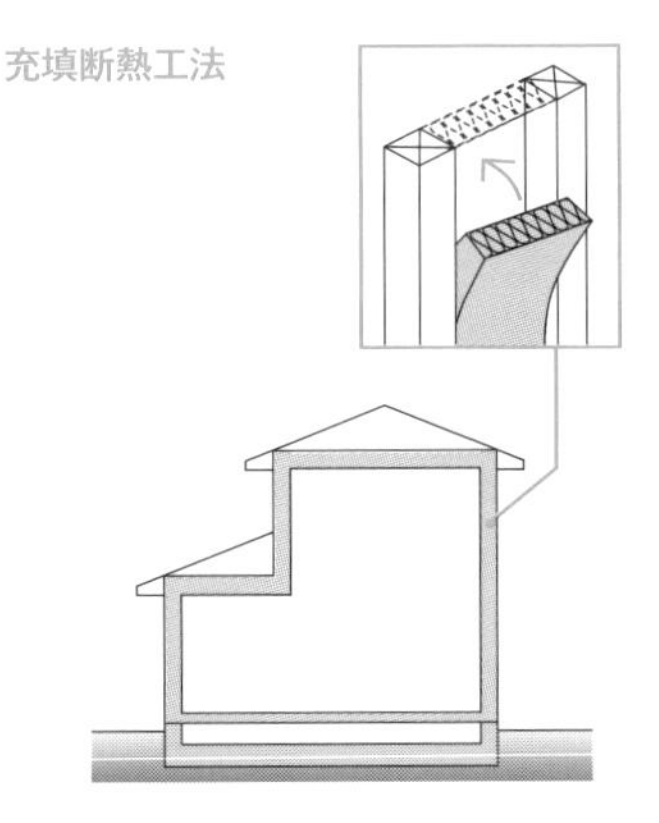

柱や梁・間柱で構成される壁内空間に断熱材を詰め込む。壁に入っている筋かいや、電気配線ボックスを避けながら入れ込む。1階の床下から壁内、天井裏まで軸組みの間に断熱材を隙間なく施工する技術が必要だが、低価格で高い断熱性能を得られることが特徴。

代表的な断熱材

繊維の密度を高めたグラスウールを壁に充填した様子。

セルロースファイバー断熱材。パルプや新聞古紙を利用している。

130 断熱材の種類

断熱材の材質は、無機繊維系、発泡プラスチック系、自然系の3つに分類される。

無機繊維系は、ガラスや鉱物などが原料。コストパフォーマンスに優れ扱いやすいので、採用する住宅が多い。発泡プラスチック系は合成樹脂に微細な気泡が含まれていて、高い断熱性が特徴。羊毛や古紙などの自然系は、素材自体が吸放湿性をもつため、防湿シートがなくても結露しにくい。

断熱材の種類と特徴

	素材	材質	特徴
無機繊維系	グラスウール	リサイクルガラスなどを原料としたガラス繊維の断熱材。	低価格の割に性能が高いため、木造住宅では最も多く採用されている。耐久性、耐火性、吸音性に優れている。防湿層が必須。
	ロックウール	製鉄の過程で発生する高炉スラグや玄武岩などを原料にした人造鉱物繊維の断熱材。	グラスウールと同様、低価格の割に性能が高いため、木造住宅で多く採用されている。耐久性、耐火性、吸音性に優れている。防湿層が必須。
発泡プラスチック系	硬質ウレタンフォーム	ポリイソシアネートとポリオールを原料に、発泡剤などを混ぜて生成した断熱材。	高い断熱性能があり、薄い厚さで高性能を発揮する。現場で発泡して吹き付けるタイプもあり、隙間のない施工が可能。
	ポリスチレンフォーム	ポリスチレンを発泡させたものに、建築用として難燃剤を含んだ断熱材。	ビーズ法ポリスチレンフォームはEPSとも呼ばれ、軽量で緩衝性が高い。押出法ポリスチレンフォームは、硬質で圧力に耐えられるため、外張り断熱によく利用される。
	高発泡ポリエチレン	ポリエチレンを発泡させた断熱材。	ほかの発泡プラスチック系と比べて柔軟性があり、柱間に充填しやすい。
	フェノールフォーム	フェノール樹脂を発泡させた断熱材。	長期間安定して高い断熱性能を発揮する。発泡プラスチック系のなかでも燃えにくく、不燃・準不燃材料の指定を受けた製品がある。
自然系	セルロースファイバー	パルプや新聞古紙を綿状に加工した、リサイクル断熱材。	機械を使って現場で吹き込むか、吹き付ける方法で施工する。筋かいが通るような施工しにくい場所でも確実に断熱材を入れることができる。
	羊毛（ウール）	羊毛からつくられる断熱材。	自然系断熱材のなかでは比較的ローコスト。ポリエステルを含むものもある。
	木質繊維ボード	間伐材や林地残材、樹皮、廃材などの木質資源を繊維化し、ボード状にした断熱材。	柱間に充填して施工する。資源の有効活用面から、エコ建材として注目されている。
	炭化コルク	ワインの栓やコルクタイルなどに利用できなかったコルクの廃物を粉砕し、熱と圧力を加えて固めた断熱材。	高温の蒸気によって炭化されており、吸放湿性を発揮する。

131

多世帯住宅のメリット・デメリット

多世帯住宅のもっとも一般的な例は、二世帯住宅だ。融資や税金など経済的なメリットと、安心感など精神的なメリットがある。しかし、共同生活ゆえのデメリットもあるので、一緒に暮らす家族全員での話し合いがとても重要になる。

また、兄弟や親族に話すことも忘れずに。親と同居したい兄弟が他にもいるかもしれないし、将来の介護や相続の問題もあるので、黙っていると大きな問題になりかねない。

経済的な面のメリット・デメリット

	メリット	デメリット
土地	親がすでに土地を所有している場合、その土地に住宅を建てることで資金を少なくできる。【子】	借地の場合、地主に相談する必要がある。
建築資金	住宅金融公庫などで、割増融資を受けることができる「親子リレーローン」など、金融機関で幅広い資金調達ができる。共有スペースが多ければ、建築コストは別棟で２棟建てるより安く抑えることができる。工事のお茶菓子などをはじめ、諸費用にあたるコストは２棟建てるより安く抑えることができる。住宅資金贈与の特例を使うと、頭金を増やしてローンを減らすことができる。【子】	借りる金額が増やせる反面、返済の負担が増え、返済期間が長くなることもある。しっかりとした将来設計が必要。新たなローンは少なからず不安に感じる。【親】
登記／税金	固定資産税などを減額できる（条件有り）。住宅購入目的の資金贈与については、住宅資金贈与の特例により贈与税が減額される。税金については、登記の方法により２戸分の減額措置が受けられる場合もある。１戸当たりの税金の内容については、基本的に、一世帯の住宅を建てる場合と変わりない。	他の兄弟とあらかじめ話し合っておかないと、将来、相続（相続税）の問題が生じる可能性もある。
維持費	住まいのメンテナンスや庭の手入れなどにかかる費用を２軒分より安く抑えることができる。	分担を決めておかないと、建物のメンテナンスが遅れがちになる。
生活にかかるお金	共有スペースがあるため、光熱費を２軒分より安く抑えることができる。ご近所との交際費も同様。	家計の分担を決めておかないと、入居後のトラブルのもとになりやすい。他の兄弟とあらかじめ話し合っておかないと、将来、親の扶養、介護に必要な費用の分担で問題が生じやすい。【子】

【親】：親世帯の考え方【子】：子世帯の考え方　記載のないものは、親子共通の考え方

精神的な面のメリット・デメリット

生活や子育てに安心感があり、世代間の助け合いや家事の助け合いができる。一方、実際に生活が始まってから生活サイクルや生活習慣の違いに気づいて苦労したり、メリットだった助け合いが逆に干渉と感じたりすることもある。「多世帯住宅にしよう！」と話がまとまったら、すぐに間取りの検討に取りかかるのではなく、家族全員の生活サイクルを検討することから始めよう。

132

二世帯住宅のタイプ

二世帯住宅はふつうの住宅に比べて構成する家族が多いぶん、家への要望が多くなる。また、家族の成長に伴い住まいに求める内容も変化する。10年後、20年後、自分と家族がどうなっているかを思い描き、建物の形など具体的な設計を始めよう。

二世帯住宅の建物には、玄関1つの「共用タイプ」、玄関2つの「上下分離 内階段タイプ」「上下分離 外階段タイプ」「連棟分離タイプ」の4つの形がある。自分や家族はどのタイプか下のチャートでみてみよう。

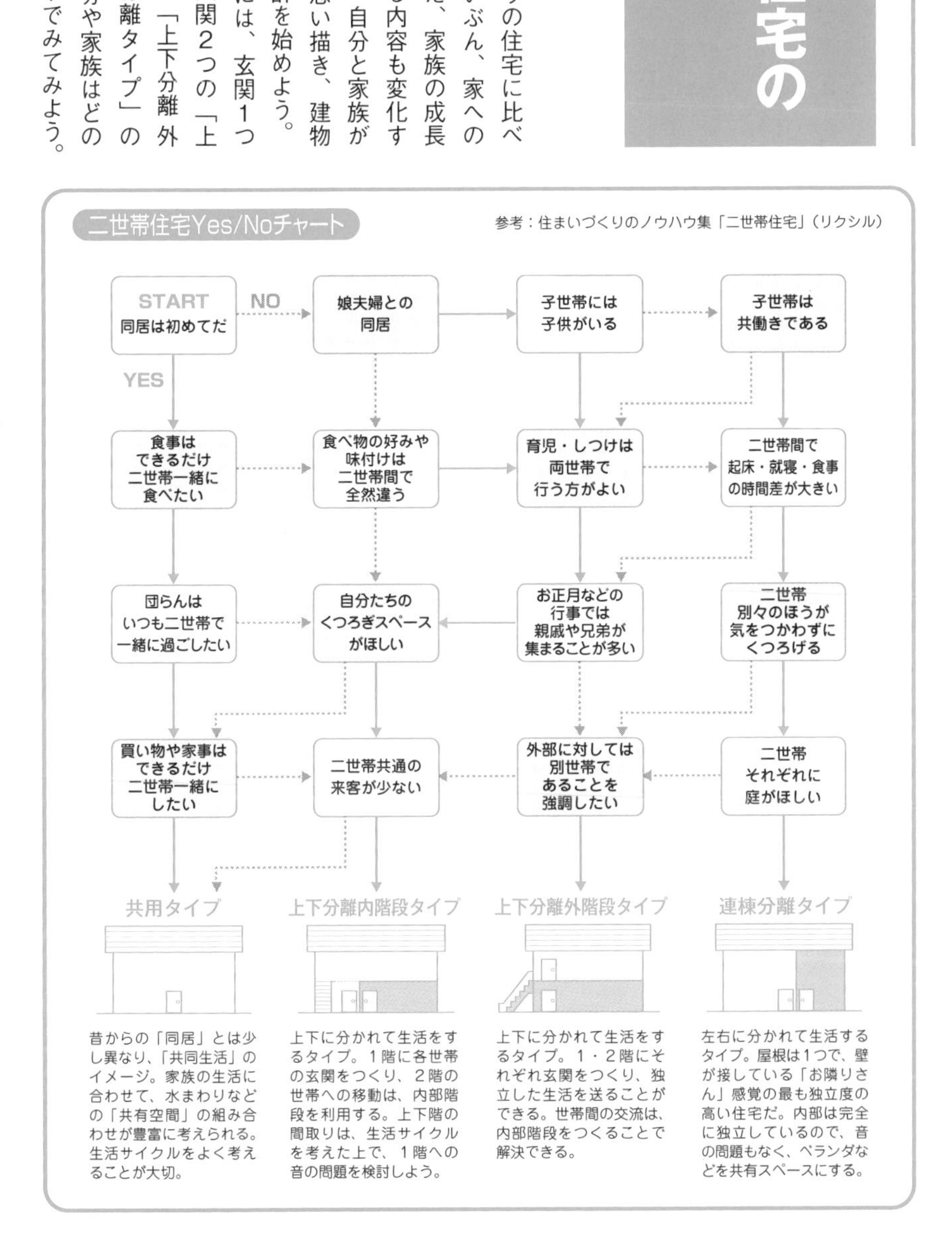

133 二世帯住宅の共有スペースの考え方

共有スペースを増やせば、二世帯でも個室の広さを確保できる。親世帯・子世帯の生活サイクルを比べて、共有スペースの可能性を探ってみよう。ただし、建物タイプや共有スペースは融資や税金、建築基準法などにも関わってくるので、計画段階で設計者や関係機関に確認しておいたほうがよい。

　二世帯住宅とはいえ「自分たちの家」という感覚がほしい場合は、表札や水光熱のメーターを世帯ごとに取り付ける方法などがある。

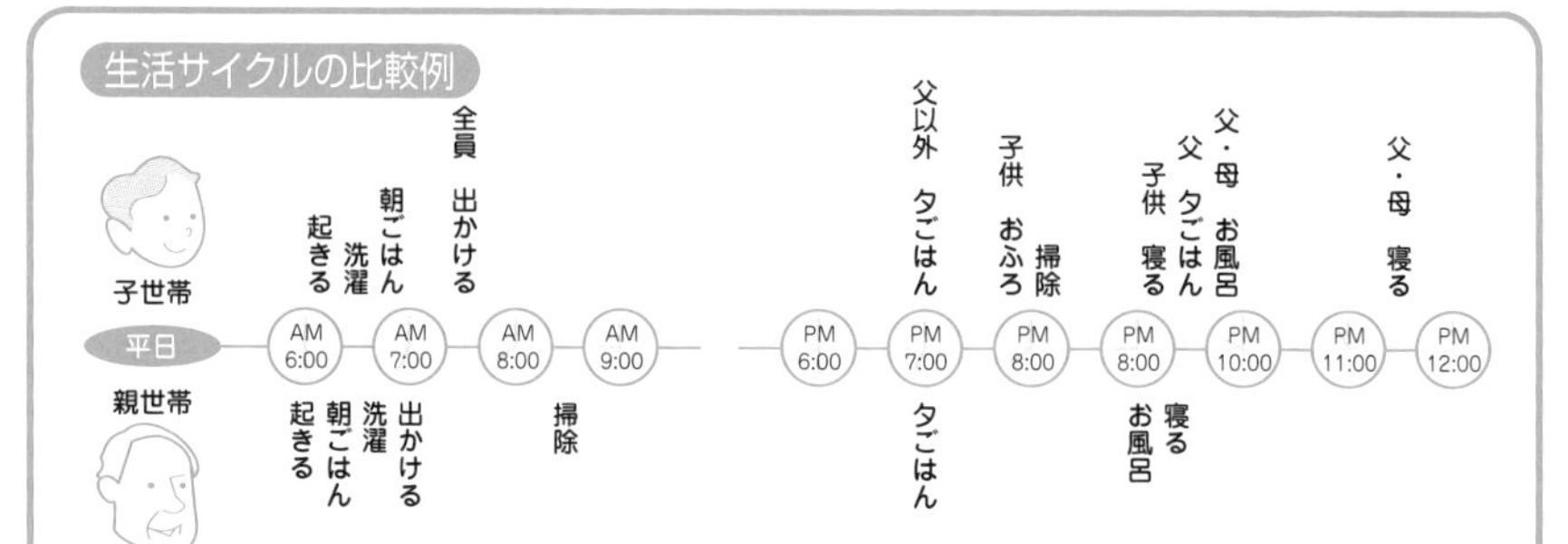

ライフスタイルの比較例

	子世帯	親世帯
平日の夕食後の過ごし方	・片づけをして、少しTVを見る ・お風呂に入ってすぐ寝る	・2人でのんびり過ごす
休日の過ごし方	・家族みんなで家事 ・買いもの ・お出かけ ・春夏は釣り	・庭の掃除 ・2人で山歩き ・夕方、温泉へ行く
趣味・習いごと	・ピアノ	・おばあちゃんは陶芸、華道、アレンジメント ・おじいちゃんは写真 ・2人で山歩き
新しい家でしてみたいこと	・日曜日の夕食は一緒に食べたい ・釣りのフライをつくる机がほしい ・ゆっくりお風呂に入りたい	・日曜日の夕食は一緒に食べたい
お客様の頻度、おもてなし	・土日、たまに友達がくる ・居間でおしゃべり ・友達と酒を飲む	・おばあちゃんの友達は居間へ ・おじいちゃんの仕事の人は客間へ ・年に何度か娘夫婦が泊まりにくる

一見、サイクルがバラバラで建物や部屋を独立させたほうがよさそうでも、じつは共有スペースのほうがよい場合もある。たとえば、学校から帰ってきた子どもが祖父母と一緒に過ごすなら、玄関を共用にしたほうがいいかもしれない。洗濯は祖母が、掃除は母が、子供のお風呂は祖父が、などと家事分担をする場合も、浴室・洗面室を共有にしたほうが便利そうだ。

134

高齢者の住まい

老いとともに、棚の上のものが取りにくくなったり寒がりになったりと、暮らしに不自由さ（バリア）を感じるようになってくる。体調の変化で生活も変わることがあると意識して家づくり計画を行おう。

バリアフリーの目的は、高齢者や障害のある人が安全に、自分の力で快適な日常生活が送れるようにすること。バリアフリー住宅にしておけば、自分の力で生活する意欲を失わず、身体機能の低下を少しでも遅らせることができる。

老化現象と建築設計上の配慮

	老化現象	設計上の配慮
身体機能	■ 全体的に虚弱である ■ 身体寸法が全体的に小さくなっている ■ 転びやすく、しかも骨折しやすい ■ 足腰が弱っている。歩幅が狭くなる ■ 足を上げる力が衰えてくる ■ 上肢・指先の力が衰えてくる ■ 敏捷性が乏しくなってくる ■ 持久力がない ■ 骨格、筋力が低下する ■ 歯も弱くなり消化機能が落ちる ■ 関節の曲げ伸ばしが困難になる ■ 動作には個人差があり、それが顕著になる	■ 安全への配慮 ■ 車いすの使用を考慮 ■ 緊急通報装置の設置や扉の形状への配慮 ■ 手すりや昇降機等の設置 ■ 負担のかかる和式便器は避ける ■ 利用者の人体寸法を考慮した納まり寸法の再検討（棚、スイッチ、台所など）、動作上の必要寸法の再検討 ■ 段差の除去（スロープ化等） ■ 滑りにくい床仕上げ ■ 階段の踏面、蹴上げの寸法を考慮 ■ 居室を庭や外部に面した位置に配慮 ■ 水栓、スイッチ、把手の形状を考慮 ■ 身体機能・障害の程度を考慮した設計
感覚機能	■ 視力が弱っているので照明が必要。しかしまぶしさは苦手である ■ 聴力が衰えてくる（特に高い音が聞き取りにくくなる） ■ 嗅覚が衰えてくる ■ 温冷熱の感覚が鈍い ■ 触覚が衰えてくる ■ 皮膚が乾燥しやすくなる  	■ 照度の確保 ■ 住宅家内の明るさの均一性への配慮 ■ 照明方法の工夫 ■ 暖色系の室内空間とする ■ 空間認識しやすい色彩計画 ■ 住宅の遮音性能の向上 ■ 玄関ベル音を大きくする ■ 電話の音を大きくする ■ オープンな間取りとし、視覚により聴覚の補助をしやすくする ■ ガス漏れ、換気への配慮 ■ 床暖房をはじめとする暖房計画 ■ 室温の均一化 ■ 外気温との差を考慮 ■ 室内の湿度（50％を目安）を考慮
生理機能	■ 中枢神経が衰え、睡眠時間が概して短く、目を覚ましやすい ■ 排泄回数が多い ■ 生理機能は総合的に低下する ■ 食べ物の嗜好が変わる ■ シミ、白斑点が現れる ■ 中毒症状が早く起こりやすい ■ 酸欠状態に耐えられなくなる ■ 呼吸器系疾患が起きやすい	■ 専用寝室の確保 ■ 寝室の防音性能、避光性能の向上 ■ 便所を寝室の近くに配置 ■ 冷暖房、換気、日照、通風への配慮 ■ 紫外線をカットする工夫 ■ 部屋の広さに応じた空気補給量の確保 ■ 暖房期の加湿への配慮
	■ 過去への愛着が強い ■ 新しいものへの適応に時間がかかる。 ■ 例えば生活様式を変えることや、住み替えがなかなか難しい ■ 思考の柔軟性がなくなってくる ■ 感情のコントロールがしにくくなる ■ 興味が身近なものに限られてくる	■ 生き物や自然への関心が高まる ■ 高さ等を配慮した大きな収納部の確保 ■ 飾り棚などへの配慮 ■ 改造時に思い出になる材料、品物をうまく建築に組み込む ■ 外部空間との連続性を重視
生活構造	■ 入浴回数が減る ■ 余暇時間が多く、住宅内滞在時間が長い ■ 過去とのつながりを大切にする ■ 近隣交流が拡大しにくい	■ 浴室を寝室の近くに配置 ■ 換気、日照への配慮 ■ 接客への配慮 ■ 屋外へ出やすい住宅構造の確保

出典：住宅リフォームに関する調査研究委員会「要介護高齢者のための住宅リフォーム」（社会福祉法人　全国社会福祉協議会）

135

バリアフリーで将来に備える

高齢者が生活する部屋はできるかぎり同一階に配置したいもの。すべてが無理でも、トイレと寝室は同一階にしたい。それ以外の部屋への移動には手すりなどが必要になることを見込んで、十分なスペースを確保しておく。

全室に共通するポイントは、段差・手すり・滑りにくさ・明るさ・部屋の温度など。障害のある人や介護保険が適応される人の場合は、福祉、医療の専門家から症状に合った助言を受けたうえで工事内容を検討して。

家の中のバリアフリーのポイント

段差をなくす

高齢者の生活でいちばん問題になってくるのがつまずきやすい段差。床を上げたり段差解消用部材を取り付けたりする。ただし、右図のように、機能や使い勝手の理由から段差の性能基準が設けられている箇所もある。カーペットのめくれやしわも要注意なので、部屋中に敷くか滑り止めを付けるなどの工夫を。

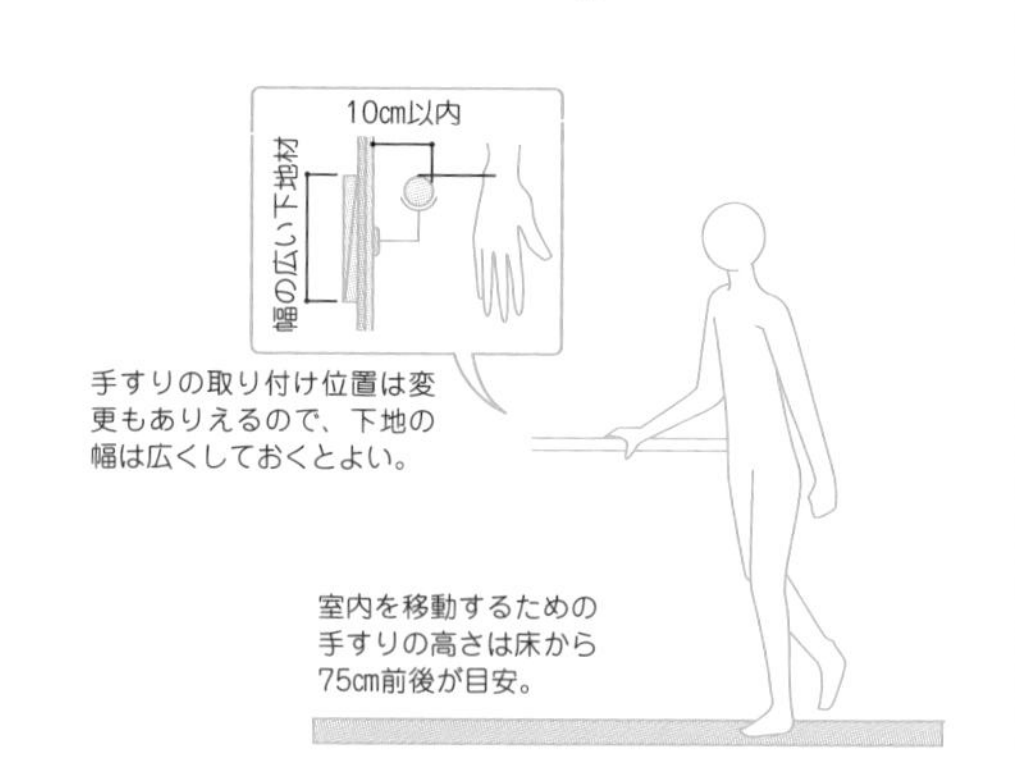

手すりの取り付け

手すりの取り付けは、段差を解消するのと同じくらい高齢者の生活では重要。実際の動作を行いながら適切な位置や握りやすさを見つけよう。

開口部を広くする

一般的な室内用車いすの幅が70cm以下なので、開口部の幅は75cm以上とる。開き戸より引き戸のほうが操作しやすいだろう。

照明を明るくする

視力が弱ってくると、読書や細かい作業には若いときの2倍の明るさが必要といわれている。ただし、まぶしいものは禁物だ。

玄関・階段のバリアフリーポイント

玄関は、車いすでも通れる幅か、段差が大きすぎないか、足元の段差がわかりやすいか、などをチェックしよう。廊下の幅は、手すりを付けても車いすが通れるように85㎝は確保したい。階段は事故が発生しやすい場所なので、特につくりに注意が必要。両側に手すりがほしいが、難しい場合は降りるときの利き手側に取り付ける。廊下、階段の工事は大規模で費用がかかるので、将来の暮らしの変化に備えてしっかり計画しておきたい。

バリアフリーなエントランスのつくり

屋外のエントランスに階段がある場合は、勾配に気を付けよう。車いすでものぼれるようにスロープを設ける場合は、勾配を1／12〜1／20程度にするのが理想。雨に濡れても滑りにくい床材にし、ポーチの屋根は雨や雪なども考慮してしっかり出しておく。また、玄関にベンチを置くと靴の脱ぎ履きが楽になる。

階段

手すり
足元灯
11
7
30㎝以上
16㎝以下

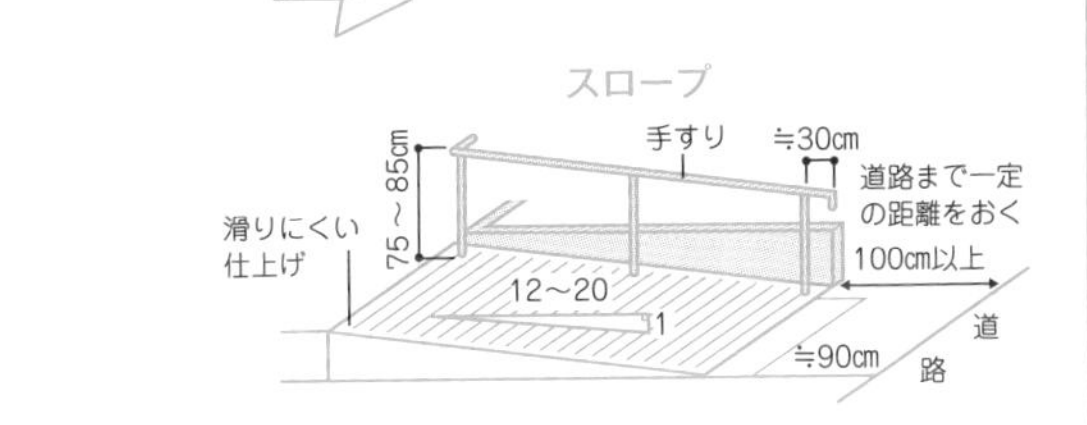

バリアフリーな階段のつくり

階段は、勾配が急でないか、手すりを付けても昇降に支障のない幅を確保できるか、階段スペース全体が十分に明るいか、などをチェックする。多くの住宅で見られる回り階段については屈折部分での事故を防ぐため、踊り場の確保や、曲がり角度を30度以上にしてスペースに余裕をもたせるなどの対処が必要だ。

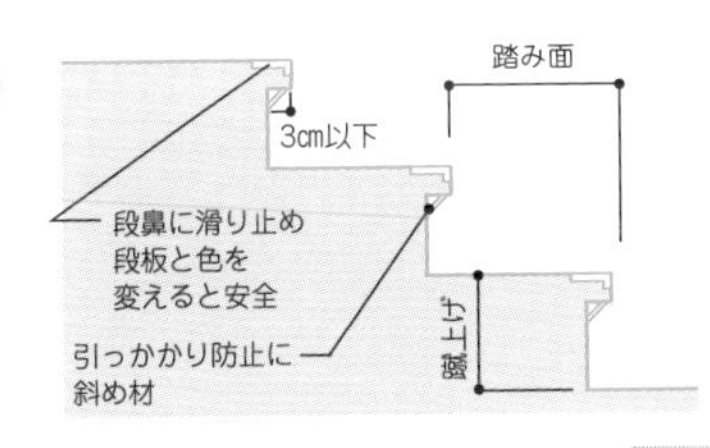

2階に寝室がある場合は、将来に備え、1階のどこへ寝室を移動するか、または階段昇降機などの設置スペースを検討しておく。

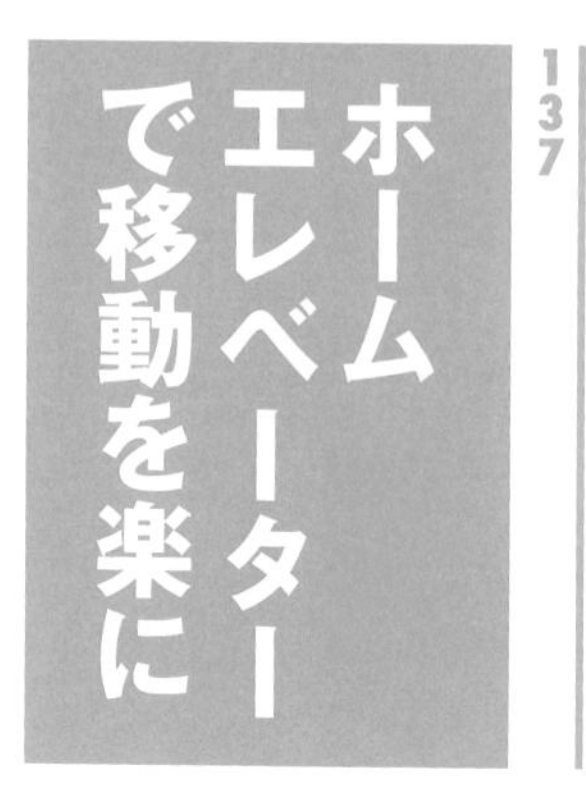

ホームエレベーターの導入で移動が楽になれば、日当たりのよい3階にリビングを配置したり、高齢者の寝室を上階にもってきたりすることもでき、プランの可能性が広がる。

気になるコストは、本体価格と工事費、確認申請手続などを含め200万円以内が目安。毎月の電気代とメンテナンス費用がかかってくるので事前に確認しておこう。新築時には設置を見送っても、吹抜けや収納としてスペースを確保しておくのもよいだろう。

ホームエレベーターのサイズの目安

設置スペースは、3人乗りで1坪弱が目安。小さいものであれば1畳に収まるものもある。設置駆動方式は、ワイヤーで支えて巻き上げるロープ式と、下からジャッキで支えて油圧で移動する油圧式があり、それぞれ長所と短所があるので、いくつかの製品を比較しながら検討しよう。なお、地震時や停電時の安全性については、バッテリー運転装置が標準装備されており、最寄階や最下階まで運転するので安心だ。

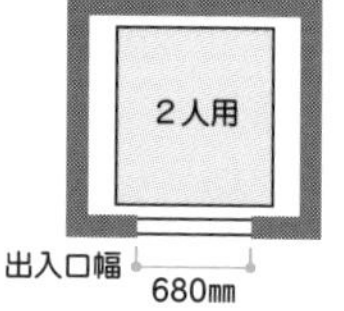

2人用

一般的なタイプ。0.5坪弱のスペースに設置が可能。

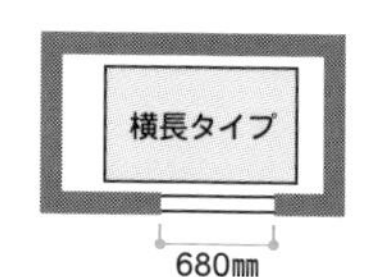

2人用横長タイプ

畳1畳分のスペースに設置できる省スペース設計。リフォームに最適。

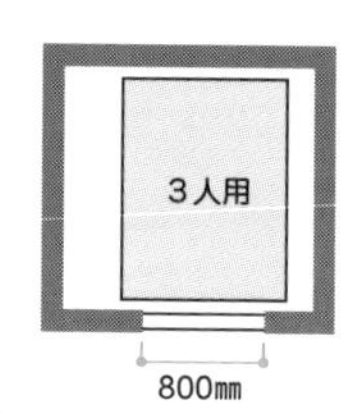

3人用

車イス利用者は最低でも間口が750mm以上、奥行で1,100mm以上が必要。そのため3人用を選ぶとよい。

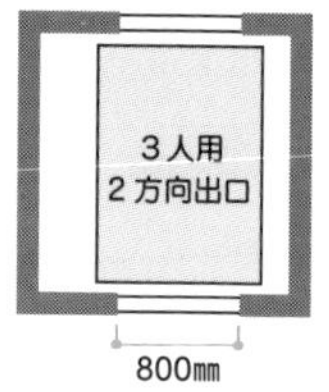

3人用2方向出口

前後両面の2方向で出入りができるため、間取りの自由度が高まる。ただし、同一階に両方向が開くことはない。

設置上の注意点

ホームエレベーターは、利用者が同一家屋内に居住する家族が対象で、設置場所は個人住宅内と法律で決められている。また、エレベーター用の確認申請と完了検査が必要。所有者は、法定点検が義務づけられているため、メーカーとメンテナンス契約を結ぶことになる。

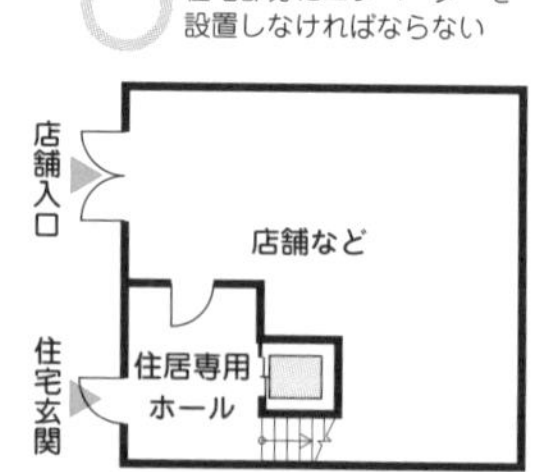

138

各部屋のバリアフリーポイント

この頁では、高齢者が使う寝室・リビング・キッチン・ダイニング・洗面室・脱衣室・浴室・トイレの部屋ごとのチェックポイントをあげる。

基本はトイレが近いこと、十分なスペースがあること、寒さ対策、各種機器の使いやすさなどが大事になってくるが、他の居室との配置関係や個人の性格（プライバシー重視かコミュニケーション重視か）、身体状況などもふまえて考えよう。

各部屋のバリアフリーのポイント

寝室

- トイレを近くに
- ベッドを使う場合、広さは十分か
- 収納は足りるか
- 足元が冷えないように

高齢になると寝室は夜の睡眠だけでなく昼間の休憩に使う時間が増える。リビングや書斎を兼ねた使い方になることもあるので、収納はたっぷりほしい。掃除や換気、布団干しなどの衛生面と避難経路の確保を考えると、南側で戸外に開かれた居室がおすすめ。

リビング

- トイレを近くに
- 足元が冷えないように
- 収納は足りるか

リビングは1日の大半を過ごす場所で、バリアフリーのポイントは基本的に寝室と同じ。日常の立ち居振る舞いがしやすいように、家具の配置や高さなどを検討するとよい。

キッチン・ダイニング

- 足元が冷えないように
- キッチンカウンターの高さは身長にあっているか
- 室内、とくに作業する手元を明るく
- 各種スイッチ、器具は使いやすいか

立った姿勢での調理は身体への負担が大きい。座りながら作業できるキッチンや、車いすですべての調理が行えるキッチンも販売されている。キッチン内を車いすで回転するには幅150cm以上のスペースが望ましい。

洗面室・脱衣室

- 寒さ対策の暖房器具の設置
- 収納は足りているか
- 衣類の脱着を補助する器具
- 室内、特に鏡周辺を明るく
- 各種スイッチ、器具は使いやすいか

洗面・脱衣室は限られた広さのなかで「身だしなみを整える」「衣類を脱着する」「洗濯する」など動作が多い場所。ものの選別、収納がしやすい明るく機能的な部屋にしよう。また、着替えるときに手すりやいすがあると便利だ。

浴室

- 寒さ対策の暖房器具の設置
- 出入り口に段差はないか
- 浴槽の大きさや深さ、縁の高さに無理がないか
- 使いやすい手すり
- 入浴を補助する器具
- 緊急通報用ブザーの取り付け
- 錠を外から開錠できるか

心身ともにリラックスできる場所だが、高齢者が事故を起こしやすい場所でもある。安全対策は万全にしよう。浴槽の高さは洗い場から40cm程度が理想で、既存の浴室にはすのこを敷いて高さを調整することができる。

トイレ

- 手すりや紙巻器などを使いやすい位置に
- 床面は掃除しやすい材料に
- 寒さ対策の暖房器具を設置できるか
- 緊急通報用ブザーの取り付け
- 錠を外から開錠できるか

排泄の自立は、自立した生活を続けることと密接な関係があるので、スムーズに動作できるような配慮を。便器の前は50cmでも大丈夫だが、60cmあると余裕をもって身支度を整えやすい。出入り口は90度の回転で便座に座れる側面にあるのがよい。

139

シックハウス症候群

住まいに使用されている材料が、自然素材を中心としていた昔に比べ、接着剤や塗料、防腐剤、防蟻材など、さまざまな化学物質が多く含まれるようになった。また、建物の気密性能も高まってきたため、建材から有害性のある化学物質が揮発すると室内空気の汚染濃度が高まってしまう。

このような建物が原因で生じる、目のチカチカ、喉の痛み、めまい、吐き気、頭痛などの化学物質過敏症の症状は、シックハウス症候群と呼ばれている。

日本の住まいにおける風通しの変化

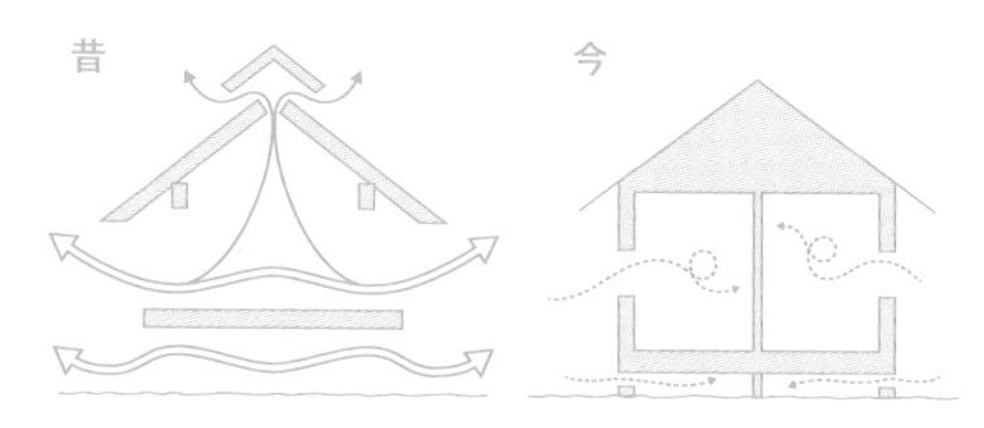

昔の住まいは風がよく通り、湿気がこもらない構造になっていた。その結果、乾燥した状態に保たれ、家が長持ちした一方、冬の寒さは厳しく辛いものだった。現代の住まいは、冬を暖かく過ごせるように断熱・気密化が進んだが、風通しが悪くなり、湿気がこもりやすい状態に。建物の内外の寒暖の差が大きくなり、結露という現象を起こしやすくなった。

化学物質過敏症発症の個人差

化学物質は、住まい・食料品・衣料品や生活道具まで、私たちの生活のいたる所に存在し、普段の生活の中で、食べたり、触ったり、呼吸したりすることで体内に取り込まれていく。体内に蓄積された有害な化学物質の総量が個人の許容範囲を超えると化学物質過敏症になる危険性がある。気密性の高い家では、換気量に注意しないと室内空気の化学物質濃度が高くなり、無意識のうちに多くの化学物質を摂取してしまうことになる。

140 シロアリから家を守る

木造住宅の耐久性を最も左右するのが、シロアリと腐朽菌による木材の劣化である。いずれも建物が古くなるから発生するのではなく、条件が揃うと一気に被害が進む。シロアリは、ハチの仲間である一般的なアリとはまったく異なる種類の昆虫だ。

微生物が木材を栄養源に繁殖することで、木材を構成するセルロースなどが分解され、崩れた状態になることを「腐朽菌の害を受けた」という。表面に生えるカビに比べ、木材強度への影響が大きい。

シロアリの種類と分布

日本には22種類のシロアリが生息するが、そのうち建物に害を与えるのはヤマトシロアリとイエシロアリの2種類と、外来種であるアメリカカンザイシロアリである。

ヤマトシロアリ
イエシロアリ
アメリカカンザイシロアリ

北緯45度

ヤマトシロアリ：全国的に広範囲で生息が確認されている。エサがなくなると移動して次々と場所を変えて巣をつくる
最北限生息確認地／北海道上川支庁名寄市

アメリカカンザイシロアリ：外来種であるため、発見された地域を含め、分布定着を示すものとはいえない。乾燥した木材や家具を食い荒らす。巣は大きくないが各地で増えている

イエシロアリ：西日本を中心に生息が確認されている。巣をつくると長くその場所に留まりやすいため、被害が大きくなりやすい
最北限生息確認地／茨城県潮来市

沖縄

小笠原諸島

父島

（社）日本しろあり対策協会調査資料（平成16年）をもとに情報を更新・作成

シロアリと腐朽菌による被害を防ぐために

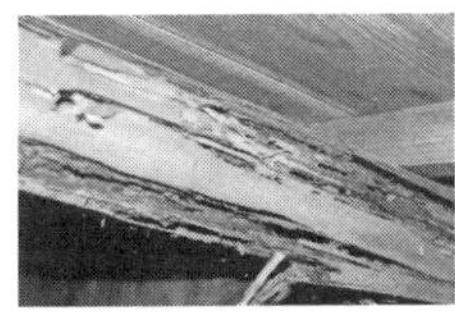

ヤマトシロアリと腐朽菌による被害の例。

写真提供：
(社)日本しろあり対策協会
『現場調査補助写真集』

シロアリや腐朽菌の被害を受ける条件とは、栄養分である木材、温度、水、酸素の4つがそろうことだ。このうち、栄養分（木材）、温度、酸素を取り除くことは困難なので、残りの「水」を排除すればよい。水分・湿気には、雨漏りや生活用水の水漏れに加え、結露、地面からの湿気などがある。これらを防ぐために、次のようなルールで対処したい。

①水がかからないつくりにする

②水がかかっても大丈夫なように防水・防湿を行う

③それでも防げない水分・湿気を、通気や換気で排出する。また、土台などに用いる木材には、蟻害・腐食に強いものを選びたい。

141

リフォームしやすい間取り

将来を見据えた間取りを考えても、数十年先のライフスタイルを読みきるのは難しい。そこで、間取りが合わなくなったら、変えられるつくりにしておくとよい。

構造上必要な耐力壁をなるべく外側に配置すれば、中は変更しやすい。また、水まわりを下屋(げや)にまとめておくのもおすすめ。

子供の成長に合わせて住まいを変化させていくには、開放的な間取りでスタートし、必要に応じて建具や簡易間仕切りで対応するとよい。

耐力壁は外周に

建物の壁を支えるために構造上必要な「耐力壁」を、なるべく外側に配置する。内部の間仕切り壁に構造を支える役割をもたせなければ、将来、間仕切り壁の位置を変えたり、取り払ったりして部屋のつくりを変更しやすい。また、耐力壁と同様、柱・梁の位置も重要。規則正しく整理された骨組みにしておけば、間取りの自由度が高まる。柱は多ければ構造的に強いというものではないことも覚えておこう。

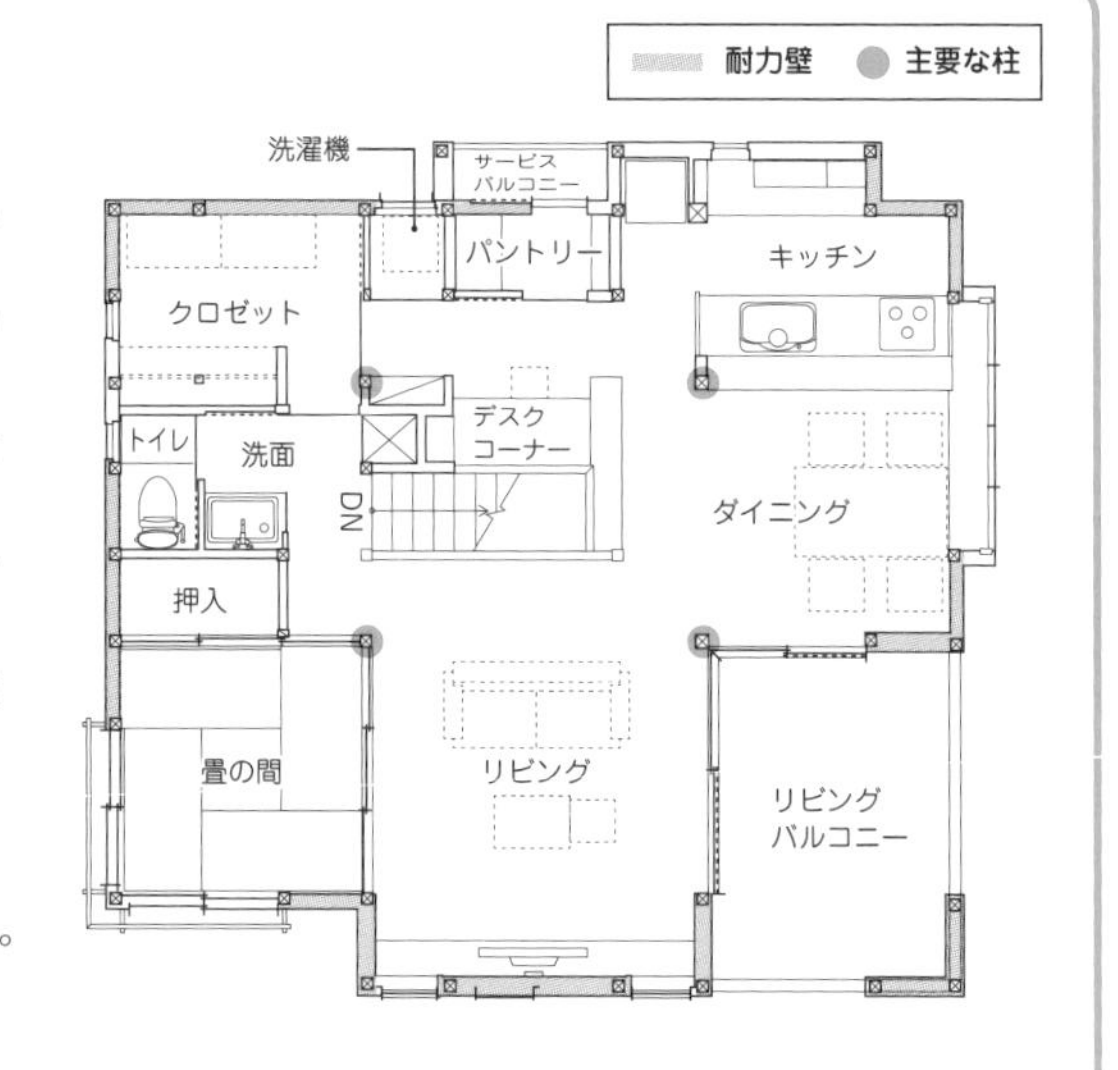

水まわりを下屋に

浴室や洗面所などの水まわりを、下屋にまとめておくのもよい。水まわりは配管や防水の問題があり、後から位置を変更しづらい。家の中心に配置されていると、それが制約となって間取り変更が簡単にできなくなるため、母屋とは別にしておくことでリフォームがしやすくなる。特に水まわりは、機器の故障や老朽化、湿気による構造部材の痛みなどが起こりやすく、ほかよりも早くリフォームが必要になる。1カ所に集中しているとメンテナンス工事もしやすい。

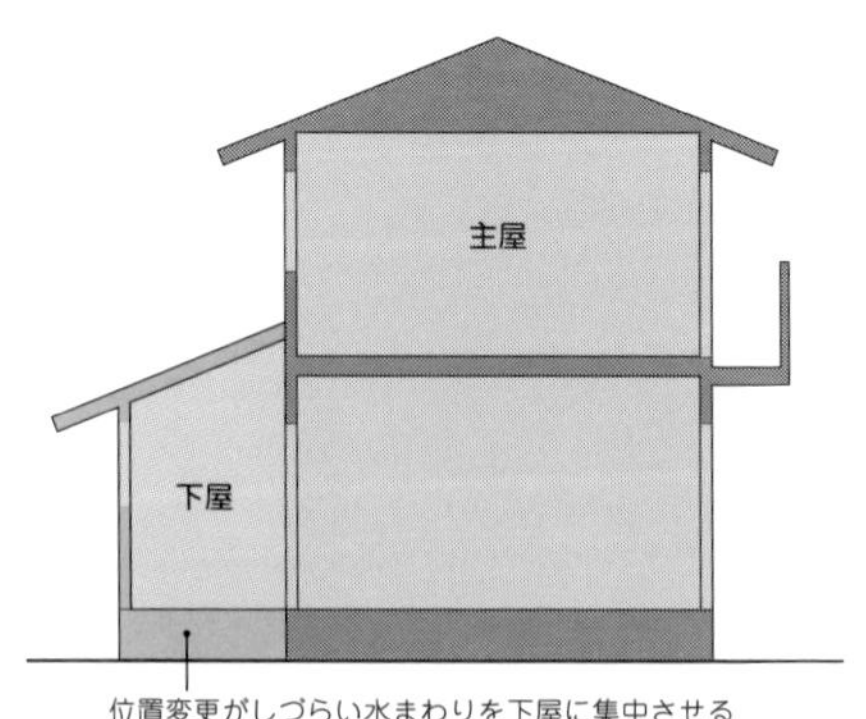

位置変更がしづらい水まわりを下屋に集中させると、主屋部分の間取り変更や改修がしやすい。

第8章

図面と見積書の見方

平面図や断面図などを読む
コツを学びます。
見積書と一緒に
コストを確認しましょう。

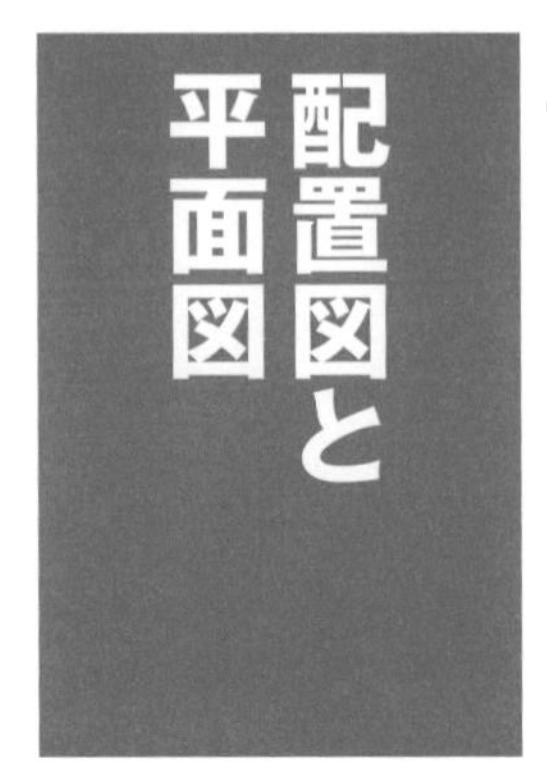

142 配置図と平面図

「配置図」とは敷地内の建物の位置を示し、「平面図」は間取りを表す基本的な図面だ。

これを見れば、道路から玄関まで無理のない高低差を保っているかがわかる。隣地の方角に注意して、日照や窓の位置も確認しよう。また、騒音を考慮して、エアコンの室外機や給湯器の設置位置も確認しておくとよい。

配置図と1階の平面図は1枚にまとまっていることもあれば、別々に作成されることもある。

配置図・1階平面図の例

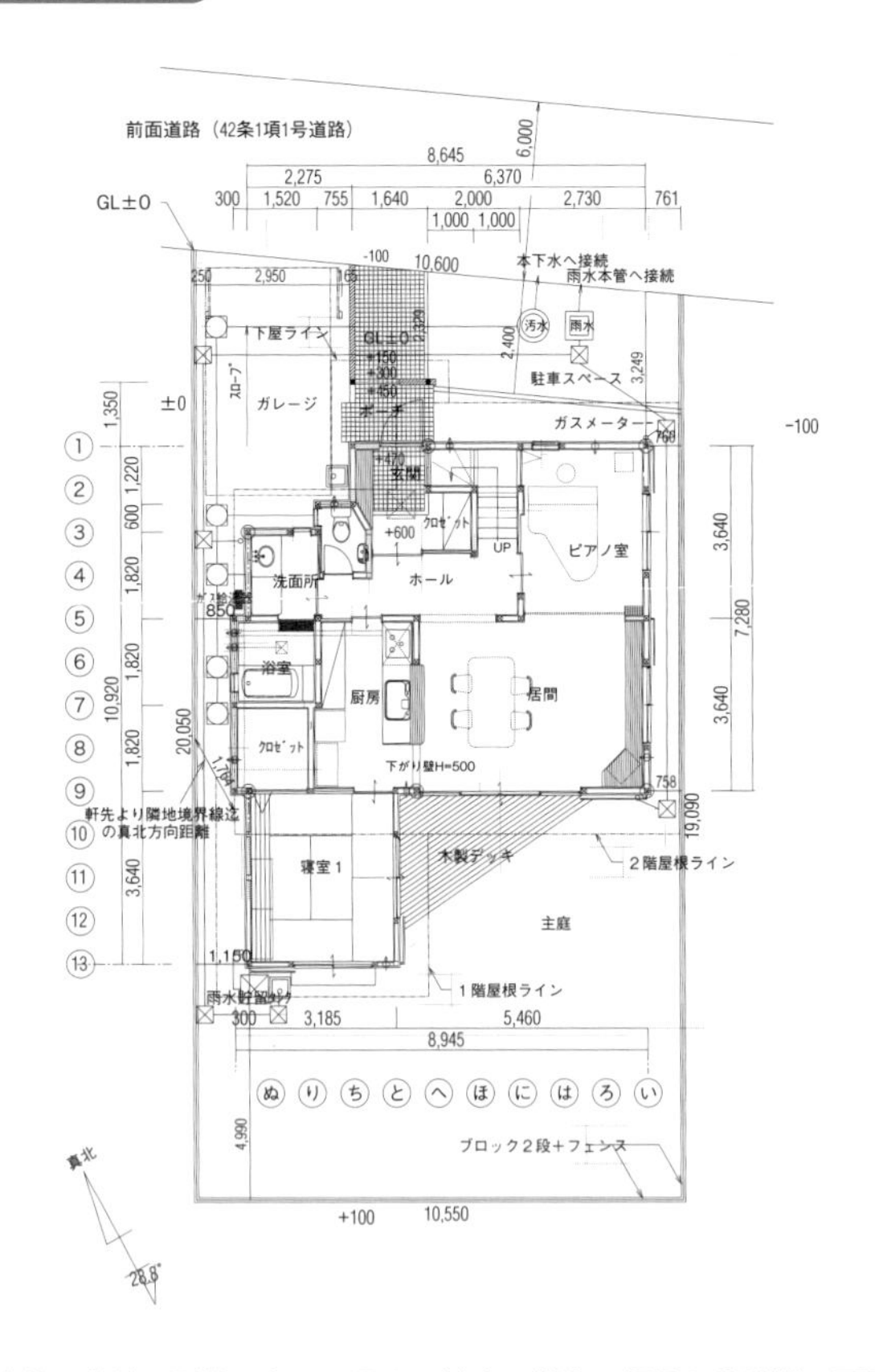

配置図には方位、敷地の形状、各辺の長さ、接する道路の幅員と公私道の区別、道路と敷地の高低差などが、平面図には各部屋の用途、広さ、開口部や壁の位置などが記される。

143 立面図と断面図

家の外観を表したものを「立面図」、家を垂直に切断して内部の立面を表したものを「断面図」という。立面図と断面図を合わせてみると、部屋の高さや上下関係がよくわかる。特に2階に水まわりを配置するときは、下の階への音の問題やメンテナンスの対策を考えるためにかならず確認したい図面だ。

ここまでの配置図、平面図、立面図、断面図を、合わせて「基本設計図書」と呼ぶ。

立面図と断面図の例

立面図

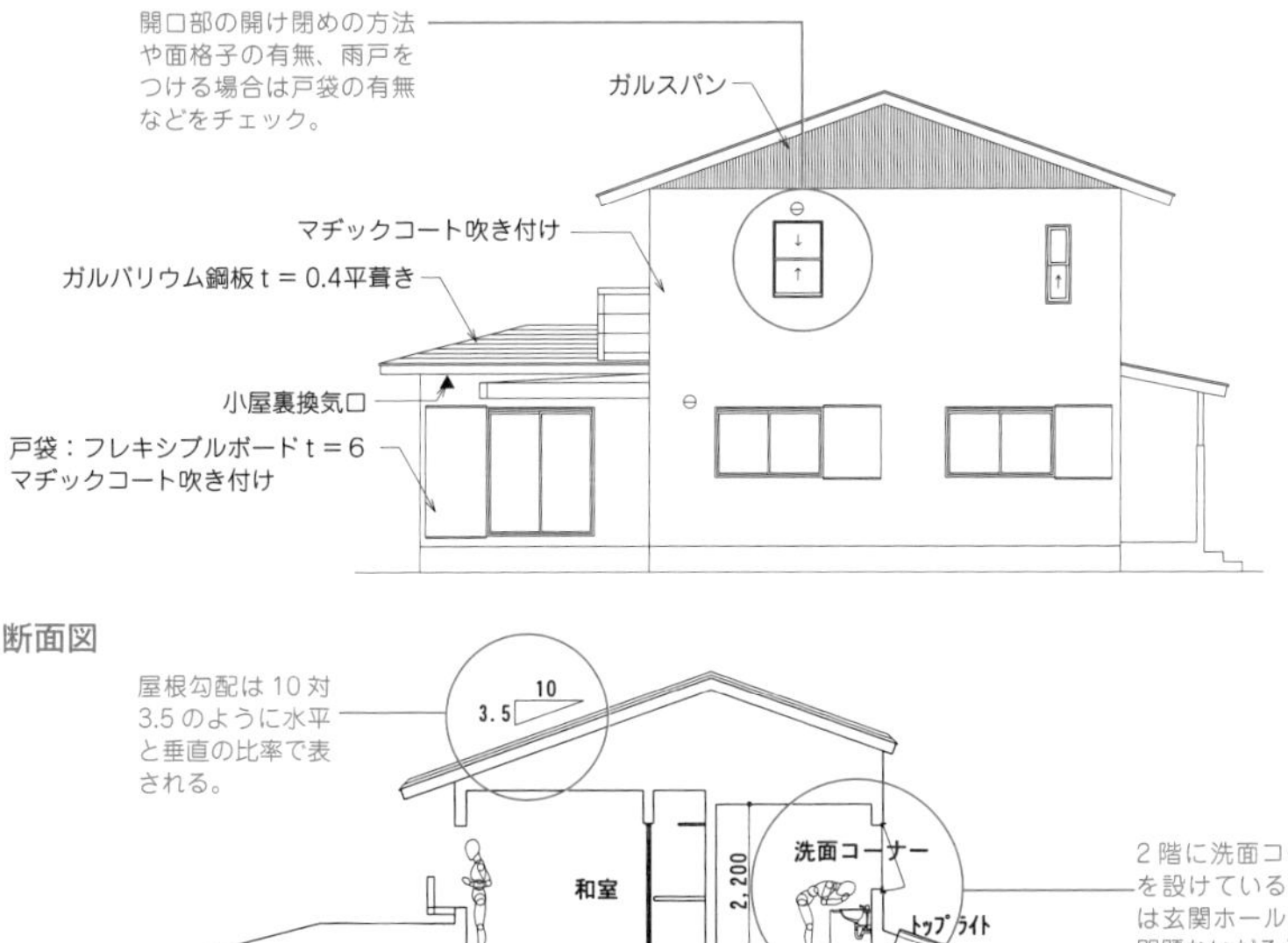

開口部の開け閉めの方法や面格子の有無、雨戸をつける場合は戸袋の有無などをチェック。

ガルスパン

マヂックコート吹き付け

ガルバリウム鋼板 t = 0.4平葺き

小屋裏換気口

戸袋：フレキシブルボード t = 6
マヂックコート吹き付け

断面図

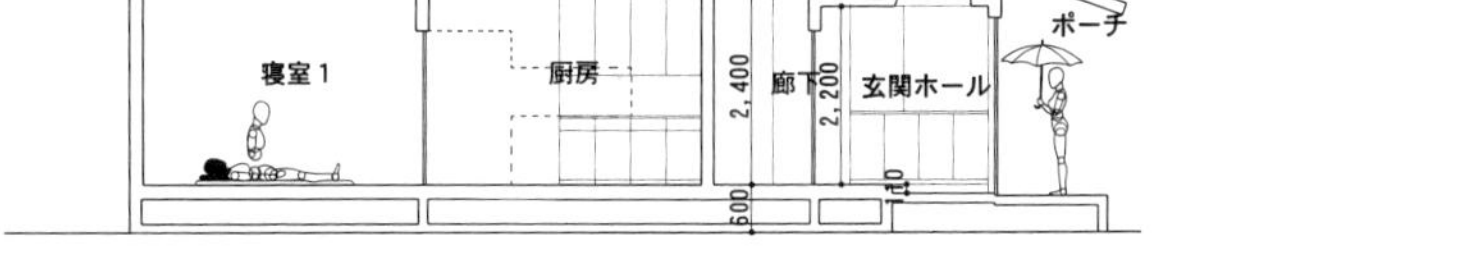

屋根勾配は 10 対 3.5 のように水平と垂直の比率で表される。

10
3.5

洗面コーナー
和室
2,200
400
トップライト
寝室 1
厨房
廊下
玄関ホール
ポーチ
2,400
2,200
600
150

2 階に洗面コーナーを設けているが、下は玄関ホールなので問題ないだろう。

実際の立面図は、東西南北それぞれから見た４面の図がある。外観や開口部の種類、屋根の形状、バルコニーや手すりの有無、換気口の位置などが記される。断面図は、家の主要な部屋を通る、直行する２面について描かれる。床や天井、軒、家の最高の高さなどから、空間の構成を把握できる。さらに詳しい高さ寸法は、矩計図［181頁］に記される。

144

平面詳細図で細部を決める

前ページまでの基本設計図書がそろって基本設計が終わると、工事の実施に必要な図面を作成する「実施設計」に進む。「平面詳細図」を用いて、設計担当者と細部を決めていくのだ。

平面詳細図とは、床上約1mのところを、水平に切って上から見た図のこと。主に柱、壁、開口部、階段、造り付け家具が記される。持ち込み家具や電気製品などは点線で記される。これで部屋に置いたときの大きさや使い勝手を検討しよう。

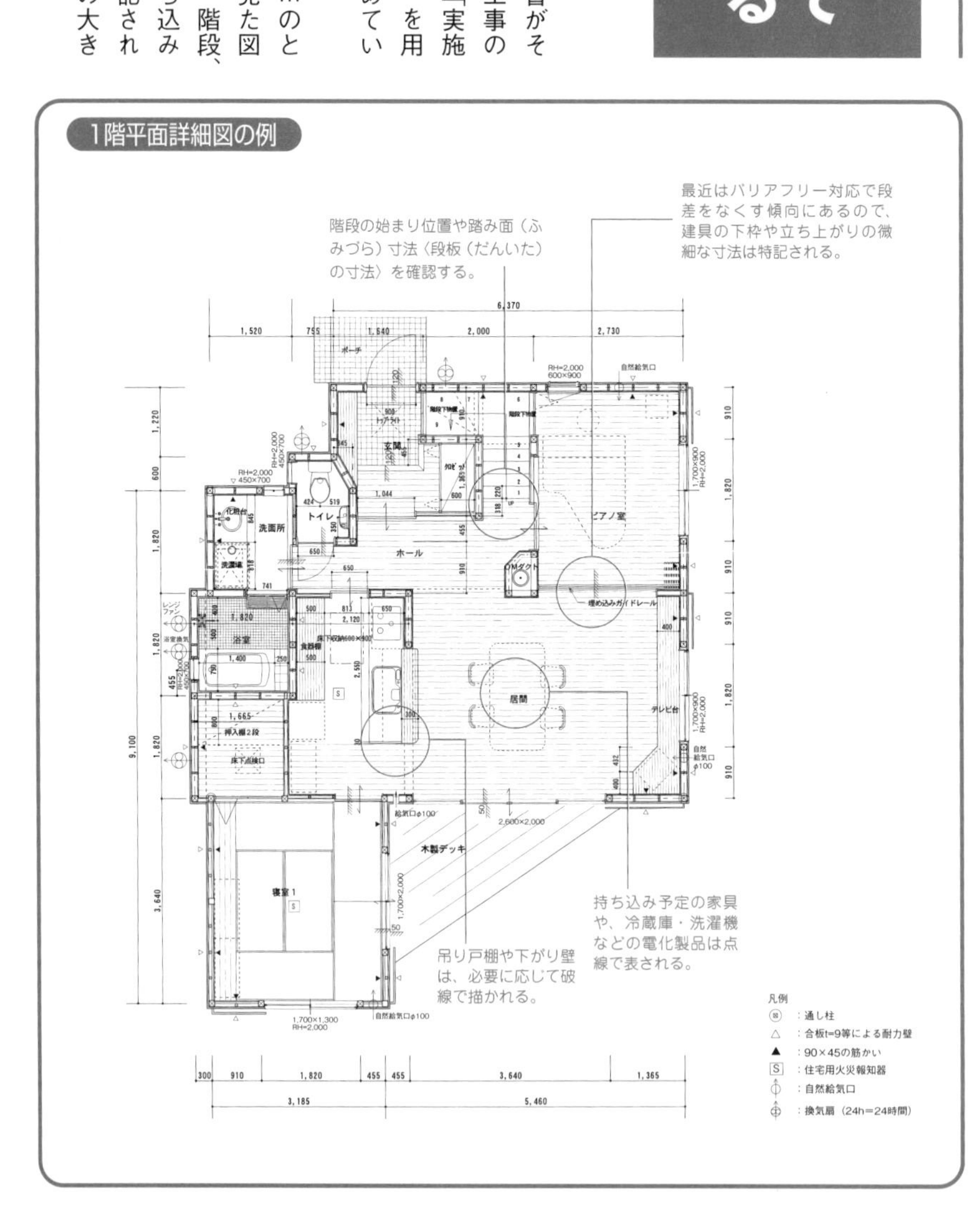

1階平面詳細図の例

145

矩計図（断面詳細図）

「矩計図（かなばかりず）」は家の垂直断面図で、基礎から屋根までの各部の高さを示す。

また、基礎の構造、土台・柱などの材質と寸法、開口部の納まり、床・壁・天井の下地と仕上げ、断熱材の位置・種類・厚さ、屋根勾配（こうばい）や屋根材の葺（ふ）き方など、その家の構造から仕上げまでも詳細に記されている。

一般的に、切断箇所は屋根勾配の表れる方向で、その家の特徴をよく表せる面が選ばれる。

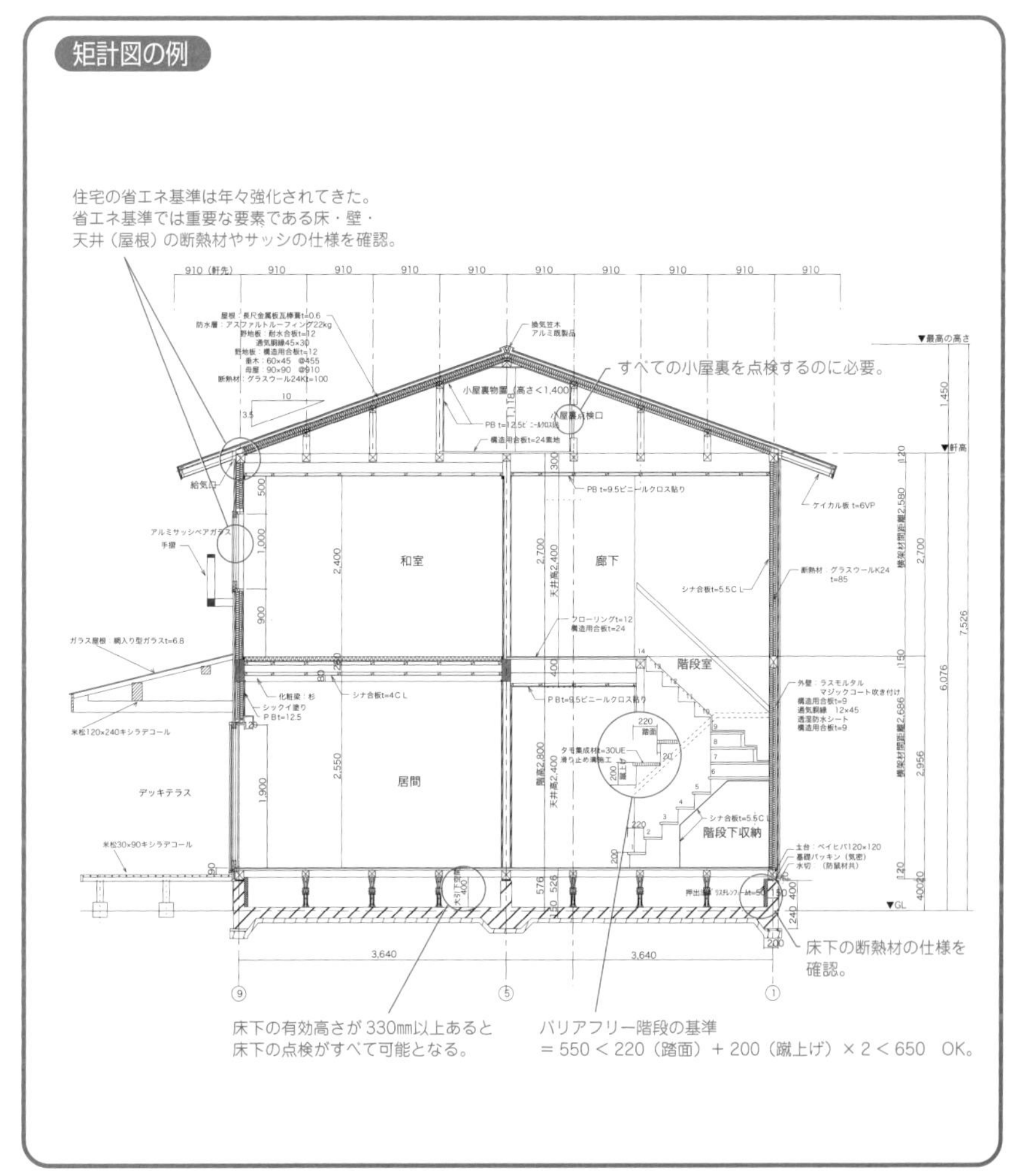

146 安全性をチェックする構造図

実施設計では、平面詳細図や矩計図（かなばかりず）と同時に、「構造図」も作成される。構造図は、上から見下ろした伏図（ふせず）と、真横から見た軸組図、そしてそれらの詳細図がセットになっている。

伏図はさらに基礎伏図、梁伏図、床伏図、小屋伏図などに分かれる。

伏図の例

基礎伏図

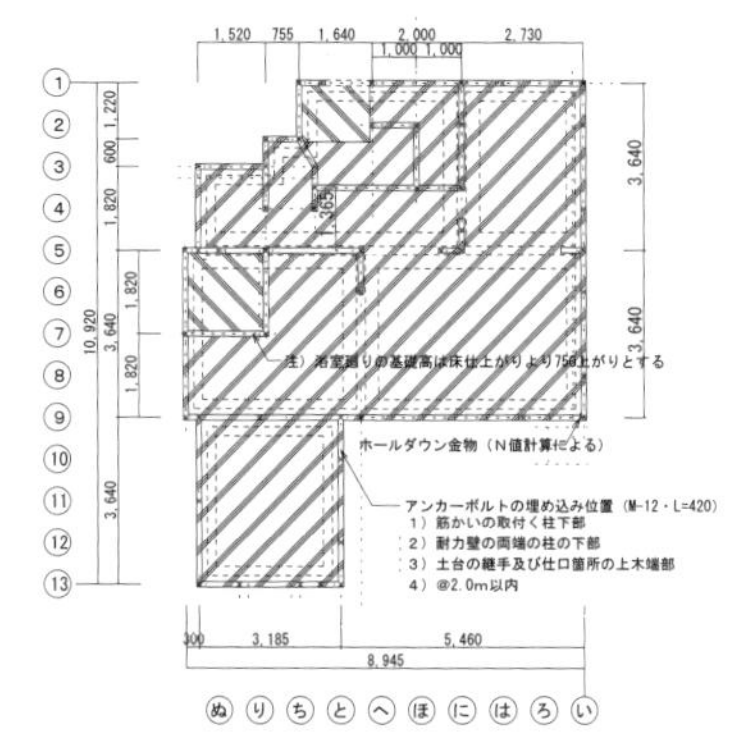

基礎の位置や形状を表す。土台が載る部分は実線で描かれる。アンカーボルトは、小さな丸で表す。基礎は、別途、基礎詳細図で詳しく表される。

梁伏図

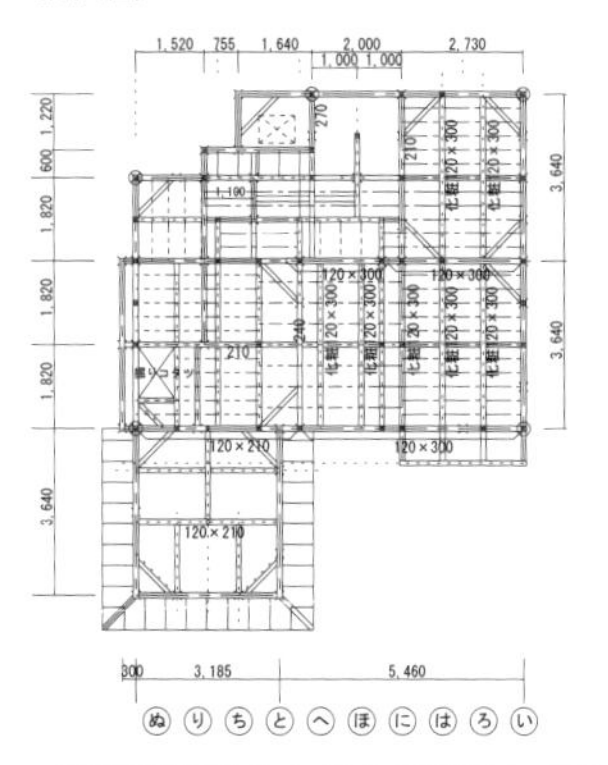

建物の構造を上から見下ろした状態で表す。主な部材の位置と寸法を確認しよう。補強のために斜めに入る火打材がある場合は位置を確認する。

軸組図の例

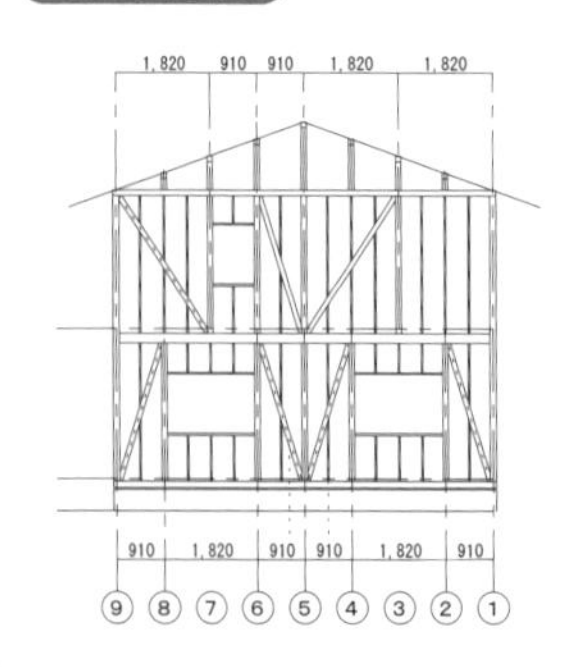

軸組図は、構造材の立面図ともいうべきもの。X方向・Y方向の主要な通りで図面が描かれ、軸組図には柱・間柱・筋かいや窓の下地枠などが表される。筋かいの金物の納まりは特に重要なので、詳細図で示される。

147 展開図で寸法や仕上げを見る

「展開図」は、部屋の内部から見た壁面の図で、室内の形状や仕上がりのチェックに欠かせないものだ。一般的に、時計回りで北面→東面→南面→西面の順に、天井の高さ、開口部の形状や位置、造り付けの棚などが描かれる。

キッチンならカウンターやウォールキャビネットの高さ、スイッチの取り付け位置を確認したい。浴室なら浴槽のまたぎ寸法や手すりの位置、洗面所なら照明器具の高さやタオル掛けの位置などを見よう。

展開図(キッチン)の例

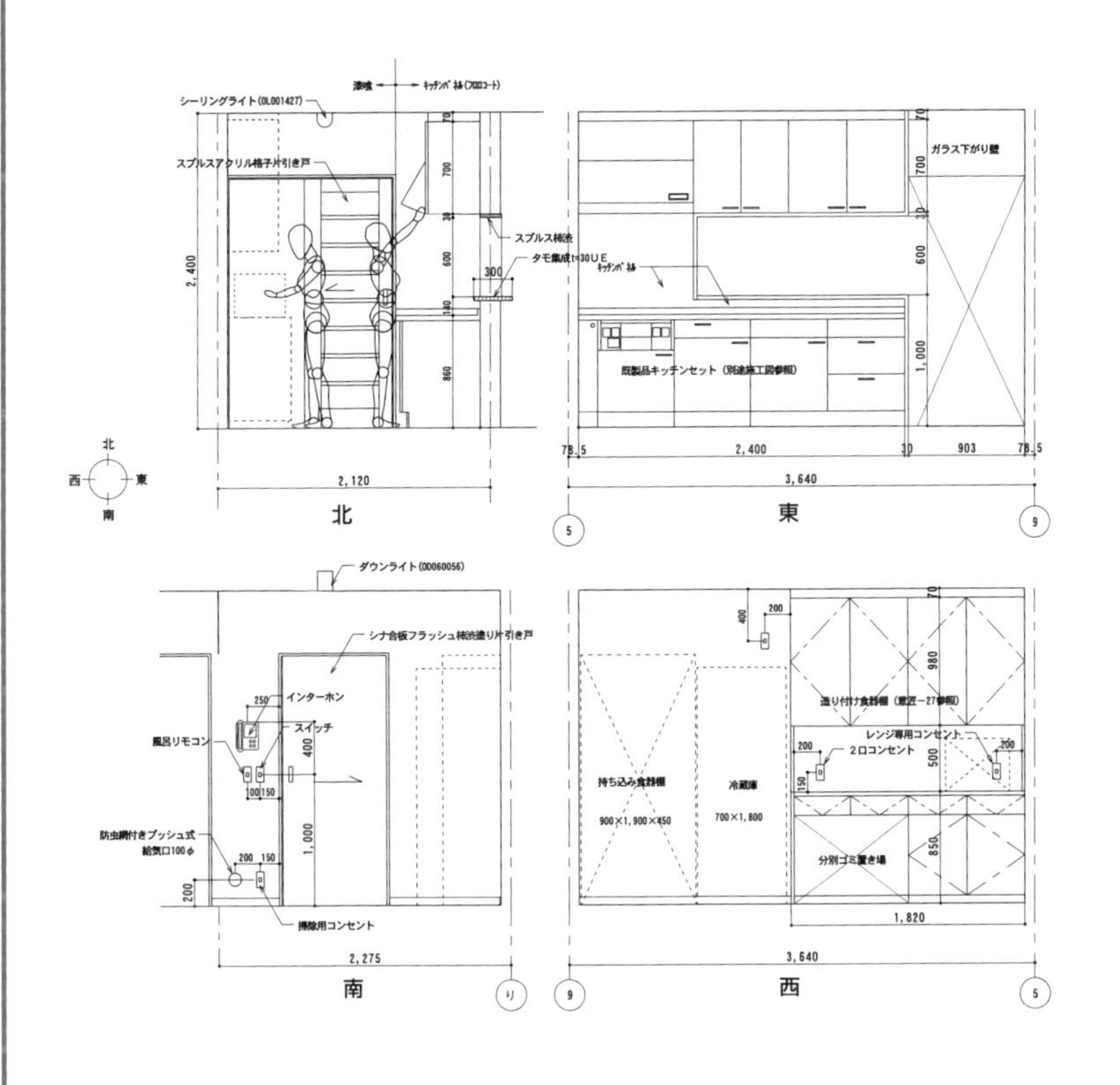

手すりや棚など、壁面に取り付けるものによってはその部分の壁下地の補強が必要になることがあるので、展開図では寸法や仕上げがきちんと記される。

148 家具詳細図の例

造り付け家具を依頼した場合、その仕様や構造の確認は「家具詳細図」で行う。

　壁や階段下などと一体化した家具は、住宅本体の工事を請け負った工務店にそのまま発注し、椅子やテーブルなど、独立した形の家具は創作家具業者に別途発注することになる。

　凝ったデザインの家具ならそのぶん細かい図面が必要になり、工場で塗装仕上げをしてから現場で取り付けることもあるので金額が高くなってくる。

キッチン食器棚詳細図の例

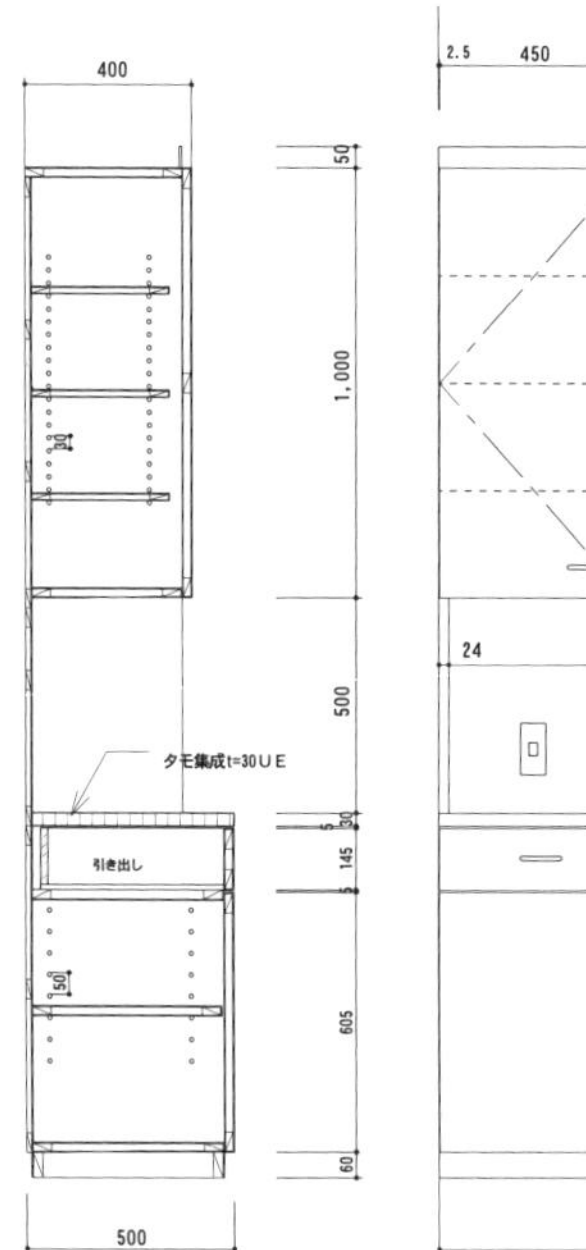

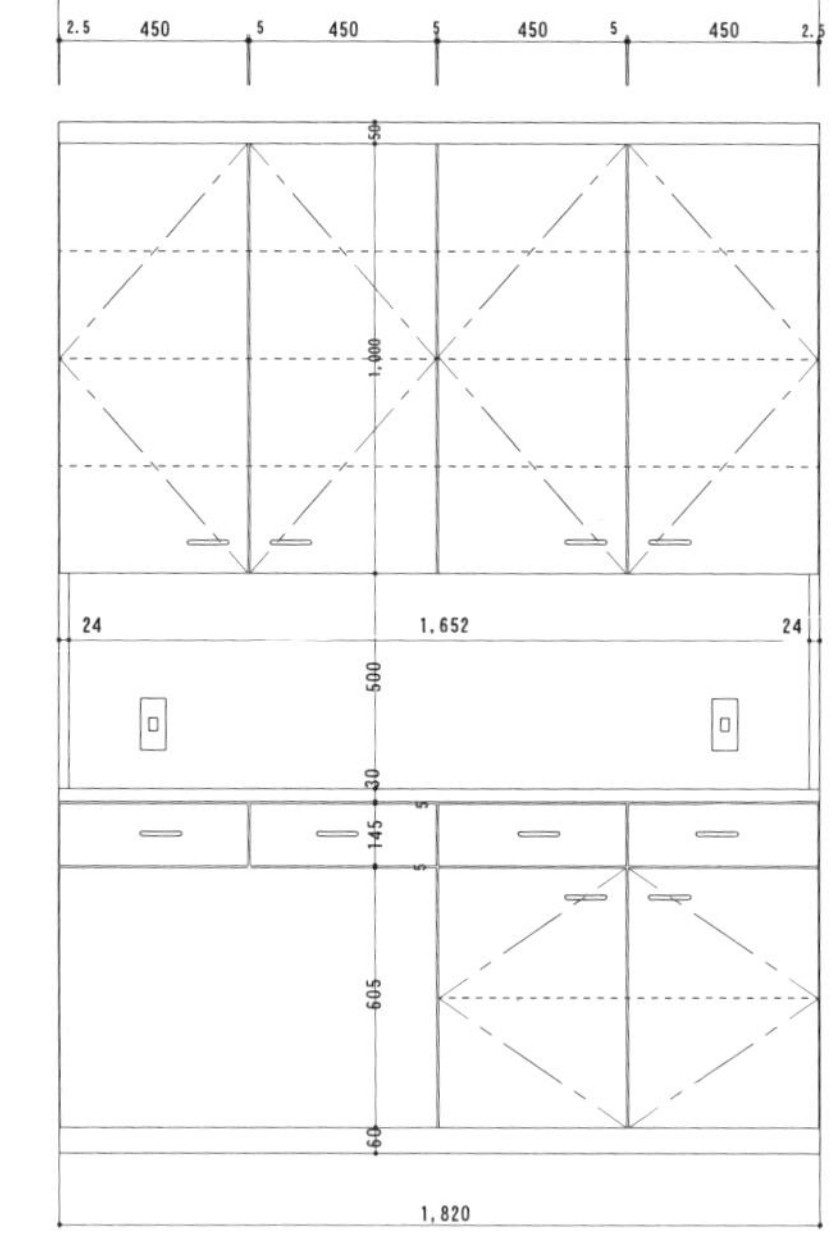

特記事項

1）カウンターはタモ集成t=30ウレタン塗装とする。
2）扉及び表面材は全てシナ合板t=24ＣＬとする。
3）収納部は全てシナ合板t=3とする。(但し引き出しの底板はポリ合板)
4）可動棚は全てシナ合板フラッシュt=18とし、枚数は図示の通りとする。(ダボは@30又は@50)
5）扉の金物は全てスライド丁番とする。
6）扉及び引き出しの引手はユニオンTH-811とする。

どの程度の仕上げにするかは、特記事項でまとめられる。

149 設備図と器具表

家の中のさまざまな設備について、配置や配線をまとめた図を「設備図」という。「電気設備図」「給排水衛生設備図」「換気設備図」があるが、正確な取り付け位置は展開図［183頁］や天井伏図に記されるので、この図面では主に設備の種類を確認する。とくに設備図とセットの「器具表」はチェックしておきたい。建物の計画から竣工までに設備器具の新製品が出て、変更や追加をしたくなるかもしれない。このとき器具表があれば役立つだろう。

設備図と器具表の例

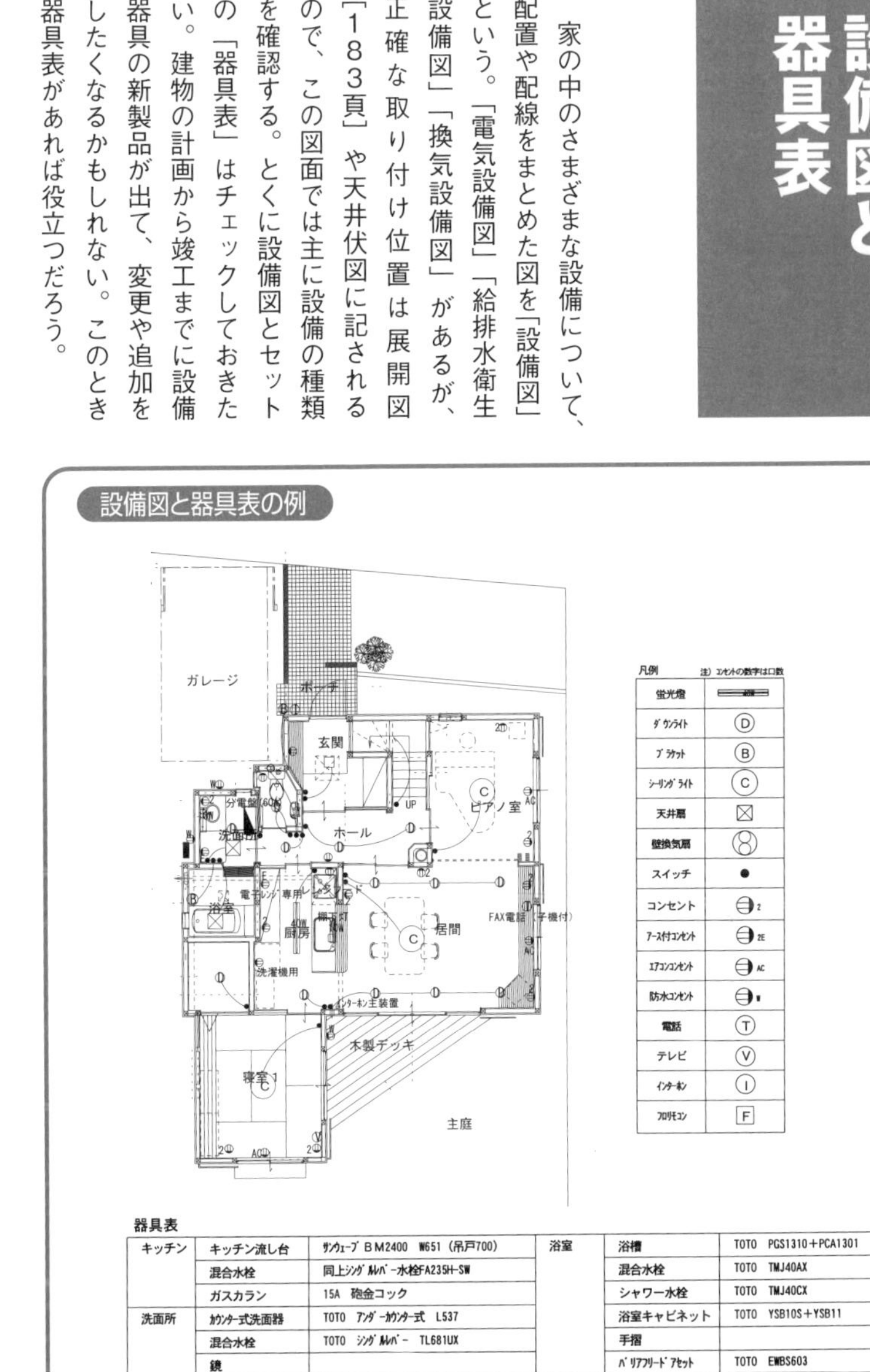

器具表

キッチン	キッチン流し台	ｻﾝｳｪｰﾌﾞ ＢＭ2400　W651（吊戸700）
	混合水栓	同上ｼﾝｸﾞﾙﾚﾊﾞｰ水栓FA235H-SW
	ガスカラン	15A　砲金コック
洗面所	ｶｳﾝﾀｰ式洗面器	TOTO　ｱﾝﾀﾞｰｶｳﾝﾀｰ式　L537
	混合水栓	TOTO　ｼﾝｸﾞﾙﾚﾊﾞｰ　TL681UX
	鏡	
	洗濯パン	TOTO　PWP640N＋PJ2006
	横水栓	TOTO　TW10
トイレ	洋式便器	TOTO　C780B＋S790B
	ウォッシュレット	TOTO　TCF651
	手洗い器	TOTO　L812＋TL812-1PX
	アクセサリー	TOTO　YH51+TS115
	手摺	
	キャビネット	TOTO　YSC16
居間	ガスカラン	9¢　壁ｺﾝｾﾝﾄｶﾗﾝ

浴室	浴槽	TOTO　PGS1310＋PCA1301
	混合水栓	TOTO　TMJ40AX
	シャワー水栓	TOTO　TMJ40CX
	浴室キャビネット	TOTO　YSB10S＋YSB11
	手摺	
	ﾊﾞﾘｱﾌﾘｰﾄﾞｱｾｯﾄ	TOTO　EWBS603
２階ﾄｲﾚ	洋式便器	TOTO　C770B＋S770B
	暖房便座	TOTO　TCF104
	アクセサリー	TOTO　YH51+TS115
洗面ｺｰﾅｰ	ﾌﾚｰﾑ式洗面器	TOTO　L525
	キャビネット	TOTO　YMC3501
屋外	ガス給湯器	OM対応型
	ウォッシュパン	三菱樹脂　Ｓ型（460×420×130）　２台
	ｶｯﾌﾟﾘﾝｸﾞ付横水栓	TOTO　T250DH

150 外構を計画する

外構の様子は配置図や平面図でもわかるが、「外構図」はそれをさらに詳しく描いたものだ。門や塀、車庫、物置、郵便受けなどの付属物の配置が描かれるほか、植物の配置計画も行われる。リビングでテレビの位置や配線をどうしようかと考えるのと同じように、どこに座って外を眺めるかということを検討する。

外構は、浄化槽や排水管の経路なども関わってくるので、設備図とあわせて位置関係のチェックが行われる。

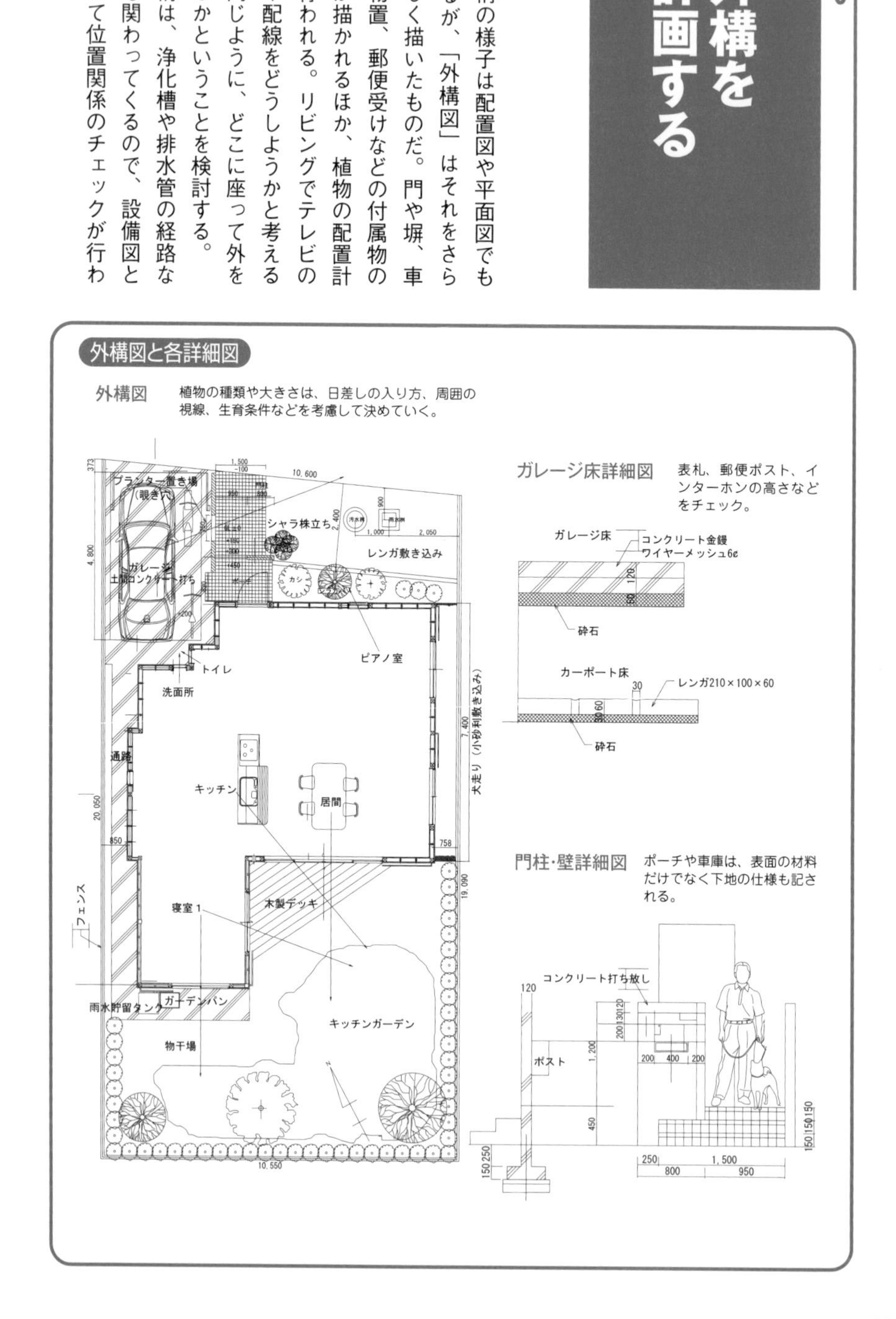

151 仕様書で家の性能を確認する

新しい家についての要望がまとまったら、設計担当者が図面と仕様書を作成してくれる。

仕様書は、施工方法や材料など、図面では表せない工事内容を文章や数値で補足している。自分の家のスペック（住宅性能レベル）がどれくらいなのかここで確認できる。

仕様書とあわせて、いつ、どこで、どんな建物を建てるのかを記した「工事概要書」と、どんな材料を使うのかを記した「仕上げ表」も作成される。

仕様書の例

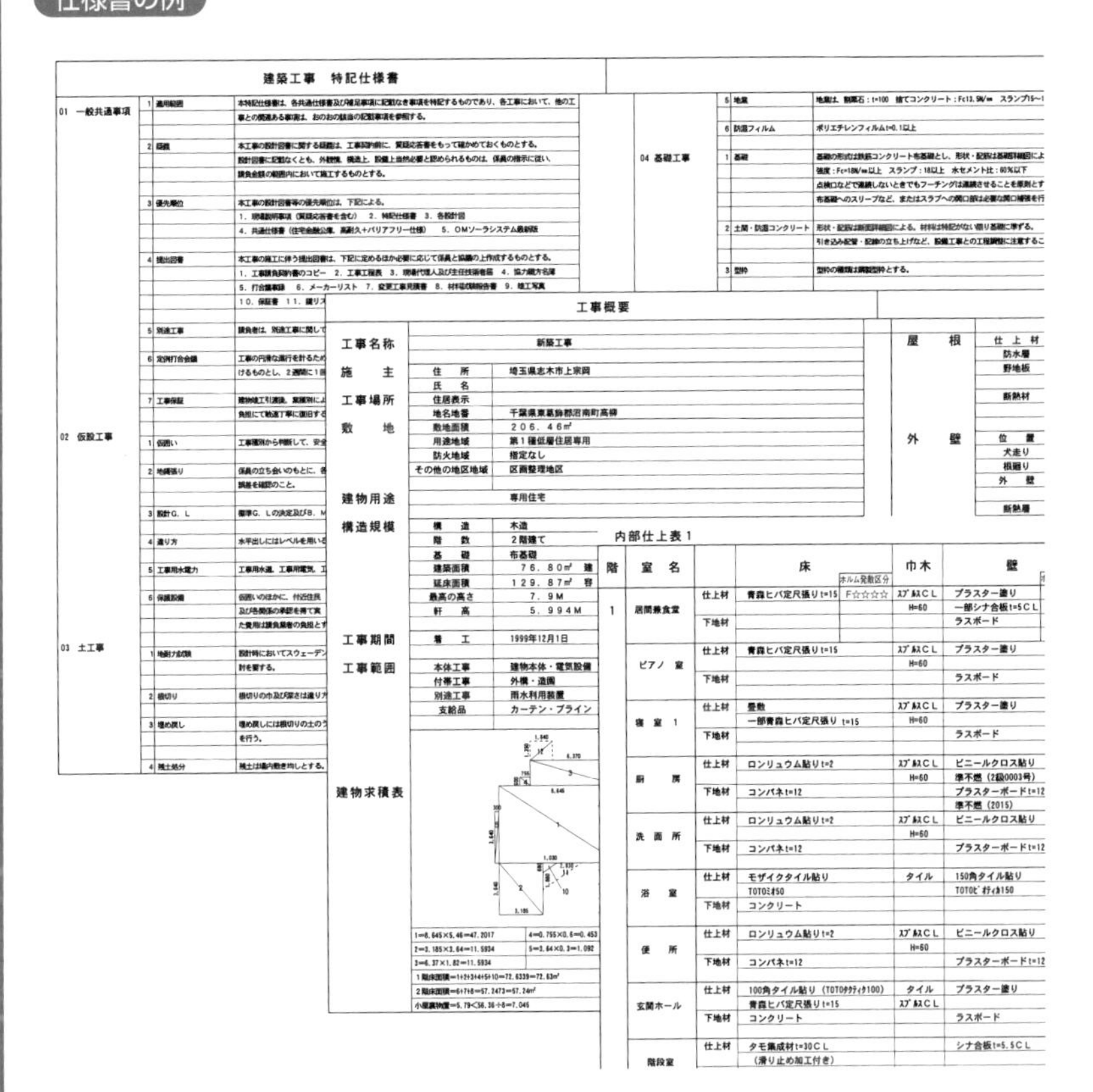

建築工事　特記仕様書

区分	No	項目	内容
01　一般共通事項	1	適用範囲	本特記仕様書は、各共通仕様書及び補足事項に記載なき事項を特記するものであり、各工事において、他の工事との関連ある事項は、おのおの該当の記載事項を参照する。
	2	疑義	本工事の設計図書に関する疑義は、工事契約前に、質疑応答書をもって確かめておくものとする。設計図書に記載なくとも、外観上、構造上、設備上当然必要と認められるものは、係員の指示に従い、請負金額の範囲内において施工するものとする。
	3	優先順位	本工事の設計図書等の優先順位は、下記による。1．現場説明事項（質疑応答書を含む）　2．特記仕様書　3．各設計図　4．共通仕様書（住宅金融公庫、高耐久＋バリアフリー仕様）　5．OMソーラシステム最新版
	4	提出図書	本工事の施工に伴う提出図書は、下記に定めるほか必要に応じて係員と協議の上作成するものとする。1．工事請負契約書のコピー　2．工事工程表　3．現場代理人及び主任技術者届　4．協力業者名簿　5．打合議事録　6．メーカーリスト　7．変更工事見積書　8．材料試験報告書　9．竣工写真　10．保証書　11．鍵リス
	5	別途工事	請負者は、別途工事に関して
	6	定例打合会議	工事の円滑な進行を計るため　けるものとし、２週間に１回
	7	工事保証	建物竣工引渡後、業種別によ　負担にて軸速工事に復旧する
02　仮設工事	1	仮囲い	工事種別から判断して、安全
	2	地縄張り	係員の立ち会いのもとに、各　誤差を確認のこと。
	3	設計G．L	標準G．Lの決定及びB．M
	4	遣り方	水平出しにはレベルを用いる
	5	工事用水電力	工事用水道、工事用電気、工
	6	保護設備	仮囲いのほかに、付近住民　及び各関係の承認を得て実　た費用は請負業者の負担とす
03　土工事	1	地耐力試験	設計時においてスウェーデン　討を要する。
	2	根切り	根切りの巾及び深さは遣り方
	3	埋め戻し	埋め戻しには根切りの土のう　を行う。
	4	残土処分	残土は場内敷き均しとする。

区分	No	項目	内容
04　基礎工事	5	地業	地業は、割栗石：t=100　捨てコンクリート：Fc13.5N/㎟　スランプ15〜1
	6	防湿フィルム	ポリエチレンフィルムt=0.1以上
	1	基礎	基礎の形式は鉄筋コンクリート布基礎とし、形状・配筋は基礎詳細図によ　強度：Fc=18N/㎟以上　スランプ：18以上　水セメント比：60％以下　点検口などで連続しないときでもフーチングは連続させることを原則とす　布基礎へのスリーブなど、またはスラブへの開口部は必要な開口補強を行
	2	土間・防湿コンクリート	形状・配筋は断面詳細図による。材料は特記がない限り基礎に準ずる。引き込み配管・配線の立ち上げなど、設備工事との工程調整に注意するこ
	3	型枠	型枠の種類は鋼製型枠とする。

工事概要

工事名称	新築工事	
施主	住所	埼玉県志木市上宗岡
	氏名	
工事場所	住居表示	
	地名地番	千葉県東葛飾郡沼南町高柳
敷地	敷地面積	206．46㎡
	用途地域	第１種低層住居専用
	防火地域	指定なし
	その他の地区地域	区画整理地区
建物用途	専用住宅	
構造規模	構造	木造
	階数	２階建て
	基礎	布基礎
	建築面積	76．80㎡　建
	延床面積	129．87㎡　容
	最高の高さ	7．9M
	軒高	5．994M
工事期間	着工	1999年12月1日
工事範囲	本体工事	建物本体・電気設備
	付帯工事	外構・造園
	別途工事	雨水利用装置
	支給品	カーテン・ブライン
建物求積表	1=8.645×5.46=47.2017	4=0.755×0.6=0.453
	2=3.185×3.64=11.5934	5=3.64×0.3=1.092
	3=6.37×1.82=11.5934	
	1階床面積=1+2+3+4+5+10=72.6339=72.63㎡	
	2階床面積=6+7+8=57.2473=57.24㎡	
	小屋裏物置=5.79<56.36÷8=7.045	

屋根	外壁
仕上材	位置
防水層	犬走り
野地板	根廻り
断熱材	外壁
	断熱層

内部仕上表１

階	室名		床	ホルム発散区分	巾木	壁
1	居間兼食堂	仕上材	青森ヒバ定尺張りt=15	F☆☆☆☆	ｽﾌﾟﾙｽCL H=60	プラスター塗り　一部シナ合板t=5CL
		下地材				ラスボード
	ピアノ室	仕上材	青森ヒバ定尺張りt=15		ｽﾌﾟﾙｽCL H=60	プラスター塗り
		下地材				ラスボード
	寝室１	仕上材	畳敷　一部青森ヒバ定尺張りt=15		ｽﾌﾟﾙｽCL H=60	プラスター塗り
		下地材				ラスボード
	厨房	仕上材	ロンリュウム貼りt=2		ｽﾌﾟﾙｽCL H=60	ビニールクロス貼り　準不燃（2級0003号）
		下地材	コンパネt=12			プラスターボードt=12　準不燃（2015）
	洗面所	仕上材	ロンリュウム貼りt=2		ｽﾌﾟﾙｽCL H=60	ビニールクロス貼り
		下地材	コンパネt=12			プラスターボードt=12
	浴室	仕上材	モザイクタイル貼り　TOTOﾐｶﾙ50		タイル	150角タイル貼り　TOTOﾋﾞｵﾃｨｶ150
		下地材	コンクリート			
	便所	仕上材	ロンリュウム貼りt=2		ｽﾌﾟﾙｽCL H=60	ビニールクロス貼り
		下地材	コンパネt=12			プラスターボードt=12
	玄関ホール	仕上材	100角タイル貼り（TOTOﾀｸﾃｨｸ100）　青森ヒバ定尺張りt=15		タイル　ｽﾌﾟﾙｽCL	プラスター塗り
		下地材	コンクリート			ラスボード
	階段室	仕上材	タモ集成材t=30CL（滑り止め加工付き）			シナ合板t=5.5CL

仕様書と図面は、建て主と設計担当者の意思疎通のベースだ。また、工事を行う工務店の指標にもなる大事なもの。きちんと説明を受けながら希望どおりになっているか確認しよう。

152

見積もりをとる

実施設計図書が完成したら、施工会社に見積書の作成を依頼する。見積書はたんに総額を確認するだけでなく、内訳から使う材料のグレードや含まれる工事内容を確認する大切なもの。正確な見積もりをとるには、それだけ詳細な図面や仕様書が必要になってくるので、見積書と設計図書は一体にある。

見積書の形式は3種類あって、「部位別見積もり」「工種別見積もり」「一式見積もり」のいずれかになる。

見積書の形式

部位別の項目

部位別の項目
仮設工事
土工・基礎工事
躯体工事
屋根工事
外装工事
内装工事
開口部・建具工事
その他工事

ハウスメーカーの自由設計の場合は、部位別見積もりが一般的。家の部位ごとに、その下地から仕上げまでの費用を算出している。家のどこにどれくらいかかるのかが、素人でもわかりやすい。

工種別の項目

A：建築本体工事	仮設工事
	土工・基礎工事
	木工事
	屋根・板金工事
	石・タイル工事
	左官・吹付工事
	建具工事
	内装工事
	塗装工事
	雑工事
B：設備工事	住宅設備機器工事
	電気設備工事
	給排水衛生設備工事
C：付帯工事	解体・宅地造成工事
	外構・造園工事
	暖冷房・空調工事
	ガス・浄化槽工事
	その他
D：諸経費	（A＋B＋Cの10%前後）

工務店などの見積もりは、工事の種類ごとに金額をまとめている。工種別と聞くと難しそうだが、住宅建築の場合の見積書は、工事の分類が簡略化されて素人でもわかりやすくなっている。

一式見積

ハウスメーカーによるプレハブ工法の企画型住宅の場合は、工場生産されてほぼ完成品による家づくりなので図面をあまり必要とせず、見積書も「標準仕様一式いくら」という簡潔な内容だ。

見積書の中身ってどんなもの？

見積書の中身は、「御見積書」「工事費内訳書」「工事費内訳明細書」の3つに分けられている。

御見積書とは表紙のことで、総額や工事場所、支払条件などが記載される。工事費内訳書は、部位あるいは工種ごとの工事金額が記される。さらに工事費内訳明細書では、細かい工事内容ごとに、材料の単価と数量、その金額が記される。

見積書を確認するときは、主な工事費以外に、諸費用が含まれているかも確認したい。

見積書の中身※

①御見積書（表紙）

御見積書

O邸　新築工事

下記の通り御見積申し上げます。

見積金額	¥26,200,000-　円也
消費税額	¥2,620,000-　円也
合計金額	¥28,820,000-　円也

工事場所	○○県○○市○○町○○-○○
見積年月日	○○年○○月○○日
お支払条件	着工時○%、上棟時○%、竣工時○%
有効期限	30日
備　考	この見積書に記載無き事項は 全て別途工事とします。

表紙に書かれている支払条件は、契約時（または着工時）、上棟時、竣工時の3回が慣習となっている。

②工事費内訳書

No./ 工事種目	工事科目	数量	単位	単価	金額
A．建築本体工事	1. 仮設工事	1	式		642,526
	2. 土工・基礎工事	1	式		1,522,641
	3. 木工事	1	式		7,138,500
	4. 屋根・板金工事	1	式		1,700,450
	5. タイル工事	1	式		439,850
	6. 左官工事	1	式		631,596
	7. 建具工事	1	式		2,360,332
	8. 内装工事	1	式		1,049,780
	9. 塗装工事	1	式		1,894,228
	10. 雑工事	1	式		1,306,550
B．設備工事	1. 住宅設備機器工事	1	式		1,146,242
	2. 電気設備工事	1	式		1,789,593
	3. 給排水衛生設備工事	1	式		1,113,400
C．付帯工事	1. 外構工事	1	式		1,313,498
	2. ガス工事	1	式		160,100
D．諸経費		3	%		1,990,714
計					26,200,000

③工事費内訳明細書

No./ 名称	摘要	数量	単位	単価	金額
1. 布基礎 RC 造	W120	70.00	m	14,000	990,780
2. 防湿コンクリート屋内	厚 60	65.19	㎡	4,000	260,760
3. 束石設置屋内		38.00	カ所	900	34,200
4. 基礎パッキン		70.00	カ所	1,000	70,000
5. 高基礎 RC 造浴室	W120	6.12	m	15,000	91,800

諸費用の確認

ハウスメーカーの見積書は諸費用まで記載され、総費用がわかるようになっている。一方、ハウスメーカー以外の見積書には諸費用が含まれないこともある。見積書に何が含まれて何が含まれていないのかをよく確認しよう。含まれていないものについては、工事会社に見積もりを出してもらうよう依頼するとよい。

※ 見積もり金額は物価や流通価格に応じて変化するため、現在の価格を示しているとは限らない

154

見積書を検討する

同じ設計内容で見積もりを比べることを「相見積もり」という。3社程度とると、上下で10％程度の差が出ることもある。

住宅展示場で新しい家を選んだ場合は、それぞれのハウスメーカーの見積書を比較検討する。しかし、デザインや工法、性能が異なるものを正確に比較するのは難しい。

なお、最低見積もり額と予算の差が10％程度なら交渉や多少の設計変更で調整できるが、それ以上は大幅な設計変更が必要になる。

設計担当者による見積書の確認例

No./工事名称	A社	B社	特記	予算
1. 仮設工事	676,344	501,705		700,000
2. 基礎工事	1,602,780	1,572,220		1,500,000
3. 木工事	8,541,326	8,920,260	❶ 同額なら紀州材のほうがいい	8,500,000
4. 屋根・板金工事	1,789,944	793,200	❷ 外断熱通気工法の差	700,000
5. タイル工事	463,000	415,550		500,000
6. 外壁工事	991,254	428,400	規格品と仙台での折り曲げ加工の差	500,000
7. 左官工事	664,838	629,830		600,000
8. 建具工事	2,484,560	2,477,140		2,500,000
9. 内装工事	691,040	502,200		500,000
10. 塗装工事	1,002,670	519,400	❸ 吹付け材の差・B社に誤り	500,000
11. 雑工事	582,199	0	木工事に算入	500,000
A. 建築本体工事小計	19,779,959	16,759,905		17,000,000
1. 住宅設備機器工事	1,096,571	1,075,750	概算には造り付け家具も含めている	1,350,000
2. 電気設備工事	928,852	940,280		1,100,000
3. 給排水衛生設備工事	1,172,000	863,330		950,000
B. 設備工事小計	3,197,423	2,879,360		3,400,000
1. 外構工事	1,382,630	1,554,690		1,250,000
2. 空調工事	954,930	781,000		900,000
3. ガス工事	168,530	172,900		150,000
C. 付帯設備工事小計	2,506,090	2,508,590		2,300,000
計．A＋B＋C	25,483,472	22,147,855	330万円の差	22,700,000
D. 諸経費	716,528	3,322,700	判断が難しい	2,300,000
❹	(2.8%)	(15%)		(10%)
合計	26,200,000	25,470,555	差額 729,445	25,000,000

❶B社のほうが40万円も高い。これは、B社では0円になっている雑工事（造り付け家具や手すりなどの小さな工事）がここの木工事に含まれているからだ。

※木工事（骨組みや下地、仕上げなど木を使う工事全般）は費用全体に占める割合が高い。

❷A社がかなり高い。設計仕様とは異なる、A社が得意な外断熱通気工法という高い仕様で見積もっている。

❸A社は仕様どおりの材料で見積もっているが、B社は間違った材料で見積もっている。

※このような間違いは実際によく起こる。工事が始まってから勘違いに気づくことも。図面と見積書の食い違いは、細かいことでもすぐにしっかり確認しなければならないのだ。

❹工事費の合計は約330万円も差があるが、諸経費を含むと70万円程度の差。総額も、2500万円の予算に対して＋10％以内に納まっている。

155

かならず確認申請を受けよう

設計図ができあがり、工事費も予算内に納まりそうとなれば、「建築確認申請」を行う。設計図書などをそろえて役所または指定確認検査機関に申請すると、３週間ほどで確認済証（建築確認通知書）が交付され、いよいよ着工となる。申請書類や設計図に不備があれば、修正して再度申請する。

申請は設計や工事の依頼先がやってくれるので、このような手続きがあることを理解しておけば大丈夫だ。

家を建てるのに必要な法的手続き

設計図の作成
見積り

建築確認申請
① 建築確認申請書の提出
② 建築主事（確認検査員）の審査（確認）
③ 確認済証（建築確認通知書）の交付

建築請負契約の締結
着工

中間検査※ない場合もある
① 中間検査申請書の提出
② 建築主事（確認検査員）の現場検査
③ 中間検査合格証の交付

竣工

完了届

完了検査

検査済証の交付

建物引き渡し
残金支払い

建物の登記

建築確認申請は建築基準法で定められていることで、違反すると懲役・罰金などが課されるのでかならず行うこと。手数料は確認検査機関によって異なるが、床面積100～200㎡で３万円程度～だ。ちなみに「完了検査」も同じように建築基準法で定められている。また一部の地域では、規模、構造によって「中間検査」も受けなければならない。

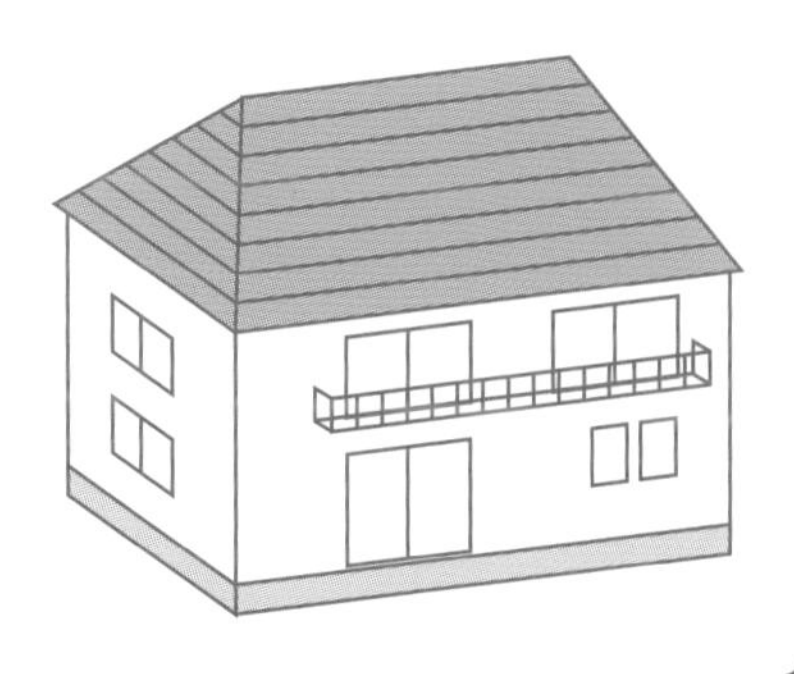

第9章

工事開始から完成まで

地盤の良し悪しや
耐震強度を把握して
安全な家を建てましょう。
工事の検査も大切です。

156

工事契約と契約不適合責任について

建築確認申請を終え、確認済証を受け取ったら、工事会社と契約を結ぶことになる。この契約時に、工事費の20～30％を支払い、その後、上棟時に30～40％、完成引き渡し時に残り30～40％程度を支払うことになる。

建築工事においては、品確法という大切な法律がある。これは、売主や工事会社は、買主に対して住宅瑕疵(かし)の責任を負わなければならないというもの。もし瑕疵が見つかったときは、買主は売主に修理と賠償を請求できるようになっている。［※］

品確法の対象となる基本構造部分

品確法：住宅の品質確保の促進等に関する法律。

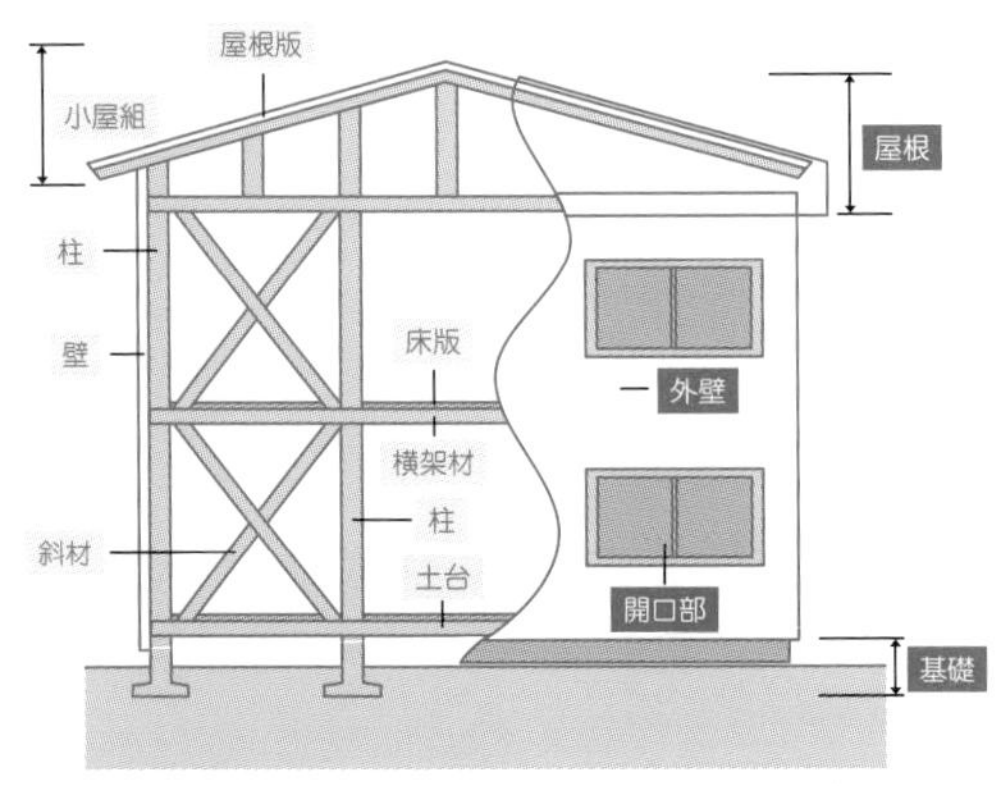

瑕疵とは欠陥のことで、経年劣化ではなく建物が完成したときから存在するものを指す。責任期間は新築住宅の引き渡しから10年間だ。欠陥住宅を回避するために住宅性能表示制度を利用するのもよい。ただし契約書に「添付した設計住宅性能評価書の性能を約束したものではない（参考的資料に止まる）」と記載されている場合は無効になるので注意。

住宅瑕疵担保履行法

「住宅瑕疵担保履行法」という法律もある。新築住宅を引き渡す売主や工事会社は、住宅瑕疵担保のための保険加入、もしくは保証金の供託が義務付けられているのだ。これによって、万が一、売り主が倒産しても、買主は保険会社に修理費用などを直接請求できる。売主が保険などの措置をとっているか、書面で説明を受けるようにしよう。

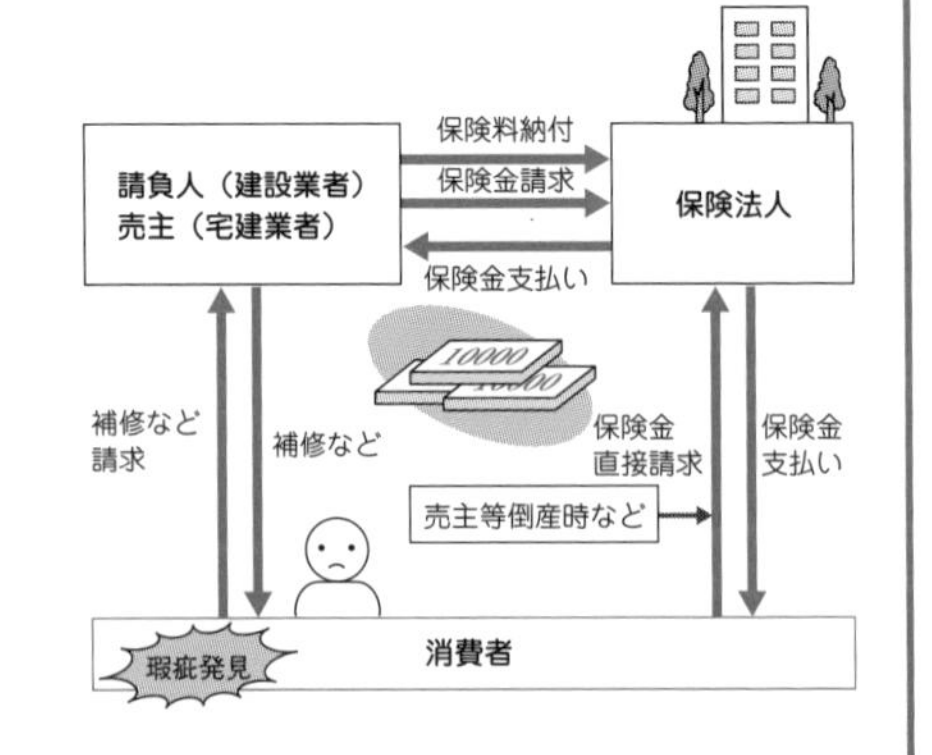

※ 2020年4月の民法改正により、「瑕疵担保責任」が「契約不適合責任」となった。

157

工事の流れを確認しよう

着工から引き渡しまでの期間は、工法や工事の規模、施工会社などによって変わってくるが、木造軸組構法ではおおむね5～7カ月が目安だ。工事の前後にも届け出や引っ越しなど、建て主のやるべきことはたくさんある。大まかな流れを知って自分たちのスケジュールを組んでおこう。

建て替えの場合は古い家の解体工事も必要なので、解体業者との事前の打ち合わせが大切になる。工事中の仮住まいをどうするかも考えておかなければならない。

工事現場の大まかな流れ

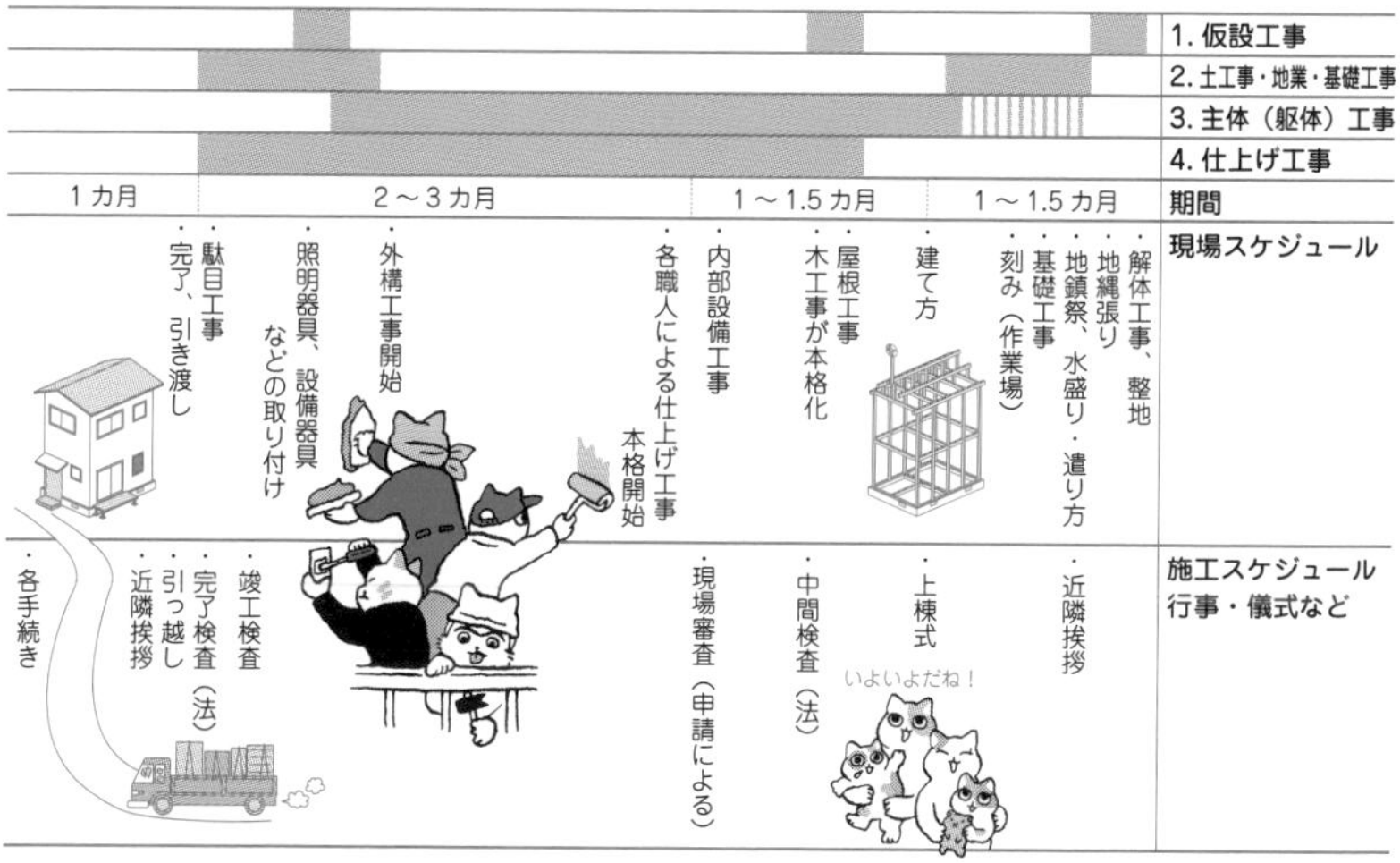

1. 仮設工事
2. 土工事・地業・基礎工事
3. 主体（躯体）工事
4. 仕上げ工事

1カ月	2～3カ月	1～1.5カ月	1～1.5カ月	期間
・完了、引き渡し ・駄目工事	・照明器具、設備器具などの取り付け ・外構工事開始 ・各職人による仕上げ工事本格開始	・内部設備工事 ・木工事が本格化 ・屋根工事	・建て方 ・刻み（作業場） ・基礎工事 ・地鎮祭、水盛り・遣り方 ・地縄張り ・解体工事、整地	現場スケジュール
・各手続き ・近隣挨拶 ・引っ越し ・完了検査（法） ・竣工検査		・現場審査（申請による） ・中間検査（法）	・上棟式 ・近隣挨拶	施工スケジュール 行事・儀式など

木造軸組構法の工事は、基礎工事のあと骨組みをつくり、次に屋根工事、外壁や内部の下地工事へと進む。仕上げの前に配管・配線工事をして階段などの造作もつくり進め、外壁塗装、内部を仕上げていく。

建て替えの場合の注意点

解体工事は、手壊しか機械壊しかで予算や時間が違ってくる。建具や樹木など残したいものがある場合は、その一時保管場所の確保と、その責任者が誰かをはっきりさせておく。また、解体業者と新しい家の施工会社が異なる場合は、互いの工程についてきちんと打ち合わせを。建て主は工事の前と後に2回引っ越しがあり、仮住まいの確保もしなければならない。

建て替えに必要な手続き

- 役所へ解体除去届
- 法務局へ建物滅失登記
- 借地の場合は、地主の承諾書
- 法的規制の変更の有無確認（壊す家と同じ、またはそれ以上の規模や構造で新しい家を建てられるのか）
- 規模によっては、建築リサイクル法の申請

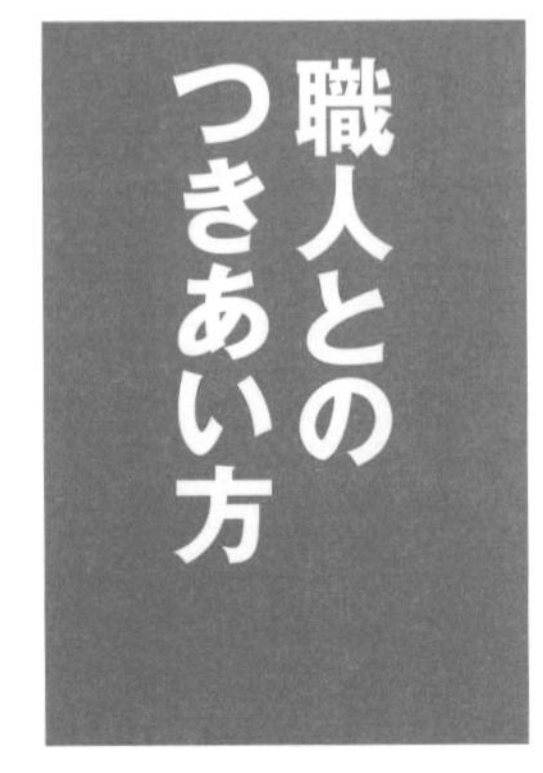

158 職人とのつきあい方

1軒の家ができるまでには、じつにたくさんの職人がかかわっている。これから自分たちが暮らす家をつくってくれるので、建て主もできるだけ現場に足を運び、信頼関係を築いていこう。

職人の休憩時に軽くお茶やお菓子を差し入れするのもよい。もちろん、仕事の都合などでなかなか行けないこともあるだろうが、それでも心づかいは大切にしたい。

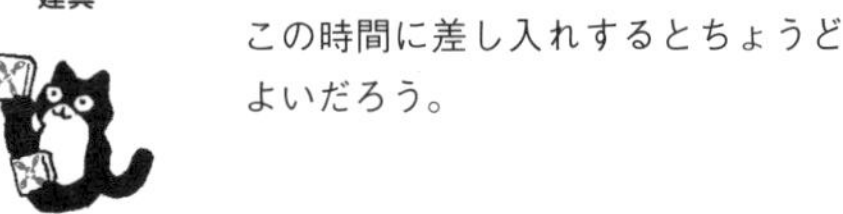

大工はかならず10時と３時に休憩をとる。昼食後は横になって体を休める。安全性を求めながら長期間にわたって細かい作業を行うので、この休憩は必要でとても大切なものだ。この時間に差し入れするとちょうどよいだろう。

設計どおり“いい家”ができるよう最後まできちんと監理しなくては！

自分の家なのだから“いい家”ができるようちゃんと現場を見に行きます！

長く住み続けてもらえるような“いい家”をつくるために腕をふるうぞ！

159

近所への挨拶まわり

工事前の近所への挨拶まわりは大切で、ゆくゆくの近所づきあいをよくするのはもちろん、現場の職人と近所の人達との関係をよくする潤滑油にもなる。

挨拶は施工者と一緒に行い、工事日程や工事内容の概要と、騒音などの迷惑をかけることを説明しよう。家づくりの依頼先が設計事務所の場合は、設計者も一緒に来てもらうのもよい。

引っ越してからの挨拶は、できるだけすぐ、当日か翌日に行おう。

工事前の挨拶

建て主が工事責任者を紹介。

工事中、近所の人たちと接する機会が多いのは現場の職人。最初の挨拶をして顔見知りになっておけば、些細なトラブルを避けることができる。タオルや菓子折りなどのちょっとした手土産を持参するとよい。のし紙は「御挨拶」と書く。

上棟の日程など、工事の説明をする。

現場は朝が早いので、早朝から音がうるさいことなどをお詫びする。

引っ越しの挨拶

今までお世話になった近所の人へは、引越しの2、3日前までに挨拶を済ませる。新しい家の近所への挨拶は当日か翌日に。既婚者の場合は夫婦そろって出向くのが一般的だ。やむを得ず無理な場合は仕方がないが、できるだけ2人で行って、最初にご近所と顔をつないでおくことも大切だ。

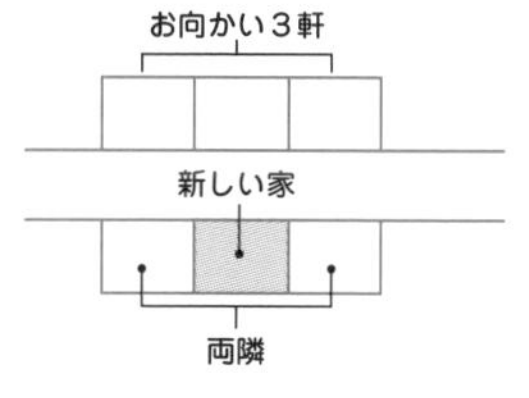

引っ越し後の挨拶先は、お向かい３軒と両隣程度とされている。工事中、とくに迷惑をかけたお宅があれば、そちらも忘れずに伺う。

こちらこそよろしく
向かいに越してきた○○です
よろしくお願いします

160 地鎮祭で安全を祈願する

工事が始まるとき、工事の安全を祈願する「地鎮祭」を行う。多くの場合は神式で、地域の神社から神主を招き、祓い清めてもらう。日取りは大安などの吉日を選び、午前中に行うのがよい。参加するのは建て主とその家族、棟梁、鳶、設計者、躯体工事に関係する施工者などだ。

神主への初穂料（玉事料）は1〜3万円、棟梁などへの祝儀は1〜1万5千円程度。しきたりやお金については地域ごとの違いもあるので、前もって棟梁などに相談するとよい。

地鎮祭の儀式の主な流れ

①修祓の儀と降神の儀

軽く頭を下げて、神主のお祓いを受ける。

②祝詞奏上

いつ・どこで・だれが・何を建てるかをあらかじめ伝えておくと、神主はこれらを盛り込んだ祝詞を奏上してくれる。

③刈初めの儀と穿初めの儀

鎌（かま）入れ

設計者が鎌を持って草を刈る所作を3度行う。

鍬（くわ）入れ

建て主が鍬を持って土を掘る所作を3度行う。

鋤（すき）入れ

施工者が鋤を持って土をすくう所作を3度行う。

④玉串奉奠

神主から玉串を受け取り、神前に捧げ、二拝二拍手一拝して戻る。建て主、建て主の家族、設計者、棟梁の順に行う。

⑤撤饌

神主が瓶子（へいし）の蓋をしめ、祝詞を奏上する。

正式な地鎮祭は「刈初めの儀」と「穿初めの儀」、そして神主が鎮物を砂に埋める「鎮物埋納の儀」の3つの儀式からなるが、実際にすべて行うことは少ない。刈初めの儀と穿初めの儀の組み合わせ、あるいは穿初めの儀のみが多いようだ。

161

安全な家のために重要な基礎工事

家の重力や急激な揺れ、強風などの力を地盤に伝え、家を長く安全に支える構造を「基礎」といい、基礎をつくる工事を基礎工事と呼ぶ。建物本体が木造や鉄骨でも、基礎はかならずコンクリートでつくられる。

一般的に、基礎には布基礎とベタ基礎とがある。ベタ基礎は、布基礎に比べ、使うコンクリート量も鉄筋量も多くコスト高になる。それでも作業性が高く、昨今は住宅地の多くが軟弱地盤なこともあって主流の構造になっている。

布基礎とベタ基礎の違い

布基礎

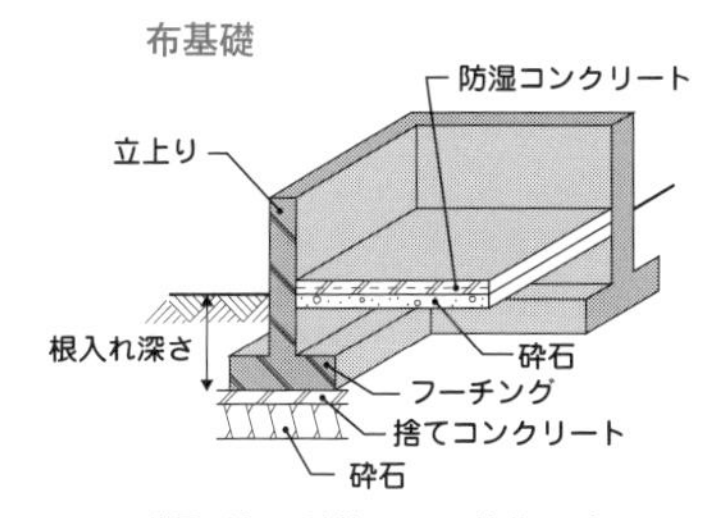

外周に沿って連続している基礎のこと。

ベタ基礎

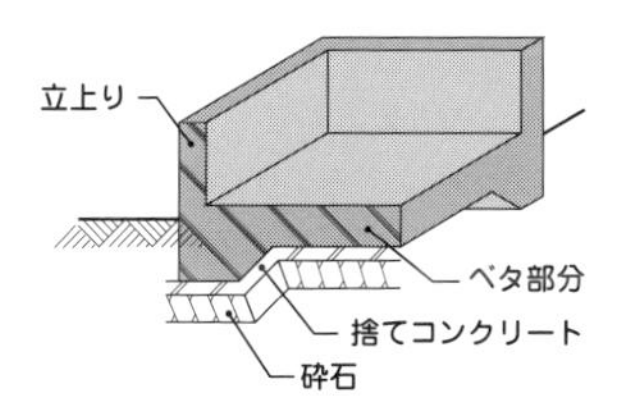

床面全体で建物を支える。強固で防湿性に優れている。

地耐力と基礎の形状

基礎の構造は、地盤調査で得られた地耐力の数値にあわせて決める。

- 20kN/㎡未満 ………………………… 基礎杭
- 20kN/㎡以上30kN/㎡未満 …… ベタ基礎または基礎杭
- 30kN/㎡以上 ………………………… 布基礎、ベタ基礎、基礎杭のいずれか

基礎の設計

基礎は、施工の精度が強度や耐久性に大きく影響するので、各種工事のなかでもとくに細心の注意が必要な部分である。その構造は、建物全体の重さを支える地中梁（立ち上がっている部分）が途切れずつながっていることが重要。外周はぐるりと閉じ、内部は柱や耐力壁の位置と合致させる。地中梁に換気口や点検口を設ける場合も、完全には切らないようにする。

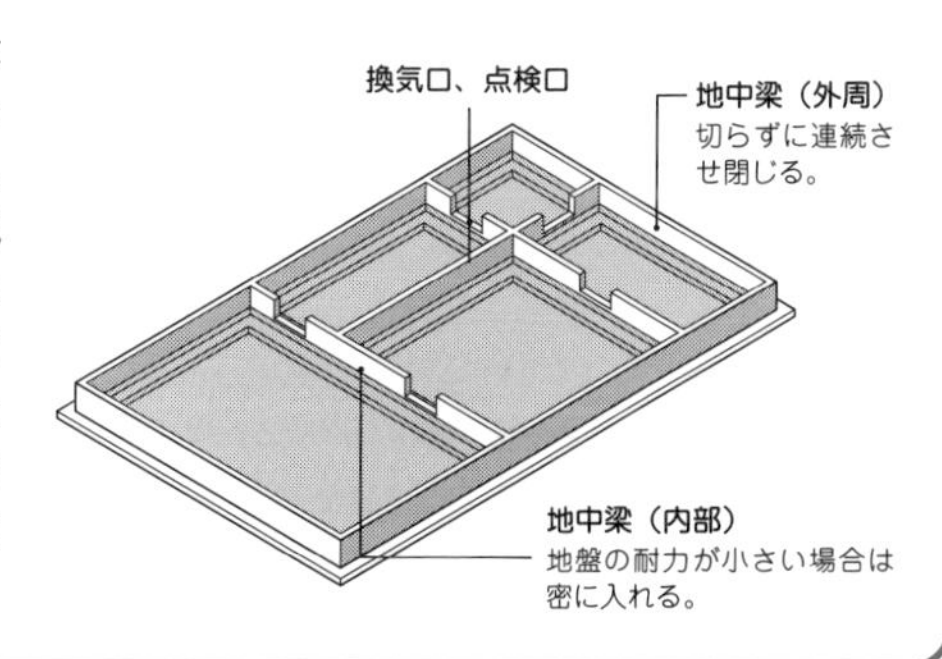

162 木造住宅のしくみ

日本の住宅でもっとも一般的な構法は、「木造軸組構法」というものだ。木材で土台、柱、梁と組み上げていき、建物の骨組みをつくる。骨組みに、筋かいという斜めの材や構造用合板などの面材を入れた耐力壁をバランスよく配置することで、地震や風圧に耐えるようになっている。壁は、和室の場合は柱を露わにした真壁に、洋室の場合は柱を見せない大壁にすることが多い。間取りの自由度が高いので、比較的開放的な空間をつくることができる。

木造軸組構法のしくみ

使用される木材は、例えばヒノキ（土台、大引）、スギ（柱、間柱）、ベイマツ（梁、筋かい、母屋、垂木）などさまざまである。各部材は継手・仕口などの加工を施して接合する。ただし、木材同士の接合のみでは地震により引っ張られて抜ける恐れがあるため、柱の上部で梁に接合する部分と柱の下部で土台などと接合する部分（柱頭柱脚）、筋かいの両端部は金物で補強することが建築基準法で決められている。

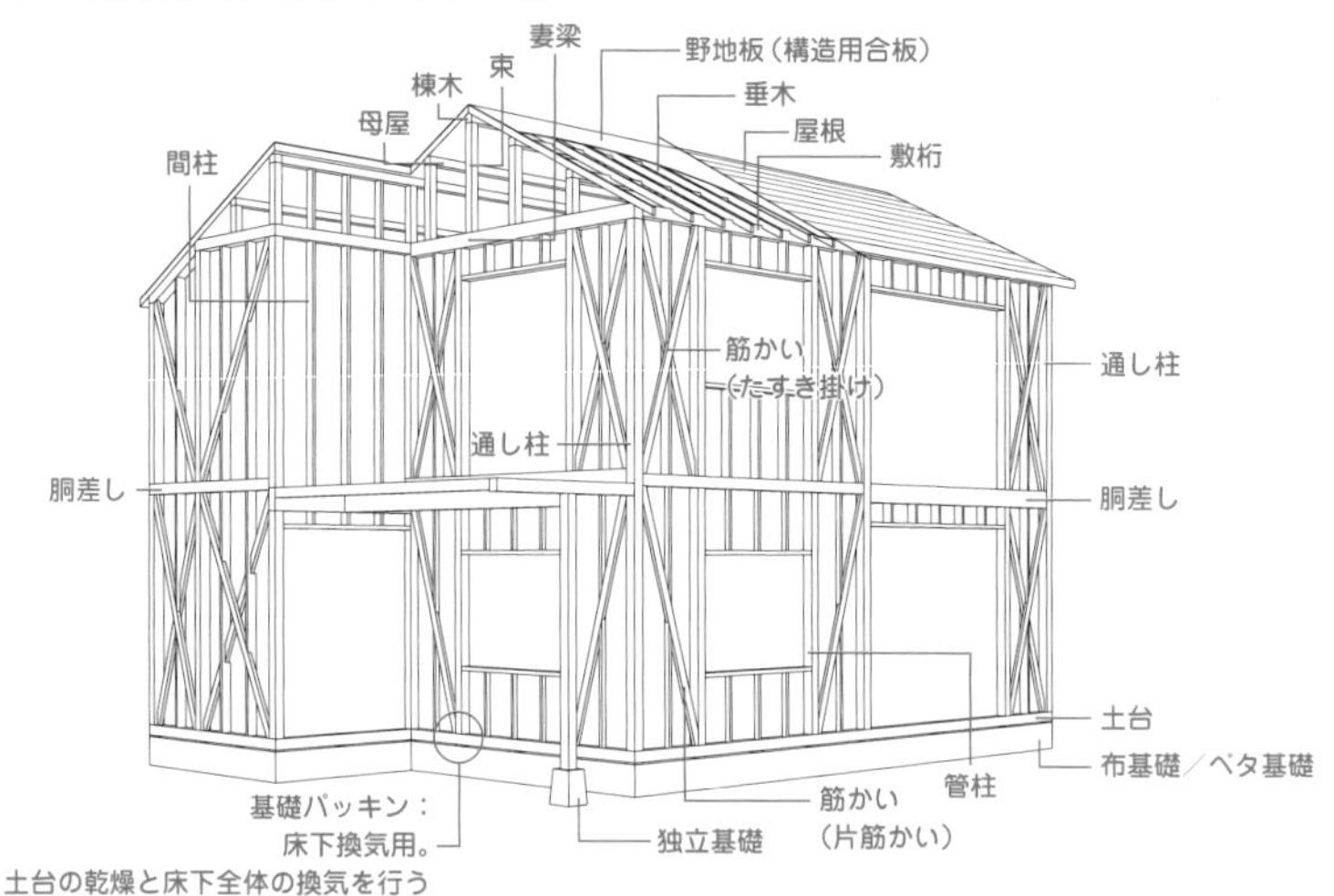

伝統構法のしくみ

軸組構法の一種で、寺社仏閣や古い民家などで使われている伝統構法は、主な柱と梁のほかに、足固めや差鴨居、貫といった水平方向の部材を用いて建物全体の抵抗力を高めている。

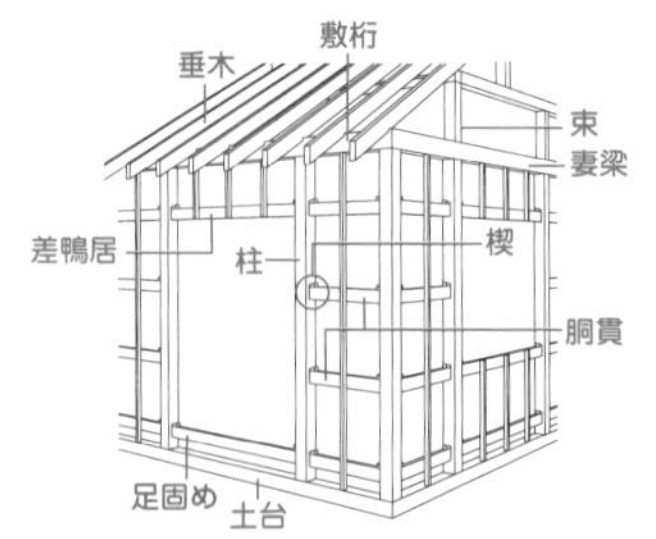

163

2×4工法とはどんなもの？

2×4(ツーバイフォー)工法は、断面の寸法が公称2×4インチなどの木材を使うことからその名が来ている。まず木材で枠をつくり、その枠に構造用合板を張りつけてパネルにする。パネルで大きな箱をつくるように躯体を組み立てる工法で、正式には「枠組壁工法(わくぐみかべこうほう)」と呼ばれる。

パネルが耐力壁となり、地震や風圧、屋根や床などの荷重に耐える。木造軸組構法のように複雑な仕口の加工がなく部材は釘打ちで接合するため、施工しやすく工期も短い。

2×4工法の構造

パネルで箱のように躯体を組み立てていく構法。増改築は、耐力壁の量とバランスを考慮しなければならないので、木造軸組構法に比べ対応が難しい。

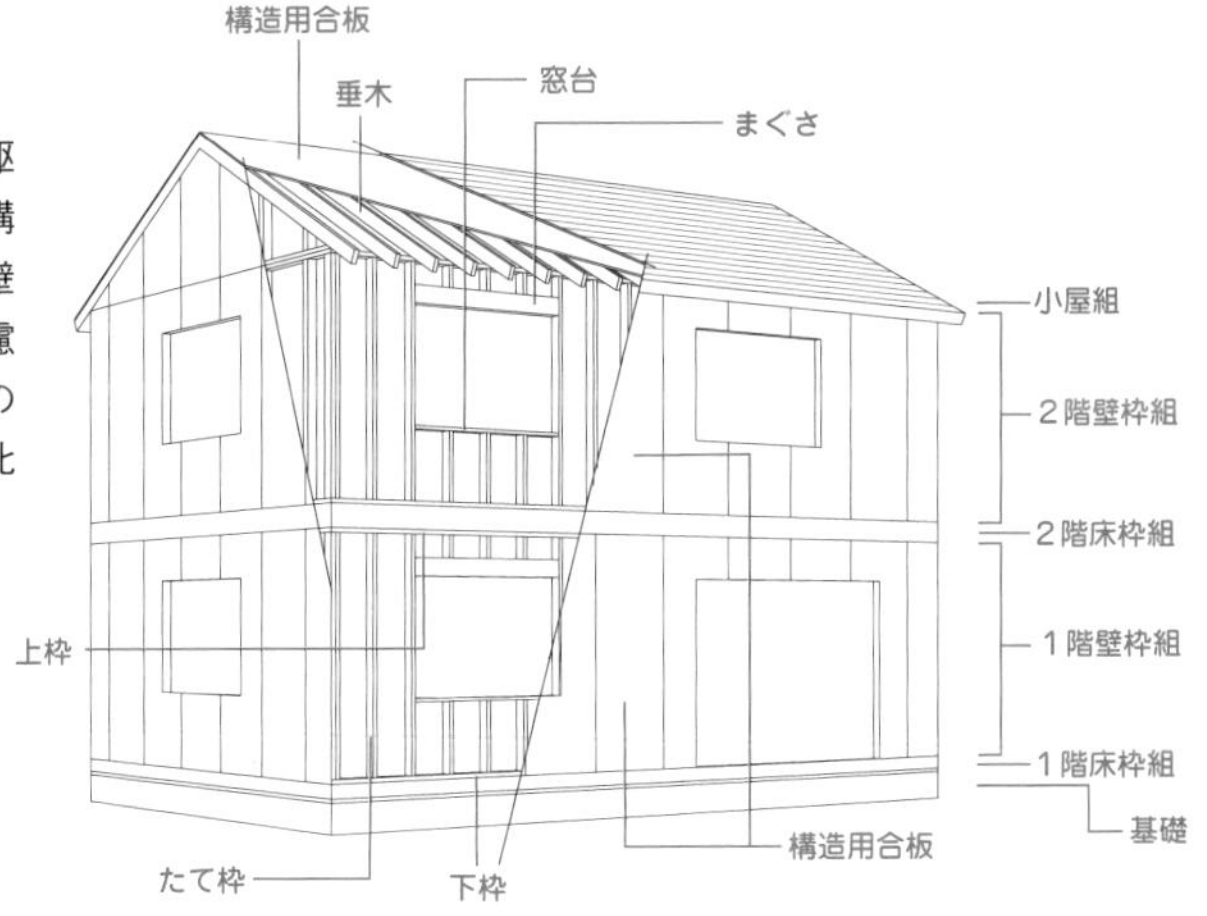

2×4工法の工事の流れ

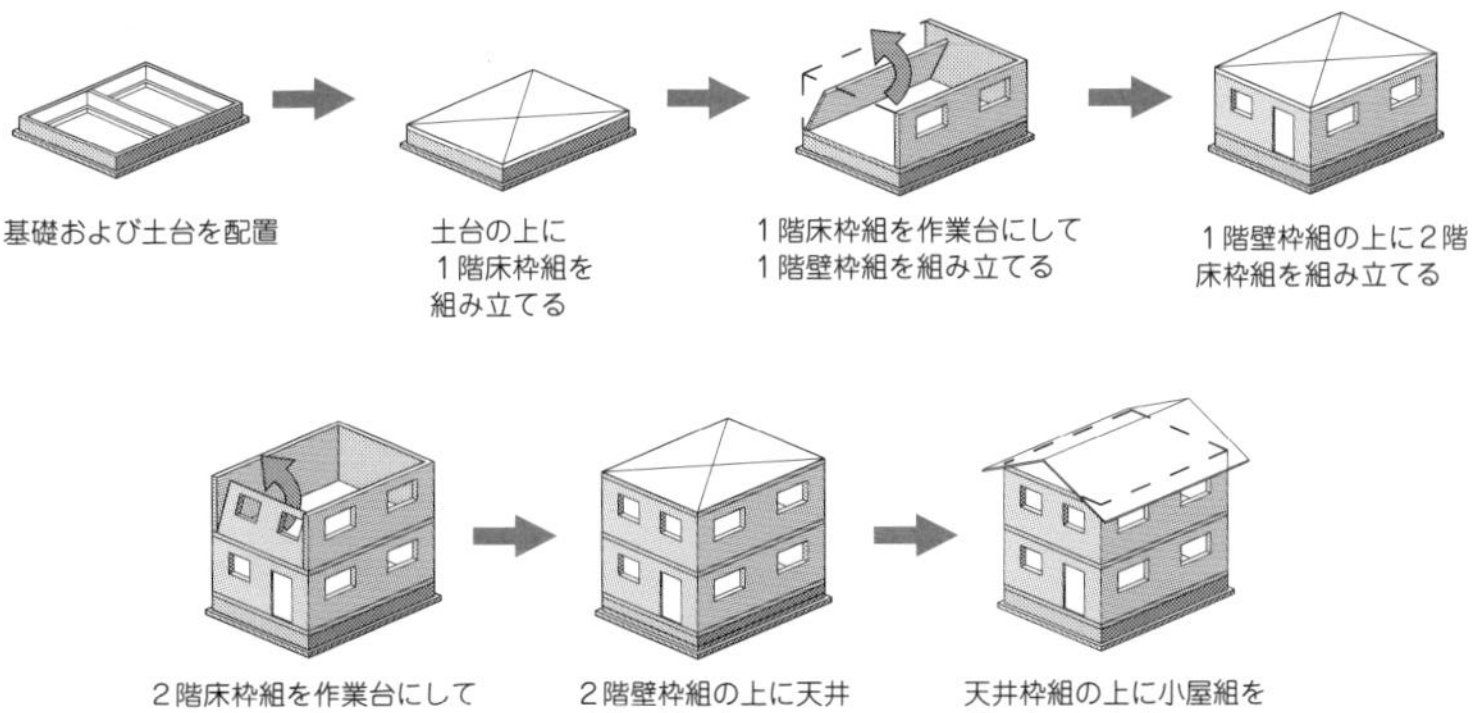

164

強くて丈夫なRC造と鉄骨造

鉄筋とコンクリートが一体となって建物を支える構造を「鉄筋コンクリート造」という。引っ張る力に強い鉄筋と、圧縮力に強いコンクリートの特性を組み合わせている。

鉄骨造には「重量鉄骨造」と「軽量鉄骨造」がある。重量鉄骨造は、木造に比べて、柱と柱の間隔を大きくとれるので開放的な空間をつくれる。軽量鉄骨造は木造と重量鉄骨造の中間的な構造だ。

そのほかに、部材を工場生産し現場で組み立てるプレハブ工法がある。

重量鉄骨造の現場

鉄骨の製品検査の様子

鉄骨建て方の様子

重量鉄骨造で使用される鋼材は、製鉄メーカーで品質管理されたＪＩＳ規格品なので、強度や性能が均一で安定している。設計図にあわせて、長さや仕口を工場で加工してから現場に搬入し、組み立てる。ただし、クレーンなどの大型機械を使うので、前面道路が狭い敷地などには適さない。

RC造の現場

コンクリート打設前の配筋検査

コンクリート打設の様子

RC造は、現場で鉄筋を組んで型枠を設置し、コンクリートを流し込む（打設という）。打設の仕方や気候条件により品質が左右されるので、施工管理が重要になる。また、コンクリートは打設してから硬化して強度がでるまでに日数がかかるので、工期に余裕をもっておきたい。なおRC造には、柱と梁からなる骨組の「ラーメン構造」と、壁で床や屋根の荷重を支える「壁式構造」とがある。

165

上棟式で職人をねぎらう

基礎の上に土台を据え付け、柱を立てて梁を渡し、小屋を組んで棟木（むなぎ）を載せるまでの工程を「建て方（たてかた）」といい、1~2日かけて行われる。このとき、柱や梁などの位置が図面どおりか、材種や寸法は合っているかを、設計者とともに確認する。そして建て方の後には、「上棟式」だ。

上棟式は、職人へのねぎらいと、後の工事の無事完成を祈る儀式。祝儀は棟梁や鳶（とび）の頭（かしら）に2万円程度。事前に式後の宴会料理や酒、折詰などを仕出屋さんに手配しておこう。

上棟式の儀式の主な流れ

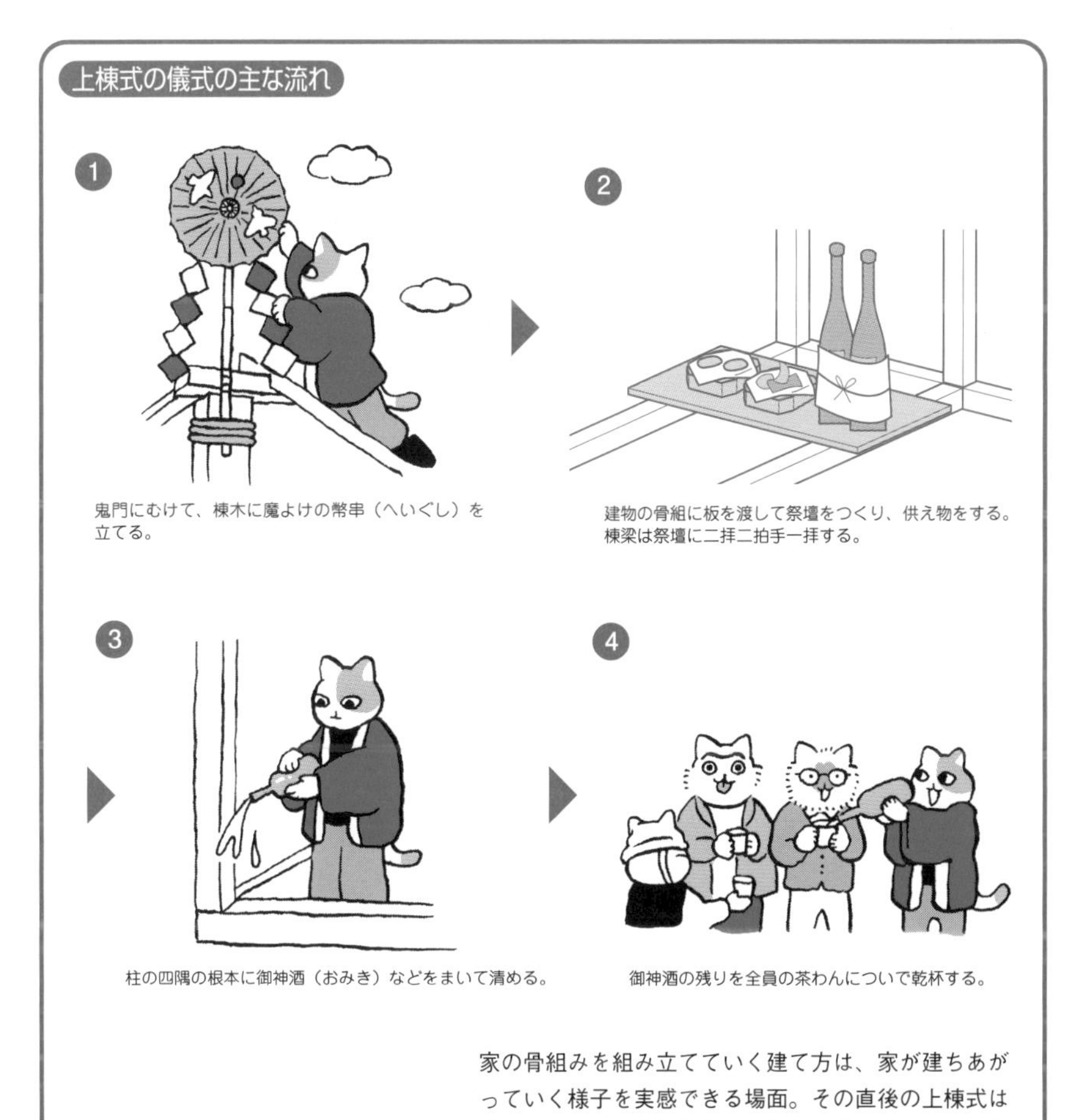

1. 鬼門にむけて、棟木に魔よけの幣串（へいぐし）を立てる。
2. 建物の骨組に板を渡して祭壇をつくり、供え物をする。棟梁は祭壇に二拝二拍手一拝する。
3. 柱の四隅の根本に御神酒（おみき）などをまいて清める。
4. 御神酒の残りを全員の茶わんについで乾杯する。

家の骨組みを組み立てていく建て方は、家が建ちあがっていく様子を実感できる場面。その直後の上棟式は建て主にとって晴れ舞台といえる。大工にとっても建て方が無事終わってほっとする儀式だ。

166

工事監理者の現場チェックに立ち会おう

上棟式が済んだら、屋根をつくり、木工事が本格化していく。構造や施工方法など専門的なことは別にして、使い勝手や安全性、現場の様子については建て主みずからも現場で確認しよう。設計者などの工事監理者による現場チェックに立ち会うとよい。

現場へ行けない場合は工事写真などの資料を施工者に求め、わからないことは納得できるまで説明を受けること。現場チェックを怠ったゆえに生じるトラブルは、後々、建て主に跳ねかえってくるおそれがある。

工事の流れと現場チェック

工事工程	現場立会いの主なチェックポイント	
地縄張り、地鎮祭	◎	・敷地の境界線を確認し、その印の境界杭の位置も確認する。 ・敷地境界と建物との間隔を図面どおりでいいか確認する。 ・隣の家と新築する家との位置関係。
基礎工事	△	・基礎の寸法。 ・鉄筋の配筋やアンカーボルト、換気口の位置など。
建て方、上棟式	◎	・柱や梁などの材料の寸法や材種など。
屋根工事完了	○	・筋かいの位置（耐力壁の位置）などの構造。 ・屋根の防水工事の様子。 ・土台や柱などの防腐･防蟻処理状況。
外部建具取付け	◎	・スイッチやコンセントの数や位置などが図面どおりか、数が適当かどうか。 ・給水栓やガス栓などの数や位置が図面どおりか。 ・窓の位置や高さ。 ・断熱材（床、外壁、天井）の施工状況。
木工事完了～仕上げ工事	○	・建具の開き勝手。 ・造り付けの棚や家具。 ・現状での工事の仕上り具合を住んだつもりで確認する。 ・台所、浴室、洗面所などの設備機器など。
竣工検査	◎	・建物内外の清掃、後片づけや整理の様子。 ・内外装で壁・外部建具の塗装ムラや傷、汚れやクロスのはがれなど。 ・建具の開閉動作がスムーズかどうか。 ・設備機器などの作動状況やキッチン・トイレや浴室などの排水や水の流れ。

◎：ぜひ立ち会いましょう
○：できるだけ立ち会いましょう
△：できれば立ち会いましょう

実際の現場では、材料の入手や職人の手配などの都合で工程が変更されることもあるので、前もって確認してから行こう。また、現場で気付いたことや工事の変更などを直接職人に言うことは避ける。連絡の行き違いや内容の誤認がないように、窓口は1つにしておく。誰を通して打ち合わせや連絡をすればよいか、工事が始まる前に確認しておこう。

第三者による工事検査

工事中は、「中間検査」や「完了検査」「現場検査」など、第三者による現場チェックも行われる。中間検査は、役所などに申請し、担当者に現場をチェックしてもらう。問題なければ合格証が交付され、工事は次の工程へ進む。

第三者による工事中の検査はいずれも申請によるもの。資格交付に値する出来かどうかなどをチェックするものであって、建て主の立場できちんと施工されているかなどを確認するものではないので注意しよう。

工事中の第三者による検査の種類

	検査の種類	申請者	申請先
建築基準法	中間検査 完了検査	建築主（建築主からの委任による工事施工者の代行で可）	建築主事指定確認検査機関（確認申請と同じ）
フラット35	現場検査(2回)	同上	検査機関
住宅性能表示制度	中間の検査(3回) 完了の検査	特に限定なし建築主　設計事務所施工会社　等	登録住宅性能評価機関
住宅瑕疵担保責任保険	現場審査(2回)	住宅建設業者等	事務機関等

検査は、それぞれの目的に沿って目視を中心に行われる。

フラット35の手続きにおける現場検査の流れ

フラット35の融資手続きでは、設計検査を１回、現場検査を２回行い、（ただし、住宅性能表示制度を利用していれば一部省略される場合がある）、竣工現場検査の合格で交付される適合証明書を融資契約時に提出する。

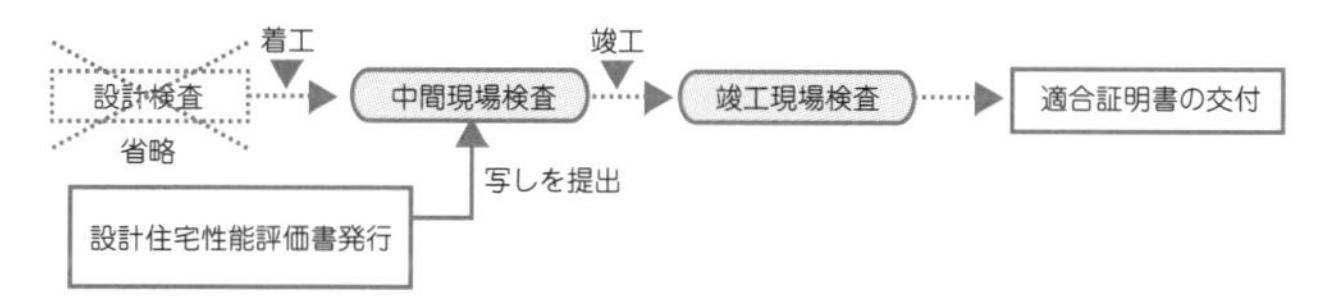

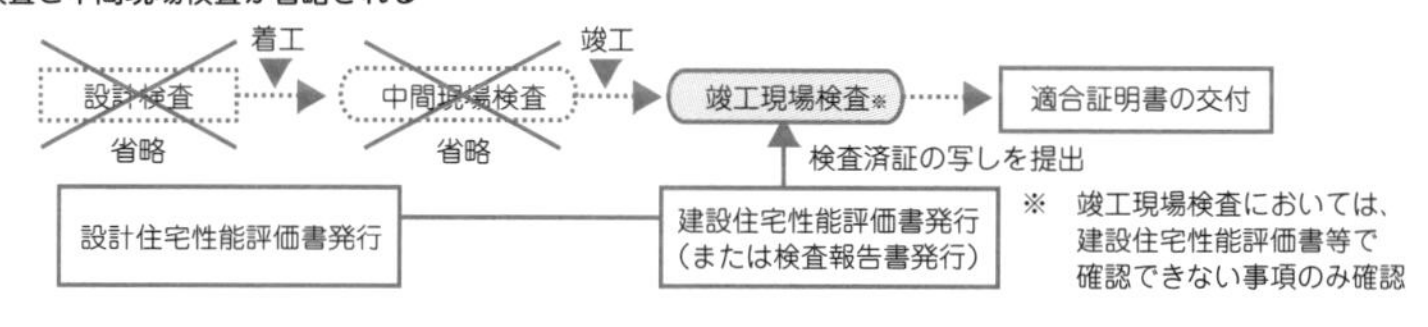

168

配管・配線をきちんとチェックする

工事3カ月目あたりになると、給排水やガスなどの配管工事が進められる。キッチンのシンクやトイレの便器などの機器は工事の最後に設置するが、配管の位置が決まるこの時点で使用する機器もほぼ決定となる。この後で機器を変更するのは難しくなるので、工事に間に合うように品番の最終確認を行う。

照明・コンセント・スイッチなどの電気の配線工事も同時に進められるので、一度現場へ足を運び、数や位置なども確認しておこう。

3か月目の工事内容例

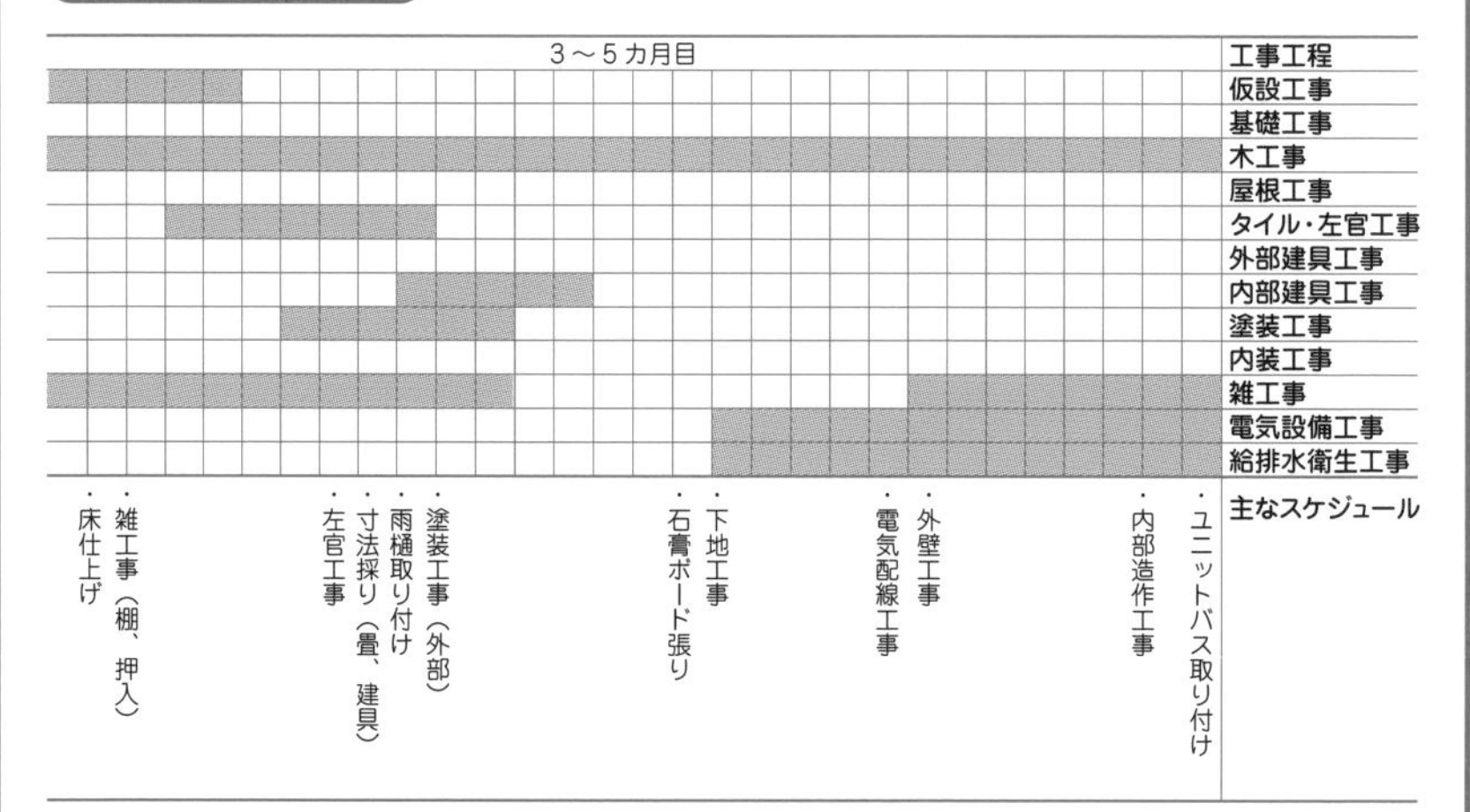

家電などの使い勝手に影響する配管・配線工事などが始まる。大工工事も次第に細かな造作工事や雑工事に入っていく。

コンセントやスイッチの確認

照明・コンセント・スイッチの数や位置が打ち合わせどおりに施工されているか、図面を見ながらチェックする。壁がふさがれてからの変更は時間も材料もかかり、場合によっては追加工事になってしまうので注意して。

169

配管は点検・管理をしやすく

給水・給湯管の素材でもっとも一般的なのは、作業がしやすく安価な硬質塩化ビニル管だ。架橋ポリエチレン管とポリブデン管は、耐久性のある特殊な樹脂を使っている。ステンレス管は耐震性・耐食性に優れているが、高価なため導入はあまり多くない。

配管は床下や壁の中に埋め込むため、建物が完成すると点検や交換が難しい。新築の段階で耐久性の高い材質を選んでおこう。

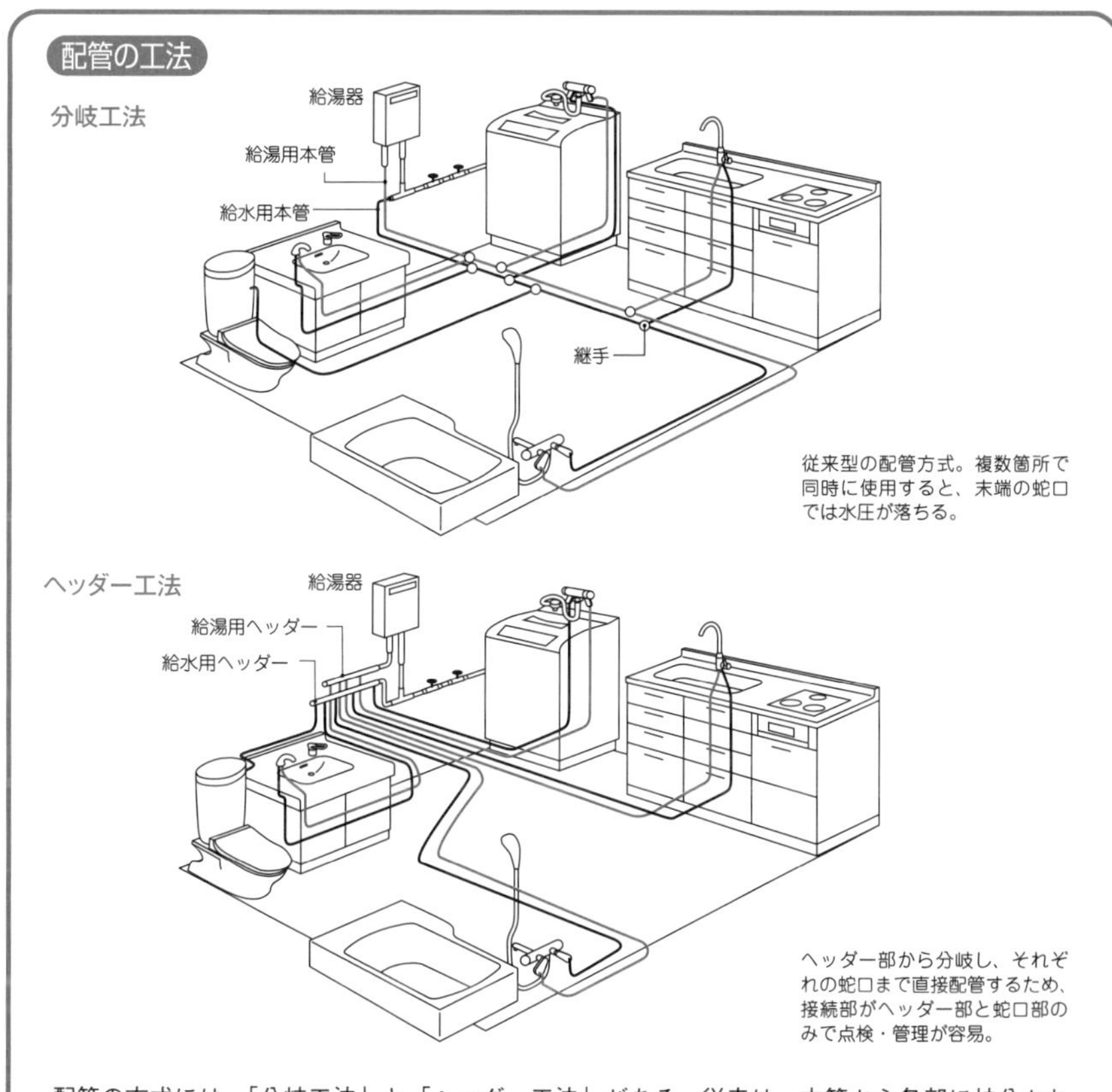

配管の方式には、「分岐工法」と「ヘッダー工法」がある。従来は、本管から各部に枝分かれして配管する枝配管を行う分岐工法が一般的だったが、複数の蛇口を同時に使用すると、蛇口によっては水圧が落ちてしまうという欠点があった。そこで、このデメリットを解消したのがヘッダー工法。同時に蛇口をひねっても水圧か落ちることがなく、途中で接続箇所がないため水漏れの心配もない。

170

仕上げ工事の本格化

5カ月目ごろになると仕上げ工事が本格化し、各職人の出入りが多くなる。外部では塗装工事や雨樋(あまどい)取り付けなどが始まり、内部では内装工事や建具の建て入れなどが行われる。屋根など高い部分も自分でチェックしたいなら、足場が外れる前にお願いしよう。ヘルメットを借りて棟梁と一緒に登るなど、安全にはくれぐれも注意して。

すべての工事が終了したら設計者とともに建て主みずからが竣工検査を行い、家が建て主のものとなる。

4か月目ごろの工事内容例

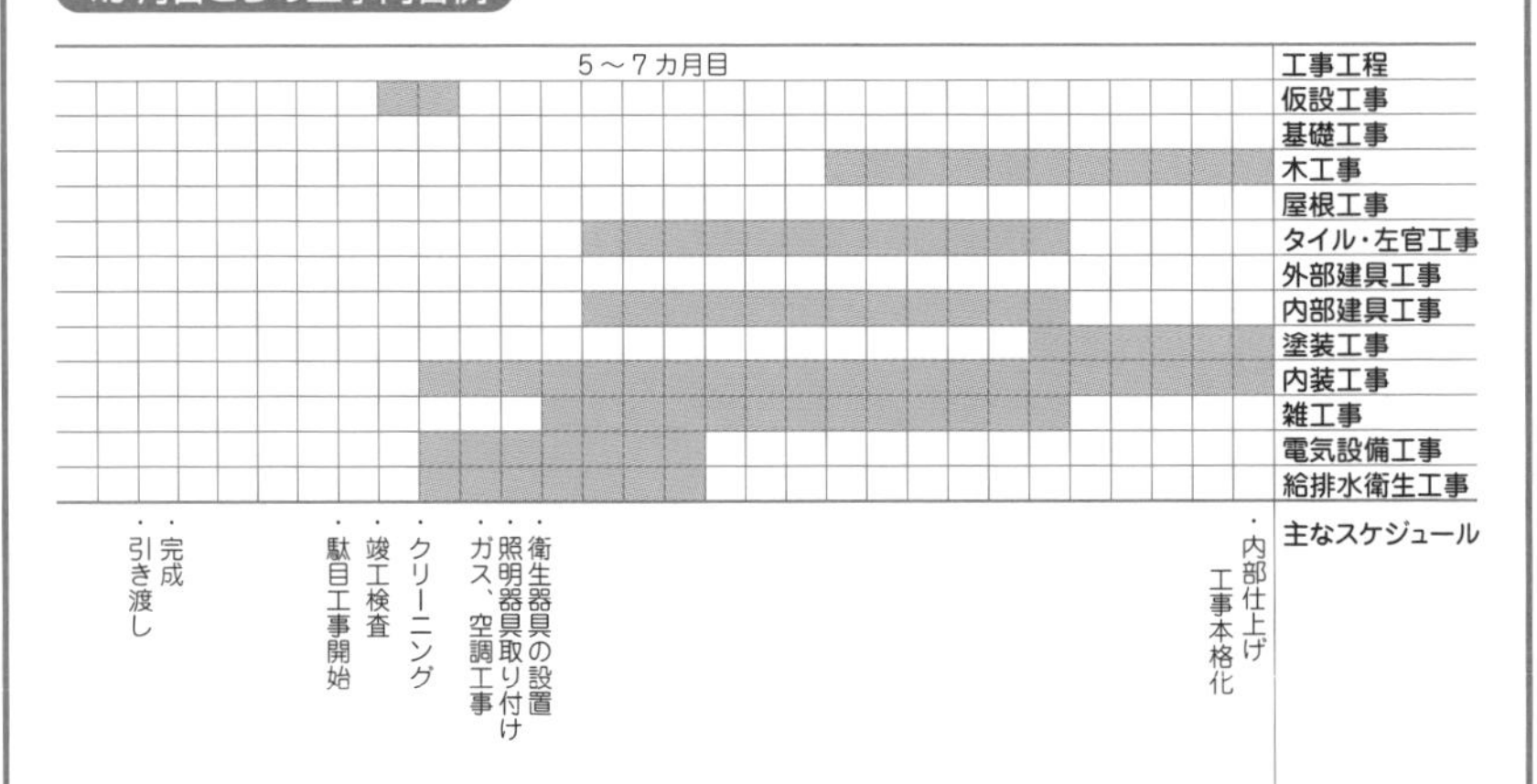

仕上げの工程の組み方

仕上げ工事では、現場監督が各職人の手配と段取りを行う。左官工事や塗装工事、タイル工事など、複数の職人の手順を把握して、現場へ入れる順番を決めていくのだ。工程は、天候や材料の搬入期間なども考慮して組まれる。1人の職人の予定が変更になるだけで段取りすべてに影響が出かねないので、ほかの工程よりもすこし余裕をもっておきたい。

171

竣工検査と引き渡し

すべての工事が終了したら、建て主は家が図面や打ち合わせどおりに完成しているかを確認する。これを「竣工検査」といい、施工者、設計者の立会いのもと行う。検査で直しや追加工事が見つかったら、引き渡しまでに工事を完了させる（駄目工事という）。駄目工事がきちんと終われば本当の完成。施工者から鍵と引き渡しの書類一式を受け取る。

施工中の設計や仕様の変更を記録した竣工図を手に入れておくと、今後の点検や補修に役立つ。

竣工検査と引き渡し

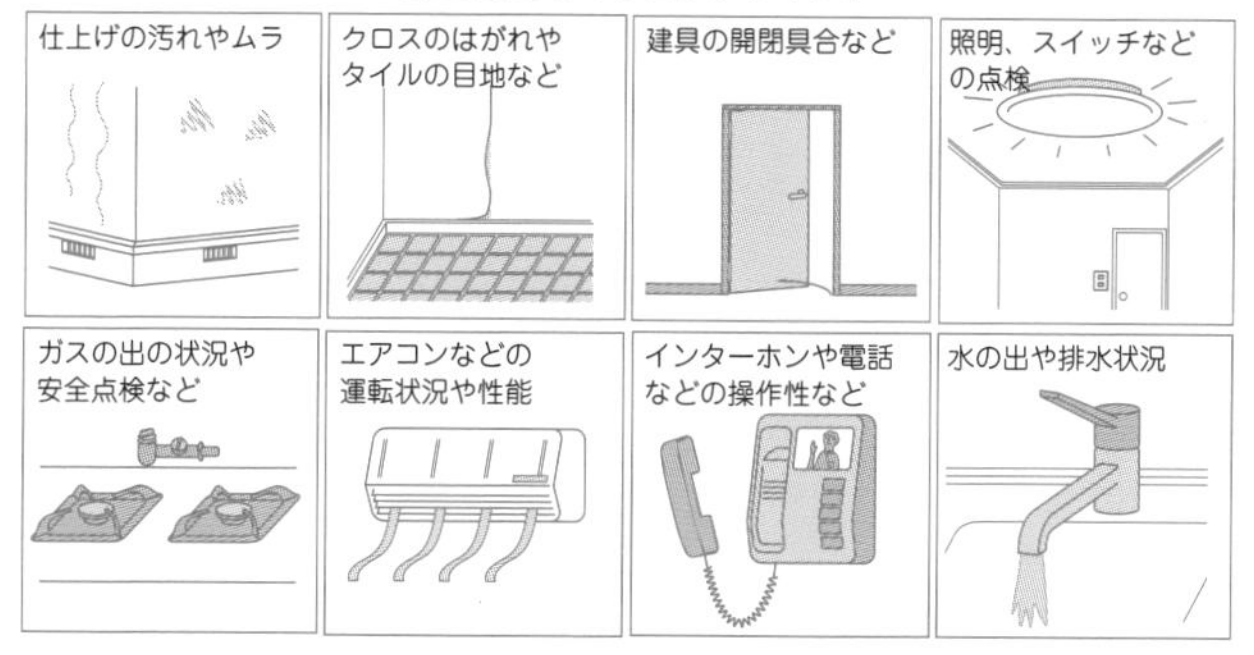

竣工検査は、時間をかけてじっくり検査できるよう昼間の明るい時間帯に設定するのがよい。壁の内部などはチェックできないため、目で見える表面的な仕上げの施工状況や建具類の開閉状況、設備機器の点検や操作確認をする。

竣工引き渡し書類

- □引き渡し書
- □確認申請副本
- □確認検査済証
- □鍵引き渡し書（鍵リスト表）
- □下請業者一覧表
- □保証書
- □完成写真

etc.

最終確認後、書類の受け取り

鍵と引き渡し書類一式は竣工検査（必要があれば駄目工事と最終確認）がきちんと済んでから受け取る。駄目工事が終了する前に引っ越してしまうと、欠陥の責任の所在が、建て主にあるのか施工者にあるのか曖昧になってしまうからだ。

第 10 章

家を建てた後

家は建ててからも
メンテナンスが必要です。
マイホーム維持のための
ガイドラインを押さえます。

172

住まいの保険に加入する

住まいを守るためには、保険に加入しておくことも大切。特に、「火災保険」は加入しておきたい。たいていの火災保険は、落雷や風災などによる損害も補償する。

物体の衝突、水漏れ、盗難、水災などによって生じた損害を補償する「住宅総合保険」もある。なお、火災保険の多くは、対象を建物に限っており、家財や現金は補償していない。火災や台風による家財の汚損や盗難の被害に対しては、「家財保険」に加入しておく。

住まいの保険の決め方

建物の物件種別を確認（住宅か、店舗併用か）

▼

建物の構造（木造か、非木造か）・面積の確認

▼

建設費をもとに保険会社と加入者が協議のうえ、保険金額を決める

▼

家財保険への加入・非加入の選択

▼

地震保険への加入・非加入の選択

▼

各保険会社の商品を比較検討し、付帯する特約などを選択

▼

保険期間（最長35年）を決め、保険会社に保険料を算出してもらう

▼

契約（保険料は一括または分割で支払う）

隣の家が火災になり、それが自分の住まいに燃え移っても、火元の住人から補償を得ることはできない。このため、自分で火災保険に加入しておく必要がある。火災保険は、鉄筋コンクリート造や耐火被覆した鉄骨造の場合に保険料が安くなる。一方、木造でも屋根・外壁・軒裏・天井・壁の室内に面する部分が、定められた防火性のあるつくりであれば、保険料が下がる。このほか、家財保険や地震保険への加入も検討する。

173

地震保険にも加入する

火災保険では通常、地震によって起きた火事で建物や家財が焼け落ちても保険金は支払われない。このため、地震、火山噴火、それに伴う津波などによって起こる火災、家屋の損壊、流出、埋没に備えるには、地震保険に加入する必要がある。地震関連の保険の引き受け先でもっとも一般的なのが、各損保会社の「地震保険」だ。ほかに、JA共済の建物更正共済、全労災の自然災害保障付火災共済などの「共済保険」があり、いずれも火災保険への加入が前提。

主な地震関連保険の概要

	地震保険	建物更生共済	自然災害保障付火災共済	地震補償保険
引き受け先	損害保険会社	JA共済（農協）	全労災	SBI少額短期保険株式会社
補償される災害	地震・噴火、津波またはこれらによる津波を原因とする火災・損壊・埋没・流出	地震・津波・雪害・風害・火災など災害一般	地震・津波・雪害・風害など災害一般	地震（地震保険のみでも加入できる）
地震被害時の給付の最大金額	・主契約である火災保険の保険金額の30～50％に相当する範囲 ・建物の時価額の30～50％を限度として補償する ・建物5000万円、家財1000万円が上限	・加入した保険金額の5％以上の損害を被った場合、損害額の割合に応じて損害額の50％を上限とした自然災害救済金を受け取れる	・火災時の最高補償額6000万円 ・地震による損壊時の最高補償額は1200万円（標準）と1800万円（大型タイプ） ・再取得価額	・300～900万円（5タイプ）
保険料	・建物の所在地の地震危険度と建物構造 ・築年数や耐震等級などで割引制度	・坪単価と建物の大きさ ・構造物の材質	・住宅の構造や広さ、所在地や家族の人数、世帯主の年齢等	・地域と建物の構造
税制上の優遇措置	受けられる	受けられる	受けられる	受けられない
国の補償	あり	なし	なし	なし

それぞれ保険料が安い、保証金額が大きい、掛け捨てでないなどの特徴がある。大地震で大きな被害が生じたとき、保険金が莫大になるが、「地震保険」では保険に利潤が含まれておらず、将来発生する巨大地震に備えて積み立てがされており、また政府が損保会社から再保険を引き受けることで、損害を補償する仕組みになっている。これに対し、共済は自己資金で運営しており、巨大災害の場合には補償に限度が生じる場合がある。

地震保険の年間保険料例

保険金額1000万円あたり／保険期間1年（単位：円）／割引適用なし

構造区分（都道府県）	イ構造※	ロ構造※
北海道、青森県、岩手県、秋田県、山形県、栃木県、群馬県、新潟県、富山県、石川県、福井県、長野県、岐阜県、滋賀県、京都府、兵庫県、奈良県、鳥取県、島根県、岡山県、広島県、山口県、福岡県、佐賀県、長崎県、熊本県、大分県、鹿児島県	7,300	11,200
宮城県、福島県、山梨県、愛知県、三重県、大阪府、和歌山県、香川県、愛媛県、宮崎県、沖縄県	11,600	19,500
茨城県、徳島県、高知県	23,000	41,000
埼玉県	26,500	
千葉県、東京都、神奈川県、静岡県	27,500	

地震保険は単独加入できず、火災保険は、地震保険をセットにした火災保険の保険金額の30～50％の範囲と決まっている。建物では5000万円、家財では1000万円が限度額だ。保険料は、建物の構造（木造・非木造）別で、都道府県ごとに決められた料率に保険金額を掛けて計算される。

※イ構造は主として鉄筋・コンクリート造の、ロ構造は主として木造の建物

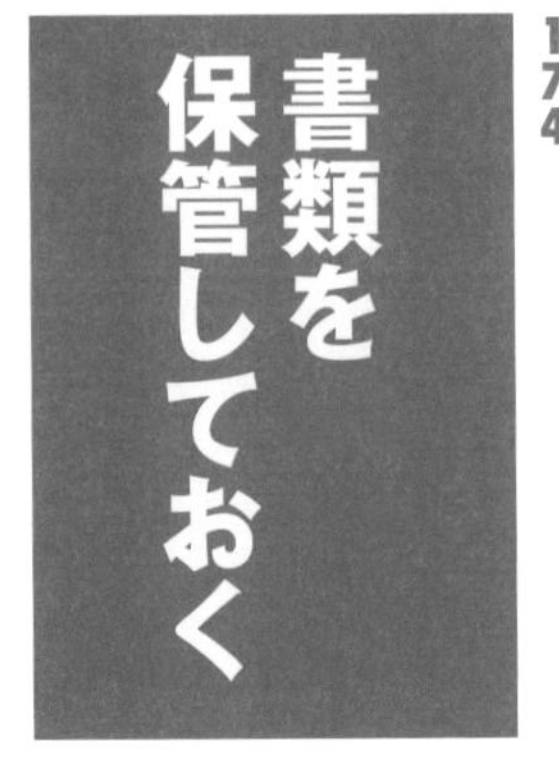

174 書類を保管しておく

建物が完成したら、完了検査をし、検査済証を受け取る。そして、建て主、施工者、設計者などの工事監理者、場合によっては機器の納入業者などが立ち会って竣工検査を行う。

これらの検査で手直しの必要が明らかになった部分は、引き渡しまでに補修工事を済ませる。補修工事の終了を確認したうえで、鍵や引き渡し証明書などの関連書類を受け取り、建物の引き渡しを受ける。

保管しておく書類

交付元	書類（◎は特に重要なものを示す）	内容	竣工後に必要となるとき
役所または民間確認検査機関など	◎建築確認申請書（副本）	建物の計画時に建築基準法等に適合するものかどうか、建築主事の確認を受けた申請書	表題登記時
	◎検査済証	建物の工事が完了したときに、検査機関へ完了検査申請書を申請しなければならない。完了検査申請書の提出後、係員により現地での完了検査が行われ、建築基準関連規定に適合していることが確かめられた場合に交付される	表題登記時
	昇降機用検査済証	ホームエレベーターを設置した場合に、建物とは別に必要	年1回の法定検査時
	設計住宅性能評価書 建設住宅性能評価書	住宅性能表示制度を利用し、設計住宅性能評価や建設住宅性能評価を受けた場合	トラブル発生時、住宅ローン・地震保険加入時（優遇）、 不動産売買時
	長期優良住宅認定書	長期優良住宅認定を受けた場合、書類図面を併せて	減税手続き時、 不動産売買時
工事施工者	◎建築工事完了引渡証明書	施工会社がどういう建物をいつ建て、それをいつ建て主に引き渡したかが書かれた書類	表題登記時
	◎各種証明書	工事施工者の印鑑証明書や資格証明書等	表題登記時
	◎瑕疵担保責任保険証明書	保険に契約していることを証明するもの	不具合（構造・雨漏り）発生時
	◎各種設備機器の保証書 および説明書	給湯器のリモコン、キッチンの機器類、トイレの洗浄便座等	故障時（保証期間内）
	工事施工写真	基礎工事や断熱材、仕上工事などの施工写真	トラブル発生時
設計者	監理業務完了通知書	工事監理業務の完了の報告	設計監理を依頼したことを 証明するとき
	竣工写真 （施工者の場合もある）	完成建物の内外部の写真	トラブル発生時、 メンテナンス時
	竣工図	工事中に発生した設計変更などを図面上でも修正し、竣工した建物を正確に表した図面	設備の不具合発生時・設計変更時

補修工事の終了を確認したうえで、引き渡し証明書などの関連書類を受け取る。万一、不具合やトラブルがあったときに、これらの書類が役に立つので、書類は保管しておく。このほか、1カ月以内に建物の表題登記の手続きをして、次に保存登記、そして登記済証（権利証のこと）の交付を受ける。

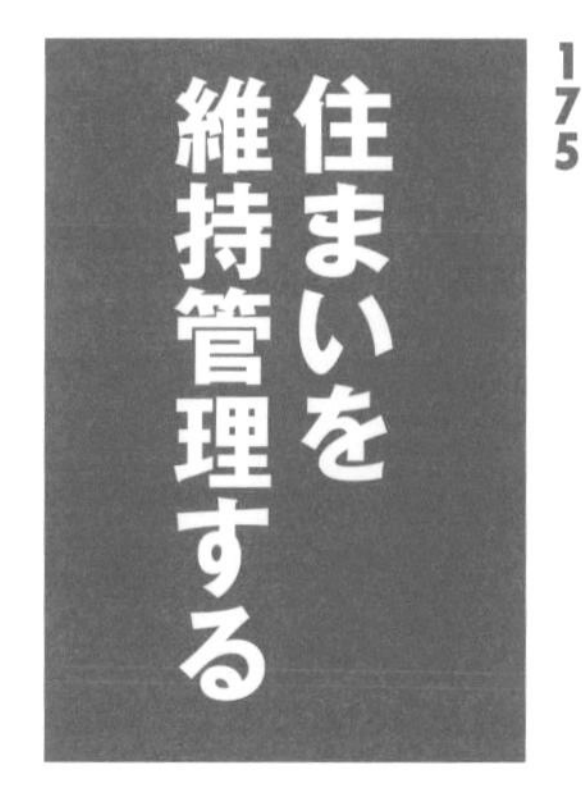

住まいを丈夫で美しく、快適な状態に保つために、定期的に点検し、メンテナンスすることが大切である。まずチェックしたいのは、194頁で紹介した瑕疵(かし)担保責任で対象となる個所。住宅金融支援機構のホームページの「マイホーム点検・補修記録シート」を参考にしよう。最近は設計者や工務店が何年かごとに定期点検を行うこともある。屋根や床下、天井裏などは危険が伴うので専門家に任せよう。不具合を発見したら、放置せずにすばやく対処する。

基本構造部分の点検項目

部位	点検項目
基礎	❶鉄筋コンクリートでつくられた基礎の重要部分である鉄筋は錆びると膨張し、内部からコンクリートを壊してしまうおそれがある。錆びの原因の多くは、雨などがひび割れや欠損部分からしみ込むことといわれている。 ❷幅 0.3mm以上のひび割れ、深さ 5mm以上の欠損がメンテナンスのサイン。 ❸蟻害(ぎがい)に関し、基礎の表面に土でつくられたトンネル状の蟻道(ぎどう)がないかチェックする。
土台・床組	❶木材の腐朽、カビの発生を、床下点検口か床下収納庫をはずした穴からライトを照らして調べる。 ❷床を支えている木材にカビがついていたり、腐っていないかを確認する。湿気は木材の大敵なので、床下を覗いたときに、湿気を感じたり、水が溜まっていたりしたら要注意。 ❸床下で最も気を配りたいのが蟻害の有無。以下を確認する。 ・木材の表面に、土でつくられたトンネル状の蟻道がないか ・木の表面に、幅 2mm前後の穴・点・筋が年輪に沿って直線状に並んでいないか ・木の表面に、筋状・面状に土がつき、剥がすと穴があいていないか ・木をたたくと、コンコンではなく、ポンポン(ボンボン)という音がしないか ・木の表面を残して、中が空っぽになっていないか
外壁	❶雨漏りは生活に支障があるばかりでなく、住宅の骨格に有害である。基礎の場合と同様にひび割れや欠損のチェックが必要。 ❷塗壁の場合、仕上材から下地材の表面まで貫通したひび割れや欠損があるかどうかを確認する。 ❸タイル張りでは、複数のタイルにまたがったひび割れや欠損の有無を確認する。
内壁	❶表面に「ひび割れ」「雨漏りによるシミ」「カビの痕跡」がないことを確認する。 ❷壁の中央部や開口部付近に縦ひび、紙やクロスにしわがないかチェックし、表面材でなく下地材のひび割れなどに起因すると思われる部分がないか確認する。
屋根	❶雨漏りの原因になる兆候を見逃さないようにする。住宅全体を見通せる位置から屋根を見て、不自然なムクリ(反り返り)や、窪み、波打ちがないか、屋根葺き材の浮き、ずれ、割れがないか確認する。見にくい場所は双眼鏡を使うとよい。 ❷基礎にひび割れが発見されている場合には、住宅全体に傾きがないかチェックする。 ❸屋根裏からも、雨漏りのシミがないか、カビや蟻道がないかを確認する。押入れの天井板を外して屋根裏全体を見渡し、小屋組や2階床組に、木の隙間の木屑、裂け目からのぞく空洞、木材のくずれ、継ぎ目の隙間、割れ、腐れ、がないかを確認する。 ❹鉄骨造の場合は、鉄材の赤サビ発生の有無を確認する。
床・柱・壁の傾き	❶傾きが大きい場合、安全性に影響する構造的な問題の可能性がある。歩いてみて異常が感じられる場所について、傾きを測る。 ❷1mに対して 3mm以上の傾きがシグナル。それが構造の異常に直結するわけではないが、問題発生の可能性を示しているので、専門家に見てもらうようにする。6mm以上の傾きが見られれば可能性が高い。 ❸水まわりや居間など使用頻度の高い部分は特に注意して歩いてみること。

計画的に修繕を行うことも大切である。たとえば、築15年ほどで、外壁の塗り替えが必要になることが多いが、併せて壁などのシーリング(隙間を充填剤でふさぐこと)や屋根、鉄部、木部の塗替え、樋の修理なども行うと効果的。あらかじめ、修繕時期の大まかな計画を立て、費用を積み立てておくとよい。修繕後は、工事の図面や見積書、写真などを点検結果と一緒に保管しておく。住宅の売却時には、記録が中古住宅の価値を示す資料となる。

一戸建て（木造住宅）マイホーム維持管理ガイドライン

点検部位			主な点検項目	点検時期の目安	取替えの目安
屋外部分	基礎	布基礎	割れ、蟻道、不同沈下、換気不良	5-6年ごと	
	外壁	モルタル壁	汚れ、色あせ、色落ち、割れ、剝がれ	2-3年ごと	15-20年くらいで全面補修を検討
		タイル張り壁	汚れ、割れ、剝がれ		
		サイディング壁（窯業系）	汚れ、色あせ、色落ち、割れ、シーリングの劣化	3-4年ごと	15-20年くらいで全面補修を検討
		金属板サイディング壁（金属系）	汚れ、錆、変形、ゆるみ	2-3年ごと	15-20年くらいで全面補修を検討（3-5年ごとに塗替え）
	屋根	瓦葺き	ずれ、割れ	5-6年ごと	20-30年くらいで全面葺替えを検討
		屋根用化粧スレート葺き	色あせ、色落ち、ずれ、割れ、錆	4-6年ごと	15-30年くらいで全面葺替えを検討
		金属板葺き	色あせ、色落ち、さび、浮き	2-3年ごと	10-15年くらいで全面葺替えを検討（3-5年ごとに塗替え）
		雨樋（塩化ビニル製）	つまり、はずれ、ひび		7-8年くらいで全面取替えを検討
		軒裏（軒裏天井）	腐朽、雨漏り、剝がれ、たわみ		15-20年くらいで全面補修を検討
	バルコニー・濡れ縁	木部	腐朽、破損、蟻害、床の沈み	1-2年ごと	15-20年くらいで全面取替えを検討（2-3年ごとに塗替え）
		鉄部	錆、破損、手摺のぐらつき	2-3年ごと	10-15年くらいで全面取替えを検討（3-5年ごとに塗替え）
		アルミ部	腐食、破損	3-5年ごと	20-30年くらいで全面取替えを検討
躯体部分	床組、軸組、小屋組など	土台、床組	腐朽、錆、蟻害、床の沈み、きしみ	4-5年ごと	土台以外は20-30年くらいで全面取替えを検討（5-10年で防腐・防蟻再処理）
		柱、梁	腐朽、破損、蟻害、割れ、傾斜、変形	10-15年ごと	
		壁（室内側）	割れ、雨漏り、目地破断、腐朽、蟻害、錆		
		天井、小屋組	腐朽、錆、剝がれ、たわみ、雨漏り、蟻害、割れ		
		階段	沈み、腐朽、錆、蟻害、割れ		
外構／その他	その他	郵便受け	固定不良、破損、腐食、変形	1年ごと	10-25年くらいで全面取替えを検討
		門、塀	傾き、はがれ、ひび割れ		
		警報装置	機能不良、破損		12-18年くらいで全面取替えを検討
		防犯装置			
屋内部分	床仕上げ	板張り床	きしみ、反り、汚れ	随時	状況に応じて検討
		カーペット床	カビ、ダニ、汚れ	1-2年ごとに本格的クリーニング	6-10年で敷き替えを検討
		畳床	凸凹、ダニ、変色、汚れ	年1-2度たたみ干し、2-3年裏返し	裏返してからさらに2-3年

一戸建て（木造住宅）マイホーム維持管理ガイドライン

点検部位			主な点検項目	点検時期の目安	取替えの目安
屋内部分	床仕上げ	ビニル系の床	剥がれ（めくれ）、汚れ、劣化による割れ	随時	状況に応じて検討
		玄関床	タイル等の汚れ・割れ、剥がれ		
	壁仕上げ	ビニルクロス張り壁	カビ、剥がれ、汚れ	随時	状況に応じて検討
		織物クロス張り壁			
		板張り壁、化粧合板張り壁	浮き、剥がれ、変色、汚れ、割れ		
		繊維壁、砂壁	剥がれ、汚れ		
	天井仕上げ	和室天井（化粧合板目隠し張り）	シミ、汚れ	随時	状況に応じて検討
		洋室天井（ビニルクロス・クロス張り）			
建具	外部建具	玄関建具	隙間、開閉不良、腐食、附属金物の異常	2-3年ごと	15-30年くらいで取替えを検討（建付調整は随時）
		アルミサッシ			
		雨戸、網戸	錆、腐朽、建付不良		
		窓枠、戸袋等の木部	腐朽、雨漏り、シーリング不良	2-3年ごと	建具取替えの際検討
	内部建具	木製建具	隙間、開閉不良、取付金物の異常	2-3年ごと	10-20年くらいで取替えを検討（建付調整は随時）
		ふすま、障子	隙間、開閉不良、破損、汚れ	1-3年ごとに張り替え	10-20年くらいで取替えを検討（建付調整は随時）
設備	給排水設備	給水管	水漏れ、赤水	1年ごと	15-20年くらいで全面取替えを検討
		水栓器具	水漏れ、パッキングの摩耗、プラスチック部の腐食	1年ごと	10-15年くらいで取替えを検討（3-5年でパッキング交換）
		排水管、トラップ	水漏れ、つまり、悪臭	1年ごと	15-20年くらいで全面取替えを検討
		キッチンシンク、洗面設備	水漏れ、割れ、腐食、換気不良、錆、シーリングの劣化、汚れ		
		トイレ	便器・水洗タンクの水漏れ、悪臭、カビ、換気不良、金属部の青錆、つまり		
	浴室	タイル仕上げ	タイル等の割れ、汚れ、カビ、シーリングの劣化、排水口のつまり	1年ごと	10-15年くらいで全面取替えを検討
		ユニットバス	ジョイント部の割れ・隙間、汚れ、カビ、排水口のつまり		
	ガス設備	ガス管	ガス漏れ、劣化、管の老化	1年ごと	15-20年くらいで面取替えを検討
		給湯器	水漏れ、ガス漏れ、器具の異常		10年くらいで取替えを検討
	その他	換気設備（換気扇）	作動不良	1年ごと	15-20年くらいで全面取替えを検討
		TV受信設備（アンテナなど）	固定不良、錆、破損、変形		12-18年くらいで全面取替えを検討
		電気設備（コンセントなど）	作動不良、破損		15-20年くらいで全面取替えを検討

注　住宅金融支援機構ホームページの資料をもとに作成。「点検時期の目安」および「取替えの目安」は、建物の立地条件、建設費、使用状況および日常の点検や手入れの程度によって、相当の差がある。本表に掲げている数値は、大体の目安を示したもの。

部位別お手入れのポイント(外壁·屋根·外まわり)

部位	材料	お手入れ方法
外壁・床下	モルタル外壁	陽の当たらない北側などにカビが出やすいので、風通しに気をつけ、物を密着させて置かないようにする。大きなひび割れは応急処置として充填材で隙間を埋めてから、専門家に連絡する。
	サイディング外壁	継ぎ目のシーリングは特に劣化しやすい。あちこち切れたりひび割れたりしていれば専門家に連絡。部分的に切れているのを見つけたら、隙間を埋める補修を行う。
	板張り外壁	木材保護塗料の耐候性は思いのほか短く、2〜3年に1度塗り替えるのが理想。
	床下換気口	床下を湿気から守るには、換気口の役目は重要なので、植木鉢など物を置いて塞がないようにする。
屋根	瓦屋根	ずれや割れをチェック。異常があれば専門家に相談する。屋根上での作業は危険!
	化粧スレート屋根	割れや変色、色あせをチェック。異常があれば専門家に相談する。屋根上での作業は危険!
	金属板屋根	錆や変色、色あせをチェック。異常があれば専門家に相談する。屋根上での作業は危険!
	雨樋	雨降り時に軒樋(のきどい)から水があふれ出していれば、落ち葉などで樋が詰まっている可能性大。取り除ける高さ以外は無理をせず専門家に連絡を。
バルコニー	防水床	ビニールやプラスチック系の床は熱に弱いので、花火やたばこの火を近づけるのは禁物。表面は傷つきやすいため、金属タワシなどは使用しない。
	木部	雨掛かりの部分は傷みやすいので、濡れた状態が長引くことがないよう気にかけておく。木材保護塗料は2〜3年に1度塗り替えるのが理想。
	アルミ部	表面についた土ぼこりなどを布で拭き取る。強く拭くと砂等でアルミ表面に傷をつけるので注意。落ちにくい汚れはぬるま湯で薄めた中性洗剤で洗い、洗剤が残らないよう洗い流す。
その他の外まわり	敷地の排水	敷地に湿気が多いと建物がシロアリや腐朽菌の害にあうほか、住む人の健康上好ましくないので、スムーズに排水するようにする。また、排水用の溜め枡は時々掃除を。
	基礎まわり	下水工事、水道工事、植栽など基礎の周辺を深く掘るときは、基礎を傷めないよう注意。建物に近接して大木になる木を植えると、将来根が基礎を破壊したり、枝葉が屋根などを傷めるので避ける。

自分では難しく、専門家に依頼したいものもあるが、すべて人任せでは費用もかかる。せっかくこだわって竣工させた住まいだ。自分でも使われている材料やつくりをよく知り、できる限りの維持管理を家族で担ってこそ「わが家」と胸を張れるものではないだろうか。ぜひ、家族みんなでトライしてみよう。

部位別お手入れのポイント(室内)

部位	材料	お手入れ方法
キッチン	換気扇	取り外しができる部分は、中性洗剤を溶かしたぬるま湯に浸しておいてから汚れを取る。外せない部分にスプレー式などの洗剤を用いても、スイッチなどの電気部分には直接かけないよう注意。
	コンロまわり	油分を含むコンロまわりの汚れは、時間とともに取れにくくなるため、早めに拭き取る。その日の汚れならお湯だけで落ちる。五徳は外して洗い、ガスバーナーは専用ブラシで時々磨き、目詰まりを防止する。
	流し台まわり	ステンレス製流し台は、使用後に全体を洗い流し水気を拭きとっておく。鉄製の包丁・缶などの放置は錆の発生に注意。人工大理石の汚れはクリームクレンザーで、ひどい場合はサンドペーパーで削り取る。
床	フローリング	普段は掃除機掛けか乾拭きで。水拭きはNG。汚れ防止にワックスを塗ってから生活を始め、半年～1年ごとに塗り直す。無垢板は凹ませた場合も濡れ布の上からアイロン掛けすると元に戻ることが多い。
	畳	普段は畳の目に沿った掃除機かけと、乾拭きで。汚した場合も水拭きは避ける。年に1度梅雨が明けたら畳上げをするとよい。カビが出てしまったら、アルコールで拭き取る。
	カーペット	普段は掃除機掛けで。汚した個所は薄めた住居用洗剤をしみこませた布で叩きとるなど。汚したら定着する前にすぐに取る。年に1、2度はカーペットクリーナーを使って全体を掃除するとよい。
	ビニルシート	トイレや洗面所、キッチンの床によく使われる床材。汚れはお湯で薄めた中性洗剤で落とし、その後水拭きしてOK。
	タイル	屋外床：普段は箒などで掃き掃除を。汚れがついたら水を掛けデッキブラシでこすり洗い流す 屋内床：普段は掃除機で埃を取る。汚れは中性洗剤を使い、濡れモップかデッキブラシでこすり落とす。
壁・天井	ビニルクロス	軽い汚れは薄い住居用洗剤に浸した堅しぼりの雑巾で拭き取る。紙の継ぎ目が濡れるとはがれやすいので、注意。経年で、接着剤が浮き出て見えたり、薄汚れてきたら貼り替えが必要。
	紙・布張り	表面の埃が目立ってきたら、壁用ノズルをつけた掃除機をかける。汚れをスポンジでこするなどはNG。汚れは洗剤を湯で薄め浸した堅しぼりの布で叩くように拭き取る。消しゴムできれいになることも。
	漆喰・珪藻土	普段ははたき掛け程度で。水を使った掃除は禁物。小さな汚れは消しゴムで目立たなくすることも。ひどく汚したり大きな疵がつけば、塗り替える。
	板張り	普段ははたき掛けか乾拭きで。部分的な汚れは薄めた洗剤で拭きとった後、濡れた布で洗剤分を取り除く。化粧合板は表面をあまり強くこすらないように。
水まわり	トイレ	トイレが詰まったら、まず水を流すのをやめる。止水栓も閉め、市販品のゴム製通水カップを用いれば、ちょっとしたつまりは直せる。無理なら専門業者に依頼のこと。
	洗面台	キャビネット部分は中性洗剤で水拭き後洗剤分を拭き取る。陶器のボウルは薄めた中性洗剤とスポンジで洗う。汚れがあればクリームクレンザーもOK。水栓はメラミンフォームスポンジで磨きピカピカに。
	浴室	換気をよくして、湿気を早く外へ出す。天井や壁を濡れたままの状態にしておかない。カビが出た場合は、市販のカビ取り剤や塩素系漂白剤を使う。排水口の髪の毛などを随時取り除き、排水不良を防止。
建具	サッシ	下枠は汚れやすいので、掃除機やハケで砂やホコリを取り除き、水拭きする。アルミ部分を強くこすらない。サッシのすべりが悪いときは戸車にシリコーンスプレーすると改善する場合が多い。
	ドア	ドアの開閉速度はドアクローザーに付いているネジで調整ができる。ドアのしまりが悪いときはちょうつがいをチェック。ネジが緩んでいることが多い。ちょうつがいに潤滑油を注すとスムーズな開閉に。
	引戸	すべりが悪くなったら、まず敷居に溜まったゴミを取り除く。それでも悪いときは、戸車のある引戸なら戸車のネジを調整、障子や襖は下枠にすべりをよくするシートを張るか、敷居に専用ロウを塗ると改善する。

『鉄筋コンクリート造入門』(岡田勝行他著、彰国社刊)
『電化住宅のための計画・設計マニュアル2008』(日本工業出版株式会社刊)
『ちょっとしたリフォームでバリアフリー住宅』(高齢者住環境研究所編、オーム社刊)
『東北森林科学会シンポジウムの記録　21世紀/東北の森林・林業と住宅』(増田一眞著)
『二世帯住宅その前に』(こがめの会著、三省堂刊)
『初めての建築法規』(建築のテキスト編集委員会編、学芸出版社刊)
『パッシブ建築設計手法辞典』(彰国社刊)
『マイホーム新築チェックシート 平成12年度版』(住宅金融公庫監修、(財)住宅金融普及協会刊)
『丸太組構法住宅工事共通仕様書』((財)住宅金融普及協会刊)
『マンガで学ぶ木の家・土の家』(小林一元・高橋昌巳・宮越喜彦著、井上書院刊)
『マンガで学ぶ建設廃棄物とリサイクル』(建設廃棄物を考える会著、井上書院刊)
『マンガで学ぶツーバイフォー住宅』(西川暹・平野正信著、(社)日本ツーバイフォー建築協会監修、井上書院刊)
『マンガで学ぶ木造住宅の設計監理』(貝塚恭子・片岡泰子・小林純子著、井上書院刊)
『宮脇檀の住宅設計テキスト』(宮脇檀建築研究室著、丸善刊)
『向こう三軒両隣り 田中敏溥』(インデックス・コミュニケーションズ刊)
『木造建築技術図解』(大塚常雄著、理工学社刊)
『木造建築用語辞典』(小林一元・高橋昌巳・宮越喜彦・宮坂公啓著、井上書院刊)
『木造住宅工事共通仕様書』((財)住宅金融普及協会刊)
『木造住宅建てる前・買う前に知っておきたい123の常識』(大庭孝雄著、日本実業出版社刊)
『木造住宅のコストプランニング』(高橋照男著/鹿島出版会刊)
『木造住宅のための住宅性能表示制度のマニュアル　平成12年7月』
(建設省住宅局住宅生産課監修、(財)日本住宅・木材技術センター刊)
『木造住宅のための住宅性能評価申請の手引き　平成12年7月』
(建設省住宅局住宅生産課監修、(財)日本住宅・木材技術センター刊)
『やっぱりやらなきゃ耐震リフォーム』(耐震リフォーム家づくりの会、経済調査会刊)
『要介護高齢者のための住宅リフォーム　福祉職が取り組む相談から施工ポイント』
(住宅リフォームに関する調査研究委員会編、社会福祉法人全国社会福祉協議会)
『LIFE STYLEで考える　1.つきあいを楽しむ住まい』(川崎衿子・大井絢子著、彰国社刊)
『ログハウス専科』(三浦亮三郎著、山と渓谷社刊)

『家づくり究極ガイド』(エクスナレッジ刊)
『世界で一番やさしい家づくりガイド』(エクスナレッジ刊)
『木のデザイン図鑑』(エクスナレッジ刊)
『MyHOME+ vol.02,05,07』(エクスナレッジ刊)
『木造住宅私家版仕様書』(エクスナレッジ刊)
『木造住宅私家版仕様書:架構編』(松井郁夫・小林一元・宮越喜彦編、エクスナレッジ刊)
『和風デザイン図鑑』(エクスナレッジ刊)

『建築知識2000年3月』(エクスナレッジ刊)
『建築知識2000年10月』(エクスナレッジ刊)
『建築知識2001年3月』(エクスナレッジ刊)
『建築知識2002年10月号』(エクスナレッジ刊)
『建築知識2002年12月号』(エクスナレッジ刊)
『建築知識2003年6月』(エクスナレッジ刊)
『建築知識2003年11月』(エクスナレッジ刊)
『建築知識2006年2月号』(エクスナレッジ刊)
『建築知識2007年10月』(エクスナレッジ刊)
『建築知識2008年7月号』(エクスナレッジ刊)
『建築知識2009年5月』(エクスナレッジ刊)
『建築知識2010年9月』(エクスナレッジ刊)
『建築知識2011年8月』(エクスナレッジ刊)
『建築知識2011年10月』(エクスナレッジ刊)

参考文献

『安全で暮らしやすい住まいづくり住宅改善の基本とコツ』(群馬県保健福祉部高齢対策課)
『家づくりのバイブル』(女性建築技術者の会 著、三省堂刊)
『家づくりを成功させる本』(丸谷博男・堀啓二著、彰国社刊)
『イラストでわかる二世帯住宅』(林圭三編著、都市文化社刊)
『イラストによる家づくりハンドブック』((社)日本建築家協会関東甲信越支部建築相談委員会著、井上書院刊)
『イラスト版慶弔辞典』(塩月弥栄子著、小学館刊)
『絵で見る建築工程シリーズ② 木造在来工法 2階建住宅』(建築工程図編集委員会著、建築資料研究社刊)
『絵で見る建築工程シリーズ④ 鉄骨造2階建住宅(外壁:サイディング)』
(建築工程図編集委員会著、建築資料研究社刊)
『絵で見る建築工程シリーズ⑥ 鉄筋コンクリート造3階建ビル』(建築工程図編集委員会著、建築資料研究社刊)
『絵で見る建築工程シリーズ⑨ 2×4工法2階建住宅』(建築工程図編集委員会著、建築資料研究社刊)
『改訂木造住宅の見積もり』(阿部正行著、(財)経済調査会刊)
『家族で書いてプロと決める　納得できる住まいづくりの本』(住宅金融公庫監修、(財)住宅金融普及協会刊)
『家族のキッチン&ダイニング』(女性建築技術者の会 著、亜紀書房刊)
『体にいい家　長もちする家』(大宮健司著、ごま書房刊)
『冠婚葬祭大辞典』(現代礼法研究所著、ナツメ社刊)
『Q&A家づくり心配事解消辞典』(草原社編著、主婦と生活社刊)
『暮らしから描く快適間取りのつくり方』(吉田桂二 編・吉田桂二・小林一元・松本昌義・長谷川順持 著、彰国社刊)
『暮らしから描く「環境共生住宅」のつくり方』(吉田桂二 編・長谷川順持・新井聡・江原幸壱・青島芳雄 著、彰国社刊)
『暮らしから描くキッチンと収納のつくり方』
(吉田桂二 編・吉田桂二・勝見紀子・島田真弓・西岡麻里子・西山珠美 著、彰国社刊)
『健康な住まいを手に入れる本』(小若順一・高橋元著、コモンズ刊)
『建築学用語辞典』(日本建築学会 編、岩波書店刊)
『建築現場実用語辞典』(建築慣用語研究会編、井上書院)
『公庫のプロが教える家づくりのツボ』(住宅金融公庫・住宅金普及協会編)
『公庫融資住宅技術基準の解説書平成12年度版』(住宅金融公庫監修、(財)住宅金普及協会刊)
『困ったときに役立つ慶弔辞典』(岩下宣子著、日本文芸社刊)
『こんなときどうする儀式110番』(伊勢丹広報室著、誠文堂新光社刊)
『在宅介護と環境保健』(東京アポ・ケアアーズ出版委員会編、薬事日報社刊)
『地震と木造住宅』(杉山英男著、丸善刊)
『室内化学汚染』(田辺新一著、講談社現代新書刊)
『住宅新法ガイド(住宅性能表示制度編)』((財)日本住宅・木材技術センター)
『住宅性能表示制度ガイド』(建設省住宅局住宅生産課)
『「新築」のコワサ教えます』(船瀬俊介著、築地書館刊)
『[図解] 高齢者・障害者を考えた建築設計』(楢崎雄之著、井上書院刊)
『図解住居学1　住まいと生活』(図解住居学編集委員会編、彰国社刊)
『図解でわかる建築法規』(高木任之著、日本実業出版社刊)
『すこやかシルバー介護3　食事・住まいの工夫と福祉用具』(NHK福祉番組取材班編、労働旬報社刊)
『住まいづくりの本』(日本建築士会連合会編、彰国社刊)
『住まいづくりのノウハウ集「二世帯住宅」』(トステム)
『住まいの管理手帳(戸建て住宅編)』(住宅金融公庫監修、(財)住宅金融普及協会刊)
『住まいのノーマライゼーションII　バリアフリー住宅の実際と問題点ー高齢者に快適な住まいー』
(菊池弘明著、技報堂出版刊)
『住まいを守る耐震性入門』(山辺豊彦・鈴木聡 著、風土社刊)
『CHANCE BOOK冠婚葬祭辞典』(高砂殿・愛知葬祭監修、旺文社刊)

監修・執筆者紹介

最新トピックス(p8,9,10)・1章・2章(p50〜59, 62〜66)・8章(p191)

田村　誠邦

(株)アークブレイン代表取締役。土地活用・建築プロジェクト等の企画コンサルティング。マンション建替え、団地再生等のコーディネーター。2008年日本建築学会業績賞、2010年日本建築学会論文賞受賞

甲田　珠子

(株)アークブレイン。(株)COCOA取締役。一級建築士。東京工業大学工学部建築学科卒業、同大学大学院修士課程修了。(株)熊谷組を経て、(株)アークブレインに入所。主な著書「住宅・不動産で知りたいことが全部わかる本」(エクスナレッジ・共著)、「都市・建築・不動産企画開発マニュアル入門版2024-2025」(エクスナレッジ・共著)

(株)アークブレイン
〒106-0032　東京都港区六本木7-3-12　六本木インターナショナルビル8階
TEL：03-5770-7291
HP：http://www.abrain.co.jp/

2章(p60〜61)・4章・5章(p120, 122〜125,127, 129,130〜132〜145)・6章・7章(p162〜165, 172, 175,176)・9章(p194, 199,207)・10章

新井　聡

一級建築士。職人がつくる木の家ネット会員、生活文化同人会員、埼玉木の家コーディネーター、木の家だいすきの会理事。共著書に 住宅リフォーム至高ガイド2014』(エクスナレッジ)、『環境共生住宅のつくり方』(彰国社)がある

勝見　紀子

一級建築士。女性建築技術者の会会員、埼玉木の家コーディネーター、木の家だいすきの会会員。共著書に『住宅リフォーム至高ガイド2014』(エクスナレッジ)、『キッチンと収納のつくり方』(彰国社)がある

(株)アトリエ・ヌック建築事務所
〒335-0014　埼玉県戸田市喜沢南1-3-19-308
TEL：048-432-8651
HP：https://aterier-nook.com

5章(p126,128,131)

山田　浩幸

Y.M.O.合同会社
〒177−0041　東京都練馬区石神井町3-30-23-502
TEL：03-6913-4123
HP：https://www.ymo-gbac.com

2002年yamada machinery office(YMO)設立。著書『世界で一番やさしい建築設備』『建築設備パーフェクトマニュアル』『エアコンのいらない家』『ストーリーで面白いほど頭に入る建築設備』(以上すべてエクスナレッジ)など

8章（p178～190）・9章（p195～198,200～206,208,209）

青木　律典

（株）デザインライフ設計室 代表取締役
〒195-0062　東京都町田市大蔵町2038-21
TEL：042-860-2945
HP：https://www.designlifestudio.jp

「丁度いい住まいと暮らしをつくる」をテーマに建て主のライフスタイルに合ったデザイン性・機能性・快適性のバランスのよい住宅を設計している

世界一わかりやすい
家づくりの教科書
2024-2025

2024年9月2日　初版第1刷発行

発行者　三輪浩之
発行所　株式会社エクスナレッジ
〒106-0032
東京都港区六本木7-2-26
https://www.xknowledge.co.jp

問合せ先
編集　TEL:03-3403-1381　FAX:03-3403-1345
info@xknowledge.co.jp
販売　TEL:03-3403-1321　FAX:03-3403-1829